YOUCAT

Coleção **YOUCAT**

Youcat, Fundação Youcat
Docat: como agir?, Fundação Youcat
Bíblia jovem: Youcat, Fundação Youcat
Youcat: preparação para a Crisma – catequista, Nils Baer (org.)
Youcat: preparação para a Crisma, Bernhard Meuser; Nils Baer
Youcat: Update! Confissão!, VV.AA.
Youcat: orações para jovens, Georg von Lengerke; Dörte Schrömges (orgs.)
Youcat para crianças, Fundação Youcat
Box Youcat: minha primeira comunhão, Fundação Youcat
Youcat curso sobre a fé, Bernhard Meuser

YOUCAT

BRASIL

CATECISMO JOVEM
DA IGREJA CATÓLICA

Prefácio do Papa Bento XVI
e posfácio de D. Eduardo Pinheiro da Silva

PAULUS

Título original:
YOUCAT - Jugendkatechismus Der Katholischen Kirche
© Pattloch Verlag GmbH & Co. KG, Munique, Alemanha

Capa e layout: *Alexandre von Lengerke, Colónia*

Nihil Obstat, 3 de Março de 2010
Imprimatur da Conferência Episcopal Austríaca, com aprovação
da Conferência Episcopal Alemã, 29 de Novembro de 2010,
da Conferência Episcopal Suíça, 6 de Dezembro de 2010,
da Congregação para a Doutrina da Fé, da Congregação para o Clero
e da Pontifícia Congregação para os Leigos.

Imprimatur do Cardeal-Patriarca de Lisboa, d. José Policarpo,
para a versão portuguesa, 6 de Janeiro de 2011.

Dados Internacionais de Catalogação na Publicação (CIP)
(Câmara Brasileira do Livro, SP, Brasil)

Youcat: catecismo jovem da Igreja Católica / prefácio do Papa Bento XVI
e posfácio de D. Eduardo Pinheiro da Silva; [adaptação para o português brasileiro
Paulus Editorial]. — São Paulo: Paulus, 2011. — Coleção Youcat.

Título original: *Youcat: Jugendkatechismus Der Katholischen Kirche*.
ISBN 978-85-349-3324-7 (luxo)
ISBN 978-85-349-4657-5 (simples)

1. Igreja Católica - Catecismos 2. Jovens - Vida religiosa I. Bento XVI, Papa.
II. Silva, Eduardo Pinheiro da.

18-15332   CDU 238.2

Índice para catálogo sistemático:

1. Catecismos: Igreja Católica: Doutrina católica 238.2
Cibele Maria Dias - Bibliotecária - CRB-8/9427

Seja um leitor preferencial **PAULUS**.
Cadastre-se e receba informações
sobre nossos lançamentos e nossas promoções:
paulus.com.br/cadastro
Televendas: **(11) 3789-4000 / 0800 016 40 11**

Direção editorial: *Pe. Claudiano Avelino dos Santos*
Coordenação editorial: *Pe. Sílvio Ribas*
Impressão e acabamento: PAULUS

1ª edição (luxo), 2011
13ª reimpressão, 2022
2ª edição (simples), 2017
8ª reimpressão, 2023

© PAULUS – 2011

Rua Francisco Cruz, 229 • 04117-091 • São Paulo (Brasil)
Tel.: (11) 5087-3700
paulus.com.br • editorial@paulus.com.br
ISBN 978-85-349-3324-7 (luxo)
ISBN 978-85-349-4657-5 (simples)

Sumário

PREFÁCIO
Carta do Santo Padre Papa Bento XVI aos Jovens

PRIMEIRA PARTE
Em que cremos 12

Porque podemos crer 14 | Nós, seres humanos, somos abertos a Deus 14
Deus aproxima-Se de nós, seres humanos 16 | O ser humano responde a Deus 25
O Credo cristão 28 | Creio em Deus Pai 31
Creio em Jesus Cristo, Filho Unigênito de Deus 51 | Creio no Espírito Santo 73

SEGUNDA PARTE
Como celebramos os mistérios cristãos 100

Deus age em nós através de sinais sagrados 102 | Deus e a Sagrada Liturgia 104
Como celebramos os mistérios de Cristo 108 | Os sete sacramentos
da Igreja 116 | Sacramentos da iniciação (Batismo, Confirmação
e Eucaristia) 116 | Sacramentos da cura (Penitência e Unção
dos Enfermos) 133 | Sacramentos da comunhão e do envio
(Ordem e Matrimônio) 143 | Outras celebrações litúrgicas 156

TERCEIRA PARTE
A vida em Cristo 160

Para que estamos na Terra, o que devemos fazer e como nos ajuda o Espírito
Santo de Deus 162 | A dignidade do ser humano 162 | A comunhão humana 180
Os Dez Mandamentos 193 | Ama o Senhor, teu Deus, com todo o coração,
com toda a alma e com todos os teus pensamentos 194
Ama o teu próximo como a ti mesmo 202

QUARTA PARTE
Como devemos orar 256

A oração na vida cristã 258 | Orar: Como Deus nos doa a Sua presença 258
A fonte da oração 270 | O caminho da oração 274
Pai Nosso, a oração do Senhor 280

POSFÁCIO
D. Eduardo Pinheiro da Silva 288

Índice de conceitos 290

Índice de definições 300

Abreviaturas 301

CARTA DO SANTO PADRE
PAPA BENTO XVI

Queridos amigos e jovens!

Hoje recomendo-vos ler um livro extraordinário. É extraordinário pelo seu conteúdo e também pelo modo como surgiu. Gostaria de vos contar um pouco sobre como este livro surgiu, porque logo ficará claro o que ele tem de especial.

Digamos que ele nasceu de uma outra obra, cuja gênese remonta aos anos 80. Tanto para a Igreja como para a sociedade mundial era um tempo difícil, em que eram necessárias novas orientações para encontrar o caminho do futuro. Após o Concílio Vaticano II (1962-1965) e numa situação cultural alterada, muitos já não sabiam ao certo em que os cristãos realmente acreditavam, o que a Igreja ensinava e se ela, no fundo, podia ensinar algo, e como tudo isto se inseria numa cultura alterada pelas bases. Não foi o Cristianismo ultrapassado enquanto tal? Pode-se hoje ser crente com a razão? Estas eram questões que até os bons cristãos se colocavam.

O Papa João Paulo II tomou então uma resolução audaz. Decidiu que os bispos de todo o mundo deveriam escrever um livro em que pudessem apresentar tais respostas. Ele confiou-me a tarefa de coordenar o trabalho dos bispos e fazer com que, dos seus contributos, surgisse um livro, um verdadeiro livro, não uma composição de diversos textos. Ele deveria ter o título antiquado de *Catecismo da Igreja Católica*, mas deveria ser totalmente excitante e novo. Deveria mostrar aquilo em que a Igreja Católica hoje crê e como se pode crer razoavelmente.

Fiquei assustado com essa missão. Tenho de confessar: duvidei de que isso fosse exequível. Pois como seria possível que autores espalhados por todo o mundo compusessem juntos um livro legível? Como poderiam pessoas que vivem em diferentes continentes, não apenas geográficos, mas também intelectuais e espirituais, conseguir juntas um texto que tivesse coesão interna e fosse compreensível em todos os continentes? Ocorreu também que estes bispos deveriam escrever não simplesmente como autores individuais, mas também em contato com os seus irmãos no episcopado, com as Igrejas locais. Tenho de confessar: ainda hoje, continua a parecer-me um prodígio que esse plano tenha resultado.

Cerca de duas ou três vezes por ano, durante uma semana inteira, encontrávamo-nos para discutir apaixonadamente cada uma das partes que entretanto iam crescendo. Sem dúvida, o primeiro passo foi determinar a estrutura do livro. Ele deveria ser simples, para que os vários grupos de autores, que nós fixamos, pudessem assumir tarefas claras e não tivessem de inserir à força as suas declarações num sistema complexo. Trata-se precisamente da estrutura que encontrais neste livro. É simplesmente retirada da experiência catequética secular: «Em que cremos», «Como celebramos os mistérios cristãos», «A vida em Cristo», «Como devemos orar». Não quero narrar agora como lentamente nos debatemos com a totalidade das questões, até finalmente daí surgir um verdadeiro livro. Numa tal obra, pode-se naturalmente criticar algo ou até muito: tudo o que o ser humano faz é insuficiente e pode ser melhorado. Não obstante, é um grande livro: um testemunho da unidade na diversidade. De muitas vozes pôde constituir-se um coro comum, porque tínhamos a partitura comum da fé que a Igreja transmitiu desde os Apóstolos.

Por que conto tudo isto? Tínhamos já tido em conta, durante a composição do livro, que não apenas os continentes e as culturas eram diversos, mas também que dentro das sociedades ainda existiam vários "continentes": o operário pensa diferente do agricultor, o físico do filólogo, o empresário do jornalista, o jovem do sênior. Portanto, tínhamos de nos estabelecer, em termos de língua e de pensamento, acima de todas estas diferenças, isto é, procurar o espaço da "comunhão" entre os diferentes mundos do pensamento. Assim, tornamo-nos ainda mais conscientes de que o texto necessitava de "traduções" nos diferentes mundos vitais, para aí tocar as pessoas nos seus próprios pensamentos e questões.

Nas Jornadas Mundiais da Juventude que se seguiram – Roma, Toronto, Colônia, Sidney – encontraram-se jovens de todo o mundo. Eles desejam crer, procuram Deus, amam Cristo e querem um caminho de comunhão. Neste contexto, surgiu um pensamento: não deveríamos procurar traduzir o *Catecismo da Igreja Católica* na linguagem dos jovens, introduzindo as suas grandes afirmações no mundo dos jovens? É claro que também existem muitas diferenças na juventude mundial contemporânea. Assim surgiu, sob a experiente orientação do arcebispo de Viena, Christoph Schönborn, um "Youcat" para os jovens. Espero que muitos jovens se deixem fascinar por este livro.

Muitas pessoas me dizem: os jovens de hoje não se interessam por isso. Duvido de que isto seja verdade e estou certo do que digo. Os jovens de hoje não são tão superficiais como se diz deles. Eles querem saber realmente o que é a vida. Um romance policial é excitante porque nos insere no destino de outras pessoas, que também poderia ser o nosso. Este livro é cativante porque fala do nosso próprio destino, pelo que está profundamente próximo de cada um de nós.

Assim vos convido: estudai o catecismo! Este é o desejo do meu coração. Este catecismo não fala ao vosso gosto, nem vai pelo facilitismo. Na verdade, ele exige de vós uma vida nova. Ele apresenta-vos a mensagem do Evangelho como uma «pérola preciosa» (Mt 13,46), pela qual se tem de dar tudo. Peço-vos, portanto: estudai o catecismo com paixão e perseverança! Para isso, sacrificai tempo! Estudai-o no silêncio do vosso quarto, lede-o enquanto casal se estiverdes namorando, formai grupos de estudo e redes sociais, partilhai-o entre vós na Internet! Permanecei deste modo num diálogo sobre a vossa fé!

Tendes de saber em que credes. Tendes de conhecer a vossa fé como um especialista em tecnologia domina o sistema funcional de um computador. Tendes de a compreender como um bom músico entende uma partitura. Sim, tendes de estar enraizados na fé ainda mais profundamente que a geração dos vossos pais, para enfrentar os desafios e as tentações deste tempo com força e determinação. Precisais da ajuda divina para que a vossa fé não seque como uma gota de orvalho ao sol, para não sucumbirdes às aliciações do consumismo, para que o vosso amor não se afunde na pornografia, para não trairdes os fracos nem abandonardes os que foram vitimados.

Se, pois, cheios de zelo pretenderdes dedicar-vos ao estudo do catecismo, gostaria de vos dizer uma última coisa para a vossa caminhada: sabeis todos quão profundamente a comunhão dos crentes foi ferida nos últimos tempos pelo ataque do mal, com a infiltração do pecado no íntimo da Igreja, isto é, no seu coração. Não o tomeis como pretexto para fugir do rosto de Deus! Vós próprios sois o corpo de Cristo, a Igreja! Trazei à Igreja o fogo inestinguível do vosso amor sempre que o seu rosto for desfigurado! «Sede diligentes, sem preguiça, fervorosos no espírito, servindo o Senhor!» (Rm 12,11)

Quando Israel se encontrava na situação mais profunda da sua história, Deus não pediu ajuda aos grandes ou aos notáveis, mas a um jovem chamado Jeremias. Este pensou ter-se tratado de um exagero: «Ah, Senhor Deus! Não sei falar, porque ainda sou um menino...» (Jr 1,6) Deus, porém, não ficou desconcertado: «Não digas: Eu sou um menino! Porque irás a todos a quem Eu te enviar; e falarás tudo quanto te ordenar!» (Jr 1,7)

Dou-vos a minha bênção e oro cada dia por todos vós.

PRIMEIRA PARTE

1 Em que cremos

PERGUNTAS 1–165

Por que podemos crer 14

Nós, seres humanos, somos abertos a Deus 14

Deus aproxima-Se de nós, seres humanos 16

O ser humano responde a Deus 25

O Credo cristão 28

Creio em Deus Pai 31

Creio em Jesus Cristo, Filho Unigênito de Deus 51

Creio no Espírito Santo 73

> Deus quer que todos se salvem e cheguem ao conhecimento da verdade.
> TM 2,4

> 99 Temos de conhecer as pessoas e as coisas humanas para as amar. Temos de amar Deus e as coisas divinas para as conhecer.
> BLAISE PASCAL
> (1623-1662, matemático e filósofo francês)

> Deus é amor.
> 1Jo 4,16b

> 99 A medida do amor é amar sem medida.
> SÃO FRANCISCO DE SALES
> (1567-1622, bispo notável, pároco genial, fundador de uma congregação e doutor da Igreja)

> 99 O amor é a alegria pelo bem; o bem é o único fundamento do amor. Amar significa querer fazer bem a alguém.
> SÃO TOMÁS DE AQUINO
> (1225-1274, guia espiritual da Idade Média, doutor da Igreja e eminente teólogo da Igreja)

◈ PRIMEIRA SEÇÃO ◈
Por que podemos crer

1 Para que estamos no mundo?

Estamos no mundo para conhecer e amar Deus, para fazer o bem segundo a Sua vontade e um dia ir para o Céu. [1-3, 358]

Ser pessoa humana significa vir de Deus e ir para Deus. Nós vimos de mais longe que dos nossos pais. Nós vimos de Deus, do qual provém toda a felicidade do Céu e da Terra, e somos esperados na Sua eterna e ilimitada bem-aventurança. Entretanto, vivemos neste mundo. De vez em quando, sentimos a proximidade do nosso Criador; frequentemente, não sentimos mesmo nada. Para encontrarmos o caminho para casa, Deus enviou-nos o Seu filho, que nos libertou do pecado, nos salvou de todo o mal e nos conduz infalivelmente à verdadeira Vida. Ele é «o Caminho, a Verdade e a Vida» (Jo 14,6).
→ 285

2 Por que Deus nos criou?

Deus criou-nos por livre e desinteressado amor. [1-3]

Quando uma pessoa ama, o seu coração transborda. Ela deseja partilhar a alegria com os outros. Nisso ela parece-se com o seu Criador. Embora Deus seja um mistério, podemos pensá-l'O de um modo humano e dizer: Ele criou-nos a partir do "excesso" do Seu amor. Ele queria partilhar a Sua infinda alegria conosco, criaturas do Seu amor.

◈ PRIMEIRO CAPÍTULO ◈
Nós, seres humanos, somos abertos a Deus

3 Por que procuramos Deus?

Deus colocou no nosso coração um desejo: procurá-l'O e encontrá-l'O. Santo Agostinho diz: «Tu criaste-nos para Ti e o nosso coração está irrequieto até encontrar o descanso em Ti.» A este desejo de Deus chamamos → RELIGIÃO. [27-30]

❓ RELIGIÃO

Por religião pode-se entender genericamente uma relação para com o Divino. Uma pessoa religiosa reconhece algo Divino como o poder que a criou a ela e ao mundo, do qual ela é dependente e para o qual ela está orientada. Ela quer, mediante o estilo de vida, agradar ao Divino e venerá-l'O.

💬 A fonte da alegria cristã é esta consciência de ser amado por Deus, de ser pessoalmente amado pelo nosso Criador, [...] com amor apaixonado e fiel, um amor que é maior que a nossa infidelidade e os nossos pecados, um amor que perdoa.

BENTO XVI, 01.06.2006

📖 Deve-se procurar a Deus e esforçar-se realmente para O atingir e encontrar. Na verdade, Ele não está longe de cada um de nós. É n'Ele que vivemos, nos movemos e existimos.

AT 17,27-28a

A busca de Deus é natural na pessoa humana. Toda a sua aspiração pela verdade e pela felicidade é, no fundo, uma busca daquilo que a sustenta absolutamente, que a satisfaz absolutamente, que a torna absolutamente útil. Uma pessoa só está totalmente consigo própria quando encontrou Deus. «Quem procura a verdade procura Deus, seja isso evidente ou não para ela.» (Santa Edith Stein) ➔ 5, 281-285

 4   *Podemos descobrir a existência de Deus com a nossa razão?*

Sim, a razão humana pode, seguramente, descobrir Deus. [31-36, 44-47]

O mundo não pode ter origem nem fim em si mesmo. Em tudo o que existe está mais do que aquilo que se vê. A ordem, a beleza e o desenvolvimento do mundo apontam para fora de si mesmos e remetem para Deus. Cada pessoa

> A mais nobre força do ser humano é a razão. A mais alta meta da razão é o conhecimento de Deus.
>
> SANTO ALBERTO MAGNO (ca. 1200-1280, dominicano, sábio universal, doutor da Igreja e um dos maiores teólogos da Igreja)

humana está aberta ao Verdadeiro, ao Bom e ao Belo. Ela escuta, dentro de si, a voz da consciência, que a impele para o bem e a adverte do mal. Quem segue esta pista encontra Deus.

5 *Por que há pessoas que negam a Deus, se elas O podem descobrir pela razão?*

Descobrir Deus invisível é um grande desafio para o espírito humano. Muitos, perante isso, recuam de medo. Alguns também não querem descobrir Deus precisamente porque, então, teriam de mudar a sua vida. Quem diz que a questão de Deus é absurda, porque insolúvel, torna o assunto demasiado simples. [37-38] → 357

> Por isso, há pessoas que, nestes assuntos, se convencem de que é falso ou duvidoso aquilo com que não querem concordar.
>
> PIO XII, *Humani Generis*

6 *Pode Deus de alguma forma abarcar-Se em conceitos? Pode-se falar razoavelmente d'Ele?*

Embora nós, seres humanos, sejamos limitados e a infinita grandeza de Deus nunca se ajuste aos conceitos humanos, podemos, no entanto, falar acertadamente sobre Deus. [39-43, 48]

> O que é incompreensível não é, por isso, menos importante.

Para fazermos afirmações sobre Deus, utilizamos imagens imperfeitas e noções limitadas. Cada dito sobre Deus situa-se, portanto, sob a condição de que a nossa linguagem não está à altura da grandeza de Deus. Assim, temos continuamente de purificar e melhorar o nosso discurso sobre Deus.

◇ SEGUNDO CAPÍTULO ◇
Deus aproxima-Se de nós, seres humanos

> Não se pode revelar qualquer semelhança entre Criador e criatura sem que se faça notar entre eles uma dissemelhança ainda maior.
>
> IV CONCÍLIO DE LATRÃO

7 *Por que teve Deus de Se revelar, para sabermos como Ele é?*

O ser humano pode descobrir pela razão que Deus existe, mas não como Deus é realmente. Portanto, como Deus gosta de ser conhecido, revelou-Se. [50-53, 68-69]

Deus teve de Se revelar a nós. Ele fê-lo por amor. Tal como, no amor humano, só se pode conhecer algo de uma pessoa amada quando ela nos abre o seu coração, também só conhecemos os mais íntimos pensamentos de Deus porque Ele, eterno e misterioso, Se abriu a nós por amor. Desde a Criação, passando pelos patriarcas e pelos profetas, até à definitiva → REVELAÇÃO no Seu Filho Jesus Cristo, Deus comunicou continuamente com a humanidade. Em Jesus, Ele verteu-nos o coração e tornou-nos claro o Seu Ser mais íntimo.

8 Como Se revela Deus no Antigo Testamento?

Deus mostra-Se, no → ANTIGO TESTAMENTO, como Aquele que criou o mundo por amor e permanece fiel ao ser humano, mesmo que este, pelo pecado, O renegue. [54-64, 70-72]

Deus deixa-Se experimentar na história. Com Noé faz uma Aliança para salvar todos os seres vivos. Chama Abraão para fazer dele o «pai de um grande número de nações» (GN 17,5) e nele abençoar «todas as nações da Terra» (GN 12,3). O povo de Israel, descendente de Abraão, torna-se Sua especial propriedade. A Moisés apresenta-Se nominalmente: O Seu nome misterioso, יהוה, muitas vezes pronunciado como → "IAHWEH", significa «Eu sou Aquele que sou» (EX 3,14). Ele liberta Israel da escravidão no Egito, faz uma Aliança no Sinai e, através de Moisés, entrega-lhe a Lei. Repetidas vezes, Deus envia profetas ao Seu povo, para o chamar à conversão e à renovação da Aliança. Os profetas anunciam que Deus fará uma nova e eterna Aliança, que realizará uma radical renovação e uma definitiva redenção. Esta Aliança estará aberta a toda a humanidade.

9 O que nos mostra Deus quando nos envia o Seu Filho?

Em Jesus Cristo, Deus mostra-nos toda a profundidade do Seu misericordioso amor. [65-66, 73]

Através de Jesus Cristo, torna-Se visível o Deus invisível. Ele torna-Se como nós. Isto mostra-nos até que ponto vai o amor de Deus: Ele carrega todo o nosso peso. Ele percorre conosco todos os caminhos.
Ele vive a nossa solidão, o nosso sofrimento, o nosso medo da morte. Ele apresenta-Se onde não podemos avançar, para nos abrir a porta para a Vida. → 314

> Aprouve a Deus, na Sua bondade e sabedoria, revelar-Se a Si mesmo e dar a conhecer o mistério da Sua vontade, segundo o qual a humanidade, por meio de Cristo, Verbo encarnado, tem acesso ao Pai no Espírito Santo e se torna participante da natureza divina.
>
> CONCÍLIO VATICANO II, *Dei Verbum*, n.º 2

REVELAÇÃO
A revelação significa que Deus Se abre, Se mostra e fala ao mundo por livre vontade.

> A felicidade que procurais, a felicidade a que tendes direito [...] tem um nome, um rosto: é Jesus de Nazaré.
>
> BENTO XVI, 18.08.2005

ENCARNAÇÃO
(do lat. *caro, carnis* = carne)
Trata-se da encarnação de Deus em Jesus Cristo. É o fundamento da fé cristã e da esperança na redenção do ser humano.

> Não tenho ilusões. Não consigo imaginar Deus Pai. Tudo o que posso ver é Jesus.
>
> Santa Teresa de Calcutá (1910-1997, o "anjo de Calcutá", fundadora das Missionárias da Caridade, Nobel da Paz)

10 *Ficou tudo dito com Jesus Cristo ou prosseguirá a revelação depois d'Ele?*

Em Jesus Cristo foi o próprio Deus que veio ao mundo. Ele é a última palavra de Deus. Ouvindo-O, toda pessoa humana, em todos os tempos, pode saber quem é Deus e o que é necessário para a sua salvação. [66-67]

No Evangelho de Jesus Cristo está perfeita e completamente disponível a → Revelação de Deus. Para que ela nos seja clara, o Espírito Santo introduz-nos na Verdade cada vez mais profundamente. A Luz de Deus penetra na vida de algumas pessoas de um modo tão forte, que elas veem o «céu aberto» (At 7,56). Foi assim que surgiram os grandes lugares de peregrinação, como Guadalupe, no México, Lourdes, em França, ou Fátima, em Portugal. As "revelações privadas" dos videntes não podem aperfeiçoar o Evangelho de Jesus Cristo; embora não sejam universalmente vinculativas, podem ajudar-nos a entendê-lo melhor, desde que a sua verdade seja examinada pela Igreja.

> Muitas vezes e de muitos modos falou Deus antigamente aos nossos pais, pelos profetas. Nestes dias, que são os últimos, falou-nos por meio do Seu Filho.
>
> Hb 1,1 ss.

> Fora de Jesus Cristo nada sabemos do que é Deus, a vida, a morte e do que nós próprios somos.
>
> Blaise Pascal

MISSÃO
(lat. *missio* = envio)
A missão é a essência da Igreja e o mandamento de Jesus a todos os cristãos de anunciar o Evangelho com palavras e atos, de forma a que todas as pessoas optem livremente por Cristo.

11 *Por que transmitimos a fé?*

Transmitimos a fé porque Jesus ordenou-nos: «Ide, fazei discípulos de todas as nações!» (Mt 28,19) [91]

Nenhum cristão autêntico deixa a transmissão da fé apenas ao cuidado dos especialistas (catequistas, párocos, missionários). Somos cristãos para os outros. Isto significa que cada cristão autêntico deseja que Deus chegue também aos outros. Ele diz para si: «O Senhor precisa de mim! Sou batizado, confirmado e responsável para que as pessoas à minha volta façam a experiência de Deus e cheguem ao conhecimento da Verdade.» (1Tm 2,4) Madre Teresa utilizou uma boa metáfora: «É frequente observares fios elétricos ao longo da estrada. Se a corrente não passa por eles, não há luz. O fio é o que somos tu e eu. A corrente elétrica é Deus. Temos o poder de a deixar passar através de nós e, assim, fornecer ao mundo a Luz, que é Jesus, ou de recusarmos que Ele Se sirva de nós, permitindo, com isso, que a escuridão se alastre.» → 123

> É urgente e necessário que surja uma nova geração de apóstolos que estejam enraizados na Palavra de Cristo, em condições de dar uma resposta aos desafios do nosso tempo e preparados para anunciar o Evangelho em toda a parte.
>
> BENTO XVI, 22.02.2006

12 *Como sabemos o que pertence à verdadeira fé?*

Encontramos a verdadeira fé na Sagrada Escritura e na Tradição viva da Igreja. [76, 80-82, 85-87, 97, 100]

O → NOVO TESTAMENTO surgiu da fé da Igreja. Escritura e Tradição pertencem-se mutuamente. A transmissão da fé não ocorre primordialmente através de textos. Santo Hilário de Poitiers, bispo da Igreja antiga, dizia: «A Sagrada Escritura está escrita no coração da Igreja, mais que em pergaminho.» Já os discípulos e os → APÓSTOLOS tiveram a experiência da Vida Nova antes de mais através da comunhão viva com Jesus. A jovem Igreja convidou outras pessoas a esta comunhão, que continuou de outra maneira após a ressurreição. Os primeiros cristãos eram «assíduos ao ensino dos Apóstolos, à comunhão fraterna, à fração do pão e às orações» (AT 2,42). Eles eram unidos entre si, mas tinham espaço para os outros. É isto que constitui a fé até hoje: os cristãos convidam outras pessoas para descobrirem a comunhão com Deus, a qual, desde os tempos dos Apóstolos, se manteve genuína na Igreja Católica.

> Portanto, a sagrada Tradição e a Sagrada Escritura estão intimamente unidas e compenetradas entre si. Com efeito, derivando ambas da mesma fonte divina, fazem como que uma coisa só e tendem ao mesmo fim.
>
> CONCÍLIO VATICANO II, *Dei verbum*, n.º 9

Qual é o sentido da vida?

APÓSTOLO

(gr. *apostolos* = mensageiro, enviado) No Novo Testamento, aparece primeiramente como designação dos doze homens que foram chamados por Jesus a ser os Seus mais estreitos colaboradores e testemunhas. Também São Paulo pôde entender-se como um Apóstolo chamado por Cristo.

MAGISTÉRIO

É a designação da tarefa da Igreja Católica de explicar a fé, interpretá-la com a assistência do Espírito Santo e protegê-la de adulterações.

> Meditai a Palavra de Deus com frequência e permiti ao Espírito Santo ser o vosso mestre. Descobrireis, então, que os pensamentos de Deus não são os nossos; sereis logo conduzidos a contemplar o verdadeiro Deus e ler os acontecimentos da história com os Seus olhos; ireis saborear plenamente a alegria que transborda da Verdade.
>
> BENTO XVI, 22.02.2006

---

13 Pode a Igreja enganar-se em questões de fé?

A totalidade dos crentes não pode errar na fé, porque Jesus prometeu aos Seus discípulos mandar-lhes o Espírito da Verdade e conservá-los na Verdade (Jo 14,17). [65-66, 73]

Tal como os discípulos acreditavam em Jesus de todo o coração, também um cristão pode confiar totalmente na Igreja se procurar o caminho da Vida. Efetivamente, se o próprio Jesus fez dos Seus Apóstolos participantes na missão de ensinar, a Igreja tem uma função educativa (→ MAGISTÉRIO) e não se pode calar. É certo que alguns membros da Igreja se podem enganar e até cometer erros graves, mas a Igreja, como um todo, nunca se poderá desviar da Verdade de Deus. A Igreja transporta, através do tempo, uma Verdade viva, que é maior que ela mesma. Fala-se de *depositum fidei*, o tesouro da fé, que deve ser preservado. Caso alguma verdade seja publicamente questionada ou deturpada, a Igreja é desafiada a trazer novamente à luz «aquilo em que se creu por toda a parte, em todos os tempos e por todos os crentes» (São Vicente de Lérins, † 450).

14 É verdadeira a Sagrada Escritura?

«Os livros da Escritura ensinam com certeza, fielmente e sem erro a verdade de Deus, porque são inspirados, ou seja, foram escritos por inspiração do Espírito Santo e têm Deus por autor.» (CONCÍLIO VATICANO II, *Dei verbum*, n.º 11) [103-107]

A → BÍBLIA não caiu do céu feita, nem Deus a ditou a autômatos, isto é, escritores inconscientes. Antes, «para escrever os livros sagrados, Deus escolheu e serviu-Se de pessoas na posse das suas faculdades e capacidades, para que, agindo Ele neles e por eles, pusessem por escrito, como verdadeiros autores, tudo aquilo e só aquilo que Ele queria» (CONCÍLIO VATICANO II, *Dei verbum*, n.º 11). Para que determinados textos fossem reconhecidos como Escritura Sagrada, tiveram de ser aceitos pela Igreja universal. Teve de existir, portanto, um consenso nas comunidades: «Sim, é o próprio Deus que nos fala por este texto, isto é mesmo inspirado pelo Espírito Santo!» Desde o século IV, estes escritos protocristãos estão fixados no → Cânone das Sagradas Escrituras, tal como foram realmente inspirados pelo Espírito Santo.

15 *Como pode a Sagrada Escritura ser "Verdade", se nem tudo o que nela se encontra está correto?*

A → Bíblia não transmite precisão histórica nem conhecimentos científico-naturais. Também os autores eram filhos do seu tempo. A sua forma de expressão é influenciada pelas conceções culturais (por vezes inadequadas) do seu meio envolvente. Não obstante, tudo o que o ser humano precisa saber sobre Deus e sobre o caminho da sua redenção encontra-se com infalível segurança na Sagrada Escritura. [106-107, 109]

16 *Como se lê a Bíblia corretamente?*

A Sagrada Escritura lê-se corretamente se for lida em atitude orante, ou seja, com a ajuda do Espírito Santo, sob cujo influxo ela surgiu. Ela contém a Palavra de Deus, isto é, a decisiva mensagem de Deus para nós. [109-119, 137]

A → Bíblia é como uma longa carta de Deus dirigida a cada um de nós. Por isso, temos de acolher as Sagradas Escrituras com grande amor e respeito. Primeiro, devemos realmente ler a carta de Deus, isto é, não isolar pormenores sem atender ao todo. Depois, devemos orientar esse todo para o seu coração e mistério, ou seja, para Jesus Cristo, de quem fala toda a Bíblia, mesmo o Antigo Testamento. Portanto, devemos ler as Sagradas Escrituras na mesma fé viva da Igreja em que elas surgiram. → 491

? INSPIRAÇÃO
(lat. *inspiratio* = inalação)
Tal a influência de Deus sobre o escritor bíblico, que Ele mesmo é considerado o autor da Sagrada Escritura.

? CÂNONE
(lat. *canon* = cana de medição, diretriz)
Trata-se da compilação vinculativa dos escritos sagrados que se encontram na Bíblia, tanto no Antigo como no Novo Testamento.

? BÍBLIA
Por "Bíblia" (gr. *biblos* = livro) designam os judeus e os cristãos uma coleção de escritos sagrados que surgiram num período de mais de 1000 anos e constituem o documento da sua fé. A Bíblia cristã é substancialmente mais abrangente que a judaica, pois, além dos escritos desta, contém ainda outros livros do Antigo Testamento, quatro Evangelhos, as Cartas de São Paulo e outros escritos da Igreja primitiva.

„ A Bíblia é a carta do amor de Deus dirigida a nós.
Sören Kierkegaard (1813-1855, filósofo)

ANTIGO TESTAMENTO

(lat. *testamentum* = legado)
É a primeira parte de toda a Bíblia e a Sagrada Escritura dos judeus. O Antigo Testamento da Igreja Católica abarca 46 livros: Pentateuco, escritos históricos, proféticos e sapienciais (em que se incluem os Salmos).

NOVO TESTAMENTO

É a segunda parte de toda a Bíblia. Contém os textos especificamente cristãos, nomeadamente os quatro Evangelhos, os Atos dos Apóstolos, treze cartas paulinas, a Carta aos Hebreus, sete cartas católicas e o Apocalipse de São João.

Lê a Bíblia no teu telemóvel.

Os Livros da Bíblia (→ Cânone)

ANTIGO TESTAMENTO (46 Livros)

Pentateuco
Gênesis (Gn), Êxodo (Ex), Levítico (Lv), Números (Nm), Deuteronômio (Dt)

Livros Históricos
Josué (Js), Juízes (Jz), Rute (Rt), 1 Samuel (1Sm), 2 Samuel (2Sm), 1 Reis (1Rs), 2 Reis (2Rs), 1 Crônicas (1Cr), 2 Crônicas (2Cr), Esdras (Esd), Neemias (Ne), Tobias (Tb), Judite (Jt), Ester (Est), 1 Macabeus (1Mc), 2 Macabeus (2Mc)

Livros sapienciais
Jó (Jó), Salmos (Sl), Provérbios (Pr), Coélet (Ecl), Cântico dos Cânticos (Ct), Sabedoria (Sb), Ben Sirá (Eclo)

Livros proféticos
Isaías (Is), Jeremias (Jr), Lamentações (Lm), Baruc (Br), Ezequiel (Ez), Daniel (Dn), Oseias (Os), Joel (Jl), Amós (Am), Abdias (Ab), Jonas (Jn), Miqueias (Mq), Naum (Na), Habacuc (Hab), Sofonias (Sf), Ageu (Ag), Zacarias (Zc), Malaquias (Ml)

NOVO TESTAMENTO (27 Livros)

Evangelhos
Mateus (Mt), Marcos (Mc), Lucas (Lc), João (Jo)

Atos dos Apóstolos (At)

Cartas paulinas
Carta aos Romanos (Rm) 1 Carta aos Coríntios (1Cor), 2 Carta aos Coríntios (2Cor), Carta aos Gálatas (Gl), Carta aos Efésios (Ef), Carta aos Filipenses (Fl), Carta aos Colossenses (Cl), 1 Carta aos Tessalonicenses (1Ts), 2 Carta aos Tessalonicenses (2Ts), 1 Carta a Timóteo (1Tm), 2 Carta a Timóteo (2Tm), Carta a Tito (Tt), Carta a Filêmon (Fm)

Carta aos Hebreus (Hb)

Cartas católicas
Carta de São Tiago (Tg), 1 Carta de São Pedro (1Pd),
2 Carta de São Pedro (2Pd), 1 Carta de São João (1Jo),
2 Carta de São João (2Jo), 3 Carta de São João (3Jo),
Carta de São Judas (Jd)

Apocalipse de São João (Ap)

17 *Que significado tem o Antigo Testamento para os cristãos?*

No → Antigo Testamento, Deus mostra-Se como o Criador e o sustento do mundo, como guia e educador da humanidade. Também os livros do Antigo Testamento são Palavra de Deus e Sagrada Escritura. Sem o Antigo Testamento não é possível compreender Jesus. [121-123, 128-130, 140]

No → Antigo Testamento começa uma grande história didática sobre a fé, que no → Novo Testamento sofre uma decisiva viragem e atinge a meta com o fim do mundo e o retorno de Cristo. Aqui o Antigo Testamento revela-se mais do que um simples prelúdio ao Novo. Os Mandamentos e as profecias do Povo da Antiga Aliança, com as suas promessas para toda a humanidade, nunca foram revogados. Nos livros da Antiga Aliança encontra-se um insubstituível tesouro de orações e de sabedoria; em particular, os Salmos pertencem à oração quotidiana da Igreja.

18 *Que significado tem o Novo Testamento para os cristãos?*

No → Novo Testamento consuma-se a → Revelação de Deus. Os quatro evangelhos – segundo São Mateus, São Marcos, São Lucas e São João – são o coração da Sagrada Escritura e o mais precioso tesouro da Igreja. Neles mostra-Se o Filho de Deus como Ele é e como vem ao nosso encontro. Nos Atos dos Apóstolos conhecemos os primórdios da Igreja e a ação do Espírito Santo. Nas cartas apostólicas a vida do ser humano é iluminada, em todas as suas dimensões, pela Luz de Cristo. No Apocalipse de São João antevemos o fim dos tempos. [124-130, 140]

> 99 Deus de Abraão, Deus de Isaac, Deus de Jacó – não dos filósofos ou dos eruditos! Deus de Jesus Cristo. Só se pode encontrar e guardar nos caminhos instruídos no Evangelho.
>
> Blaise Pascal, depois de fazer uma experiência de Deus

> 99 Só quando nos encontramos com o Deus vivo aprendemos o que é a Vida. Não há nada mais belo que ser encontrado pelo Evangelho, por Cristo.
>
> Bento XVI, 24.04.2005

> 99 Desconhecer a Escritura é desconhecer Cristo.
>
> São Jerónimo (347--419, padre e doutor da Igreja, exegeta e tradutor da Bíblia)

> A Sagrada Escritura não é algo que pertence ao passado. O Senhor não fala no passado, mas no presente; Ele fala conosco hoje, dá-nos a Luz, mostra-nos o caminho da Vida, concede-nos a comunhão, e, assim, prepara-nos e abre-nos para a Paz.

BENTO XVI, 29.03.2006

> Ler a Sagrada Escritura significa pedir o conselho de Cristo.

SÃO FRANCISCO DE ASSIS (1182-1226, "o maior cristão depois de Cristo", fundador de uma ordem, místico)

Jesus é tudo o que Deus nos queria dizer. Todo o Antigo Testamento prepara a encarnação do Filho de Deus. Todas as promessas de Deus encontram em Jesus o seu cumprimento. Ser cristão significa unir-se cada vez mais profundamente à vida de Cristo. Para isso é preciso ler e viver os evangelhos. Madeleine Delbrêl diz: «Através da Sua Palavra, Deus diz-nos quem Ele é e o que quer; Ele di-lo definitivamente e para cada dia. Quando temos o nosso Evangelho nas mãos, devemos considerar que aí habita a Palavra que Se tornou carne para nós e nos quer atingir para recomeçarmos a Sua vida num novo lugar, num novo tempo, num novo ambiente humano.»

19 *Que papel desempenha a Sagrada Escritura na Igreja?*

A Igreja busca a sua vida e a sua força na Sagrada Escritura, como quem busca a água num poço. [103-104, 131-133, 141]

Além da presença de Cristo na Sagrada → EUCARISTIA, a Igreja nada honra com mais veneração que a presença de Deus na Sagrada Escritura. Na Santa Missa, acolhemos o Evangelho de pé, porque é o próprio Deus que nos fala com palavras humanas.

→ 128

❧ TERCEIRO CAPÍTULO ❧
O ser humano responde a Deus

20 *Como podemos responder a Deus quando Ele nos aborda?*

Responder a Deus significa crer n'Ele. [142-149]

Quem deseja crer precisa de um «coração que escuta» (1Rs 3,9). Deus procura o contato conosco de múltiplas formas. Em cada encontro humano, em cada experiência da Natureza que nos toca, em cada aparente acaso, em cada desafio, em cada sofrimento... Deus deixa-nos uma mensagem escondida. Ele fala-nos ainda mais claramente quando Se dirige a nós pela Sua Palavra ou pela voz da consciência. Ele trata-nos como amigos. Por isso, também nós, como amigos, devemos corresponder-Lhe, crendo e confiando totalmente n'Ele, aprendendo a conhecê-l'O cada vez melhor e a aceitar sem reservas a Sua vontade.

21 *Fé – o que é isso?*

Fé é conhecimento e confiança. Tem sete características:

- A fé é uma pura *dádiva* de Deus, que nós obtemos se intensamente a pedirmos.

- A fé é a força sobrenatural de que necessariamente precisamos para alcançar a salvação.

- A fé requer *a vontade livre e a lucidez* do ser humano quando ele se abandona ao convite divino.

- A fé é *absolutamente segura* porque Jesus o garante.

- A fé é incompleta enquanto não se tornar operante no amor.

- A fé *cresce* na medida em que escutamos cada vez melhor a Palavra de Deus e permanecemos com Ele, na oração, em vivo intercâmbio.

- A fé permite-nos já a experiência do *alegre antegozo do Céu*. [153-165, 179-180, 183-184]

> 99 Crer é essencialmente o acolhimento de uma Verdade que a nossa razão não consegue atingir, um acolhimento simples e incondicional, como se se tratasse de uma prova.
>
> BEATO JOHN HENRY NEWMAN (1801-1890, filósofo e teólogo inglês convertido, mais tarde cardeal da Igreja Católica)

Se tiverdes uma fé comparável a um grão de mostarda, direis a este monte: «Muda-te daqui para acolá», e ele há de mudar-se. E nada vos será impossível.

MT 17,20

> 99 Crer significa sustentar, durante toda a vida, a incompreensibilidade de Deus.
>
> KARL RAHNER (1904-1984, teólogo alemão)

> 99 Não gostaria de crer se não pudesse perceber que é sensato crer.
>
> SÃO TOMÁS DE AQUINO

> Crer num Deus significa compreender que não bastam os fatos do mundo. Crer num Deus significa que a vida tem um sentido.
>
> LUDWIG WITTGENSTEIN (1889-1951, filósofo austríaco)

> É importante aquilo em que cremos, mas mais importante ainda é Aquele em quem cremos.
>
> BENTO XVI, 28.5.2006

> Credo, *ut intelligam* – Creio, para compreender.
>
> SANTO ANSELMO DE CANTUÁRIA (1033/34-1109, doutor da Igreja, notável teólogo da Idade Média)

Muitos afirmam que "crer" é demasiado pouco; eles querem é "saber". A palavra "crer" tem, no entanto, dois sentidos completamente distintos. Se um paraquedista, no aeroporto, pergunta ao empregado: «O paraquedas está corretamente acondicionado?», e este casualmente responder: «Hum, creio que sim...», isso então não lhe bastará; ele quer mesmo saber. Se, todavia, ele tiver pedido a um amigo para acondicionar o paraquedas, e este lhe responder à mesma pergunta: «Sim, eu pessoalmente encarreguei-me de o fazer. Podes confiar em mim!», o paraquedista responder-lhe-á então: «Está bem, acredito em ti!» Esta fé é muito mais que "conhecimento", ela significa "certeza". E esta é a fé que fez Abraão mudar-se para a Terra Prometida, esta é a fé que fez os → MÁRTIRES perseverarem até à morte, esta é a fé que ainda hoje mantém de pé os cristãos perseguidos.
Uma fé que compreende todo o ser humano...

22 Como se crê?

Quem crê procura uma ligação pessoal com Deus e está pronto a crer em tudo o que Ele revelou acerca de Si mesmo. [150-152]

Quando a fé nasce, ocorre com frequência uma perturbação ou um desassossego. O ser humano apercebe-se de que o mundo visível e o decurso normal das coisas não correspondem a tudo o que existe. Sente-se tocado por um mistério. Persegue as pistas que o remetem para a existência de Deus e encontra-se cada vez mais confiante em abordar Deus e, por fim, ligar-se a Ele livremente. Diz-se no Evangelho segundo São João: «A Deus, nunca ninguém O viu. O Filho Unigênito, que está no seio do Pai, é que O deu a conhecer.» (Jo 1,18) Portanto, temos de crer em Jesus, o Filho de Deus, se queremos saber o que Deus nos quer comunicar. Assim, crer significa aderir a Jesus e entregar a nossa vida inteira nas Suas mãos.

23 *Existe contradição entre fé e ciência natural?*

Não existem contradições insolúveis entre fé e ciência natural, porque não podem existir verdades duplas. [159]

Nenhuma verdade da fé faz concorrência com as verdades da ciência. Só existe uma Verdade, à qual dizem respeito tanto a fé como a razão científica. Deus quis tanto a razão, com que podemos descobrir as estruturas racionais do mundo, como a fé. Por isso, a fé cristã exige e apoia a ciência natural. A fé existe para conhecermos as coisas que, embora não possam ser abarcadas pela razão, existem todavia para além da razão e são reais. A fé lembra à ciência natural que esta não se deve colocar no lugar de Deus, mas servir a Criação.
A ciência natural tem de respeitar a dignidade humana, em vez de atentar contra ela.

24 *O que tem a minha fé a ver com a Igreja?*

Ninguém pode crer só para si mesmo, como também ninguém consegue viver só para si mesmo. Recebemos a fé da Igreja e vivemo-la em comunhão com todas as pessoas com quem partilhamos a nossa fé. [166-169, 181]

A fé é aquilo que uma pessoa tem de mais pessoal, mas não é um assunto privado. Quem deseja crer tem de poder dizer tanto "eu" como "nós", pois uma fé que não possa ser partilhada e comunicada seria irracional. Cada crente dá o seu consentimento ao Credo da Igreja. Dela recebeu a fé. Foi ela que, ao longo dos séculos, lhe transmitiu a fé, a guardou de adulterações e a clarificou constantemente. Crer é, portanto, tomar parte numa convicção comum. A fé dos outros transporta-me, como também o fogo da minha fé incendeia os outros e os fortalece. O "eu" e o "nós" da fé remetem-nos para os dois símbolos da fé da Igreja, pronunciados na Liturgia: o Símbolo dos Apóstolos, que começa com *Credo* ("eu creio") (→ CREDO), e o grande Símbolo Niceno-Constantinopolitano, que, na sua forma original, começava com *credimus* ("nós cremos").

> 99 Ninguém consegue chegar ao conhecimento das coisas divinas e humanas se antes não aprendeu matemática solidamente.
> SANTO AGOSTINHO (354- -430, filósofo, bispo e doutor da Igreja)

> 99 Entre Deus e ciência natural não encontramos qualquer contradição. Eles não se excluem, como hoje alguns creem e temem; eles completam-se e implicam-se mutuamente.
> MAX PLANCK (1858-1947, físico alemão, Nobel da Física, fundador da teoria quântica)

? CREDO
(lat. *credo* = creio) Primeira palavra do Símbolo dos Apóstolos, tornou-se a designação para vários textos da Igreja em que os conteúdos essenciais da fé são vinculativamente sintetizados.

> Onde estão dois ou três reunidos em Meu nome, Eu estou no meio deles.
> MT 18,20

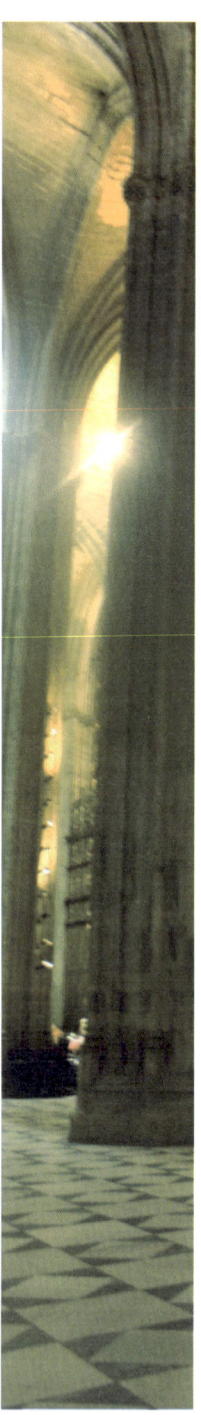

◇ SEGUNDA SEÇÃO ◇
O Credo cristão

25 *Para que precisa a fé de definições e de símbolos?*

Na fé, o que está em jogo não são palavras vazias, mas a realidade. Na Igreja, cristalizaram-se ao longo do tempo símbolos de fé, com a ajuda dos quais contemplamos, expressamos, aprendemos, transmitimos, celebramos e vivemos essa realidade. [170-174]

Sem formas densas dilui-se o conteúdo da fé. Por isso, a Igreja dá muito valor a determinadas proposições cuja expressão foi alcançada, na maioria das vezes, com muita dificuldade, para proteger a mensagem de Cristo de equívocos e adulterações. Os símbolos de fé são igualmente importantes na medida em que a fé da Igreja é traduzida para diferentes culturas, devendo manter-se na sua essência.

26 *O que são símbolos da fé?*

Símbolos da fé são definições abreviadas da fé, que possibilitam uma confissão comum a todos os crentes. [185-188, 192-197]

Tais definições abreviadas encontram-se já nas cartas paulinas. O protocristão Símbolo dos Apóstolos possui uma especial dignidade por ser uma síntese da fé dos →Apóstolos. O grande símbolo da fé tem um alto prestígio porque proveio dos grandes concílios da então ainda indivisa cristandade (Niceia, 325; Constantinopla, 381) e permaneceu até hoje como a base comum dos cristãos do Oriente e do Ocidente.

27 *Como surgiram os símbolos da fé?*

Os símbolos da fé remontam a Jesus, que exortou os discípulos a batizar. Estes deveriam, então, confirmar se as pessoas confessavam uma determinada fé, nomeadamente no Pai, no Filho e no Espírito Santo (→Trindade). [188-191]

A célula primitiva de todos os símbolos posteriores é a "confissão do Senhor Jesus" e o Seu encargo missionário, isto é, «Ide, fazei discípulos de todas as nações; batizai-os em nome do Pai e do Filho e do Espírito Santo!» (Mt 28,19) Todos os símbolos da fé da Igreja são desdobramentos da fé neste Deus trino. Cada um deles começa com a confissão do Pai, Criador e sustento do mundo, referem-se depois ao Filho, através do qual o mundo e nós mesmos encontramos a redenção, e desembocam na confissão do Espírito Santo, que é a presença de Deus na Igreja e no mundo.

28 *Qual é o teor do Símbolo dos Apóstolos?*

**Creio em Deus,
Pai todo-poderoso,
Criador do Céu e da Terra,
e em Jesus Cristo,
Seu único Filho, Nosso Senhor,
que foi concebido pelo poder do Espírito Santo;
nasceu da Virgem Maria;
padeceu sob Pôncio Pilatos,
foi crucificado, morto e sepultado;
desceu à mansão dos mortos;
ressuscitou ao terceiro dia;
subiu aos Céus;
está sentado à direita de Deus Pai todo-poderoso,
de onde há de vir julgar os vivos e os mortos.**

**Creio no Espírito Santo;
na santa Igreja Católica;
na comunhão dos santos;
na remissão dos pecados;
na ressurreição da carne;
na vida eterna. Amém.**

> A Igreja [...] guarda [esta fé e esta mensagem] tal como as recebeu, como se ela habitasse numa única casa; ela crê como se tivesse apenas uma alma e um coração; e anuncia e transmite unanimemente o seu ensinamento como se tivesse apenas uma boca.
>
> SANTO IRENEU DE LIÃO
> (ca. 135-202, doutor da Igreja)

> O Credo seja para ti como um espelho! Mira-te nele, para ver se realmente crês em tudo o que defines como fé. E alegra-te cada dia na tua fé!
>
> SANTO AGOSTINHO

> Nenhuma pessoa vive só, nenhuma pessoa crê só. Deus profere-nos a Sua Palavra; e, ao falar-nos, convoca-nos e cria uma comunidade, o Seu Povo, a Sua Igreja. Depois da partida de Jesus, a Igreja é o sinal da Sua Presença no mundo.
>
> SÃO BASÍLIO DE SELÊUCIA
> (século V, bispo)

29 *Qual é o teor do Símbolo Niceno-Constantinopolitano?*

Creio em um só Deus,
Pai todo-poderoso,
Criador do Céu e da Terra,
de todas as coisas visíveis e invisíveis.

Creio em um só Senhor, Jesus Cristo,
Filho Unigênito de Deus,
nascido do Pai antes de todos os séculos:
Deus de Deus, Luz da Luz,
Deus verdadeiro de Deus verdadeiro;
gerado, não criado, consubstancial ao Pai.
Por Ele todas as coisas foram feitas.
E por nós, homens,
e para nossa salvação desceu dos Céus.
E encarnou pelo Espírito Santo,
no seio da Virgem Maria,
e Se fez homem.
Também por nós foi crucificado
sob Pôncio Pilatos;
padeceu e foi sepultado.
Ressuscitou ao terceiro dia,
conforme as Escrituras;
e subiu aos Céus, onde está sentado
à direita do Pai.
De novo há de vir em Sua glória,
para julgar os vivos e os mortos;
e o Seu reino não terá fim.

Creio no Espírito Santo, Senhor que dá a vida,
e procede do Pai e do Filho;
e com o Pai e o Filho é adorado e glorificado:
Ele que falou pelos Profetas.

Creio na Igreja una, santa, católica e apostólica.
Professo um só Batismo
para a remissão dos pecados.
E espero a ressurreição dos mortos
e vida do mundo que há de vir.
Amém.

PRIMEIRO CAPÍTULO
Creio em Deus Pai

30 *Por que cremos em um só Deus?*

Cremos em *um* só Deus porque, segundo o testemunho da Sagrada Escritura, há um só Deus, e também porque, segundo as leis da lógica, só pode haver um. [200-202, 228]

Se houvesse dois deuses, um seria a fronteira do outro. Nenhum dos dois seria infinito; nenhum, perfeito. Portanto, nenhum seria Deus. A experiência fundamental de Deus feita por Israel está assim expressa: «Escuta, Israel! O Senhor nosso Deus é *único*.» (Dt 6,4) Os profetas exortavam continuamente a deixar os falsos deuses e a virar-se para o único Deus: «*Eu* sou Deus e mais *ninguém*.» (Is 45,22)

31 *Por que Se apresenta Deus com um nome?*

Deus apresenta-Se com um nome porque deseja ser acessível. [203-213, 230-231]

Deus não deseja permanecer anônimo. Ele não quer ser venerado como um mero "Ser Superior", que simplesmente pode ser sentido ou pressentido. Deus deseja ser conhecido e invocado como Aquele que é real e ativo. Na sarça ardente, Deus revela o Seu santo nome: → Ihwh (Ex 3,14). Deus torna-Se acessível ao Seu Povo, embora Ele permaneça um Deus oculto, um mistério perene. Por causa de um elevadíssimo respeito, nunca se pronunciava (e ainda hoje não se pronuncia) em Israel o nome de Deus, sendo mesmo substituído pelo título Adonai (Senhor); até o → Novo Testamento o utiliza: «Jesus é o Senhor!» (Rm 10,9)

32 *O que significa "Deus é a Verdade"?*

«Deus é Luz e n'Ele não há trevas.» (1Jo 1,5) A Sua Palavra é a Verdade (Pr 8,7; 2Sm 7,28), e a Sua Lei é a Verdade (Sl 119,142). O próprio Jesus responde pela Verdade de Deus quando, diante de Pilatos, confessa:

O Senhor nosso Deus é o único Senhor: amarás o Senhor teu Deus com todo o teu coração, com toda a tua alma, com todo o teu entendimento e com todas as tuas forças.

Mc 12,29-30

MONOTEÍSMO
(gr. *monos* = único e *theos* = Deus; doutrina sobre a existência de um único Deus) Doutrina sobre Deus enquanto Ser único, absoluto e pessoal, o último fundamento de tudo. As religiões monoteístas são o Judaísmo, o Cristianismo e o Islamismo.

IHWH/IAHWEH
É o mais importante nome de Deus no Antigo Testamento (Ex 3,14). Pode ser traduzido por "Eu sou Aquele que sou!" Para judeus e cristãos, designa o único Deus do Universo, o seu Criador, sustento, parceiro de aliança, libertador da escravidão do Egito, juiz e salvador.

Moisés disse a Deus: «Vou procurar os filhos de Israel e dizer-lhes: "O Deus de vossos pais enviou-me a vós." Mas, se me perguntarem qual é o Seu nome, que hei de responder-lhes?» Disse Deus a Moisés: «Eu sou "Aquele que sou".» E prosseguiu: «Assim falarás aos filhos de Israel: O que Se chama "Eu sou" envia-me a vós.» Deus disse ainda a Moisés: «Assim falarás aos filhos de Israel: "O Senhor, Deus de vossos pais, Deus de Abraão, Deus de Isaac e Deus de Jacó, enviou-me a vós." Este é o Meu nome para sempre, assim Me invocareis de geração em geração.»

Ex 3,13-15

> Jesus Cristo é a Verdade tornada pessoa, que atrai o mundo a Si. A Luz que irradia de Jesus é o esplendor da Verdade. Cada outra verdade é um fragmento da Verdade que é Ele e para Ele aponta.
>
> BENTO XVI, 10.02.2006

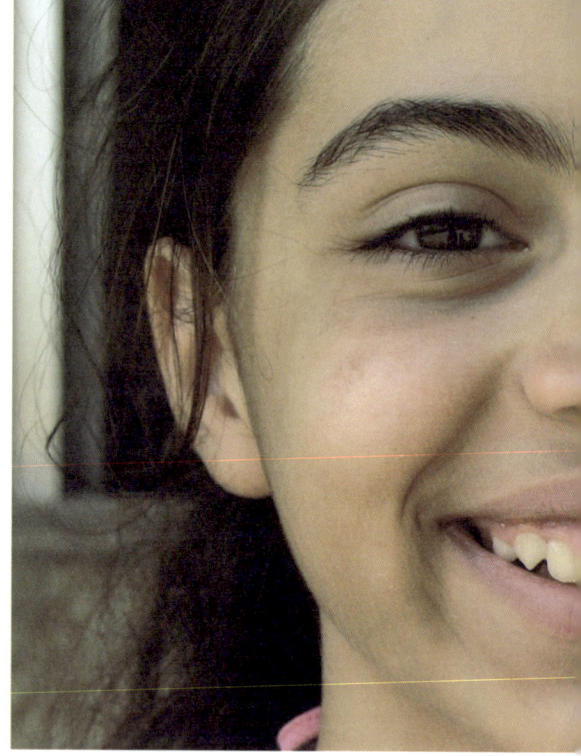

«Para isso nasci e vim ao mundo, a fim de dar testemunho da Verdade.» (Jo 18,37) [214-217]

Deus não pode ser submetido a um processo de demonstração, a ciência não pode fazer d'Ele um objeto comensurável. E, no entanto, Deus deixa-Se submeter a um tipo especial de demonstração: que Deus é a Verdade sabemo-lo por via da absoluta credibilidade de Jesus. Ele é «o Caminho, a Verdade e a Vida» (Jo 14,6). Isso pode descobrir e experimentar quem a Ele se abandona. Se Deus não fosse "verdadeiro", a fé e a razão não poderiam entrar em diálogo. É possível, porém, um entendimento entre elas, porque Deus é a Verdade e a Verdade é divina.

33 O que significa "Deus é Amor"?

Se Deus é o amor, não há criatura que não seja sustentada e envolvida por um infinito desejo de bem. Deus não só declara que é o amor, mas também

o demonstra: «Ninguém tem maior amor do que aquele que dá a vida pelos amigos.» (Jo 15,13) [218, 221]

Nenhuma outra →RELIGIÃO afirma o que diz o Cristianismo: «Deus é amor.» (1Jo 4,8.16) A fé assenta nesta expressão, embora a experiência da dor e da maldade no mundo faça muitos duvidar de que Deus seja realmente amoroso. Já no →ANTIGO TESTAMENTO Deus comunica ao Seu Povo, pela boca do profeta Isaías: «Visto que és precioso e honrado aos meus olhos e Eu te amei, assim por ti dei nações inteiras. Não temas, pois, porque Eu estou contigo.» (Is 43,5) E fá-lo dizer: «Pode a mulher esquecer-se da criança que amamenta e não ter carinho pelo fruto das suas entranhas? Mas ainda que ela o esquecesse, Eu nunca te esquecerei.» (Is 49,15) Que o discurso do Amor divino não consiste em palavras vazias demonstra-o Jesus na cruz, onde Ele entrega a Sua vida pelos Seus amigos.

34 O que deve fazer uma pessoa quando descobre Deus?

Quando uma pessoa descobre Deus, tem de O colocar no primeiro lugar da sua vida. Assim começa uma vida nova! Os cristãos conhecem-se por amarem até os seus inimigos. [222-227, 229]

Descobrir Deus significa saber que Ele me criou e me quer, que em cada segundo me olha com amor, que abençoa a minha vida e a sustém, que tem nas Suas mãos o mundo e as pessoas, que espera por mim ansiosamente, que me quer preencher e aperfeiçoar, e fazer-me viver Consigo para sempre... Enfim, que Ele está presente aqui, comigo. Não basta dizer que sim com a cabeça. Os cristãos têm de assumir o estilo de vida de Jesus.

35 Cremos num Deus ou em três deuses?

Cremos num Deus em três pessoas (→TRINDADE). «Deus não é solidão, mas perfeita comunhão.» (BENTO XVI, 22.05.2005) [232-236, 249-256, 261, 265-266]

> Deus é tão verdadeiramente mãe como pai.
>
> BEATA JULIANA DE NORWICH (ca. 1342-ca. 1413, mística inglesa)

> O verdadeiro amor dói. Ele dói sempre. Amar uma pessoa custa mesmo; é doloroso abandoná-la e deseja-se morrer por ela. Quando as pessoas se casam, têm de deixar muitas coisas de lado para se poderem amar. A mãe que dá a vida a uma criança sofre muito. A palavra "amor" é tão mal entendida e abusa-se tanto dela.
>
> SANTA TERESA DE CALCUTÁ

> Meu Senhor e meu Deus, toma de mim tudo o que me impede de chegar a Ti! Meu Senhor e meu Deus, dá-me tudo o que favorece aproximar-me de Ti! Meu Senhor e meu Deus, por favor, toma-me de mim e dá-me totalmente a Ti próprio!
>
> SÃO NICOLAU DE FLÜE (1417--1487, místico e eremita suíço)

> Deus toma o primeiro lugar.

SANTA JOANA D'ARC (1412-
-1431, lutadora pela
liberdade e santa nacional
da França)

> Depois de ter descoberto que existe um Deus, tornou-se-me impossível não viver só para Ele.

BEATO CHARLES DE FOUCAULD
(1858-1916, eremita
cristão no deserto
do Saara)

TRINDADE
(lat. *trinitas*
= tríade)
Deus é um só, mas em três Pessoas. A Trindade divina é um insondável mistério: por um lado, baseia-se na unidade das três Pessoas; por outro, desenvolve-se numa diversidade pessoal do Pai, do Filho e do Espírito Santo.

> Onde existe o Amor existe a Trindade: um que ama, um que é amado e uma fonte de amor.

SANTO AGOSTINHO

Os cristãos não adoram três deuses diferentes, mas um único Ser que desabrocha em três, permanecendo, contudo, um. Que Deus seja trinitário sabemo-lo por Jesus Cristo: Ele, o Filho, fala do Seu Pai que está no Céu [«Eu e o Pai somos um» (Jo 10,30)]. Ele ora ao Pai e concede-nos o Espírito Santo, que é o amor do Pai e do Filho. Por isso, somos batizados «em nome do Pai e do Filho e do Espírito Santo» (Mt 28,19).

 36 *Pode descobrir-se que Deus é trinitário pela simples lógica?*

Não. A →Trindade de Deus é um mistério. Só através de Jesus é que a descobrimos. [237]

O ser humano, somente através da razão, não consegue deduzir que Deus é uno e trino.

Ele reconhece, todavia, a razoabilidade deste mistério ao aceitar a → REVELAÇÃO de Deus em Jesus Cristo. Se Deus fosse só e solitário, não poderia amar desde toda a eternidade. Iluminados por Jesus, encontramos sinais da Trindade de Deus já no → ANTIGO TESTAMENTO (por exemplo, em GN 1,2; 18,2; 2SM 23,2) e até em toda a Criação.

37 De que modo Deus é "Pai"?

Veneramos Deus, antes de mais, por ser Pai, porque Ele é o Criador e Se encarrega das suas criaturas cheio de amor. Além disso, Jesus, o Filho de Deus, ensinou-nos a considerar o Seu Pai como nosso Pai, e a abordá-l'O mesmo como "Pai nosso". [238-240]

Diversas religiões pré-cristãs conheciam já o título divino de "Pai". Antes de Jesus, Deus já era abordado em Israel como Pai (DT 32,6; ML 2,10), e sabia-se também que Ele era como uma Mãe (IS 66,13); o pai e a mãe representam, na experiência humana, a origem e a autoridade, a proteção e o sustento. Jesus mostrou-nos como Deus é realmente Pai: «Quem Me vê, vê o Pai.» (JO 14,9) Na parábola do filho pródigo (LC 15,11-32), Jesus toca no profundo desejo humano de um Pai misericordioso. → 511-527

38 Quem é o "Espírito Santo"?

O Espírito Santo é a terceira pessoa da Santíssima →TRINDADE e é da mesma grandeza divina que o Pai e o Filho. [243-248, 263-264]

Devemos a descoberta, em nós, da realidade de Deus à ação do Espírito Santo. Deus enviou «aos nossos corações o Espírito de Seu Filho» (GL 4,6), para Ele nos aperfeiçoar totalmente. O cristão encontra, no Espírito Santo, uma alegria profunda, uma paz e uma liberdade interiores. «Vós não recebestes um espírito de escravidão para recair no temor, mas o Espírito de adoção filial, pelo qual clamamos: "Abbá, Pai!"» (RM 8,15) No Espírito Santo, que recebemos no Batismo e na → CONFIRMAÇÃO, podemos chamar Deus de "Pai".
→ 113-120, 203-207, 310-311

❞ A lembrança deste Pai ilumina a mais profunda identidade do ser humano: donde vimos, quem somos e quão grande é a nossa dignidade. Nós provimos naturalmente dos nossos pais e somos seus filhos; porém, nós vimos de Deus, que nos criou à Sua imagem e nos chamou a sermos Seus filhos. Por isso, não é o acaso ou a concorrência do destino que se encontra na origem de cada ser humano, mas um plano do amor divino. Isto nos revelou Jesus Cristo, verdadeiro Filho de Deus e homem perfeito. Ele sabia de onde vinha e de onde vimos nós todos: do amor do Seu Pai e de nosso Pai.
BENTO XVI, 09.07.2006

❞ Vem, Espírito Criador, visita as almas dos Teus fiéis, enche da graça do alto os corações que criaste!

Hino *Veni creator spiritus*
(SÃO RÁBANO MAURO, ca. 780-856)

Vós chamais-Me Mestre e Senhor, e dizeis bem, porque o sou.

Jo 13,13

E em nenhum outro há salvação, pois não existe debaixo do céu outro nome, dado à humanidade, pelo qual possamos ser salvos.

At 4,12

Porque eu sei que o Senhor é grande, o nosso Senhor é maior que todos os deuses. O Senhor fez tudo o que Ele quer, nos céus e na terra, nos mares e em todos os abismos.

Sl 135,5 ss.

Pai, tudo Te é possível.

(Oração de Jesus no jardim do Getsêmani) (Mc 14,36)

Vós amais tudo o que existe e não odiais nada do que fizestes; porque, se odiásseis alguma coisa, não a teríeis criado.

Sb 11,24

39 Jesus é Deus? Ele pertence à Santíssima Trindade?

Jesus de Nazaré é o Filho, a segunda pessoa divina, à qual nos referimos quando rezamos: «Em nome do Pai e do Filho e do Espírito Santo.» (Mt 28,19) [243-260]

Ou Jesus era um vigarista quando Se apresentou como o "Senhor do →Sábado" e deixou que fosse abordado com o título divino de "Senhor", ou Ele era realmente Deus. Provocou escândalo quando perdoou os pecados; isto era, aos olhos dos Seus coevos, um crime capital. Mediante milagres e sinais, mas especialmente através da ressurreição, os discípulos reconheceram quem era Jesus e adoraram-n'O *como o Senhor*. Esta é a fé da Igreja.

40 Pode Deus fazer tudo? Ele é onipotente?

Para Deus «nada é impossível» (Lc 1,37). Ele é todo--poderoso. [268-278]

Quem, na sua necessidade, chama por Deus acredita na Sua onipotência. Deus criou o mundo do nada. Ele é o Senhor da História. Ele conduz todas as coisas e pode tudo. É um mistério como Ele exerce livremente a Sua onipotência. Não raramente se pergunta: «Então, onde está Deus?» Ele diz-nos através do profeta Isaías: «Os meus pensamentos não são os vossos, nem os vossos caminhos são os meus.» (Is 55,8) A onipotência de Deus revela-se frequentemente quando as pessoas não esperam mais nada dela. A impotência da Sexta-Feira Santa foi o pressuposto para a ressurreição. → 51, 478, 506-507

41 A ciência natural torna o Criador desnecessário?

Não. A frase "Deus criou o mundo" não é um axioma rebuscado na ciência natural. Trata-se de uma afirmação teológica (*theos* = Deus, *logos* = sentido), isto é, uma asserção de caráter divino acerca do sentido e da origem das coisas. [282-289]

A narrativa da Criação não é um modelo explicativo científico-natural do início do mundo. "Deus criou o mundo" é uma declaração teológica na qual se refere a relação do mundo com Deus. Deus quis o mundo; Ele acompanha-o e aperfeiçoa-o. *Ser criado* é uma qualidade inerente às coisas e uma verdade elementar *sobre* elas.

42 Pode alguém aceitar a Evolução e simultaneamente crer no Criador?

Sim, a fé está aberta aos conhecimentos e às hipóteses das ciências naturais. [290-292]

A teologia não tem competência científico-natural, nem a ciência natural tem competência teológica. A ciência natural não pode excluir dogmaticamente que na Criação haja processos orientados para um fim; por seu turno, a fé não pode definir como eles se concretizam no curso do desenvolvimento da Natureza. Um cristão pode aceitar a Teoria da Evolução como um modelo explicativo eficaz, desde que não caia no erro do evolucionismo, que vê no ser humano um produto casual de processos biológicos. A → EVOLUÇÃO pressupõe a existência de "algo" que se desenvolva. Nada é dito sobre o "onde" deste "algo". De igual modo, a biologia não pode responder a perguntas acerca do "ser", da "essência", da "dignidade", da "missão", do "sentido" e do "porquê" do mundo e do ser humano.
Tal como o evolucionismo, num extremo, também o → CRIACIONISMO, no outro, é uma ultrapassagem de limites; os criacionistas tomam ingenuamente à letra os dados bíblicos (como a idade da Terra e os seis dias da criação).

43 O mundo é porventura produto do acaso?

Não. A causa do mundo é Deus, não o acaso. Ele não é um produto de fatores sem sentido, tanto no que concerne à sua origem, como no que diz respeito à sua ordem interna e ao seu fim. [295-301, 317-318, 320]

Os cristãos acreditam que podem ler o manuscrito de Deus na Sua Criação. João Paulo II, em 1985, confrontou os cientistas que falam da totalidade do mundo como um processo casual, sem sentido e sem fim: «Perante este Universo em que estão patentes uma tão

? EVOLUÇÃO
(lat. *evolutio* = ação de desenrolar, desenvolvimento)
Trata da alteração formal dos organismos, ocorrida durante milhões de anos. Numa perspectiva cristã, a Evolução corresponde à Criação contínua de Deus, realizada através de processos naturais.

? CRIACIONISMO
(lat. *creatio* = criação)
A concepção de que o próprio Deus, segundo o esquema do Livro do Gênesis, criou a Terra por ação direta e de uma só vez.

> Nenhum cientista dispõe de um só argumento [...] com que possa contradizer uma tal hipótese [de um Criador].
>
> HOIMAR VON DITFURTH (1921-1989, cientista alemão)

> Isto [a inaudita precisão dos fenômenos do Big Bang] terá acontecido por acaso?! Mas que ideia absurda!
>
> WALTER THIRRING (* 1927, físico austríaco)

> Não somos o produto casual e sem sentido da Evolução. Cada um de nós é fruto de um pensamento de Deus. Cada um é desejado, cada um é amado, cada um é necessário.

BENTO XVI, 28.04.2005

> Quem poderia não ser conduzido pela observação e pela meditante intimidade com a magnífica ordem do edifício cósmico, orientada pela Sabedoria divina, para a admiração do Arquiteto que tudo opera!

NICOLAU COPÉRNICO
(1473-1543, investigador de ciência natural e astrónomo)

complexa organização dos seus elementos e uma tão maravilhosa orientação final na sua existência, falar de acaso seria o mesmo que abdicar de procurar a explicação do mundo tal como se nos apresenta. De fato, isto seria o mesmo que aceitar efeitos sem causa. Tal significaria a renúncia do entendimento humano, que assim rejeitaria o pensamento e a procura de uma solução para os problemas.»
→ 49

44 Quem criou o mundo?

Deus é que, para lá do tempo e do espaço, tirou o mundo do nada e chamou todas as coisas à existência. Tudo quanto existe depende de Deus e tem, assim, durabilidade no Ser porque Deus quer que assim seja. [290-292, 316]

A criação do mundo é, de certa forma, uma "obra comum" da Santíssima Trindade. O Pai é o Criador, o onipotente. O Filho é o sentido e o coração do mundo: «Por Ele e para Ele tudo foi criado.» (CL 1,16)

Só sabemos para que serve o mundo quando conhecemos Cristo; com Ele compreendemos que o mundo tende para um fim: a Verdade, a Bondade e a Beleza do Senhor. O *Espírito Santo* mantém tudo na existência; Ele é que «dá vida» (Jo 6,63).

45 A ordem e as leis naturais também procedem de Deus?

Sim, também a ordem e as leis naturais pertencem à Criação de Deus. [339, 346, 354]

O ser humano não é uma "folha em branco". Ele está impregnado da ordem e das leis ônticas que Deus inscreveu na Sua Criação. Um cristão não faz simplesmente "o que quer". Ele sabe que provoca danos a si mesmo e ao meio ambiente quando nega as leis naturais, quando utiliza as coisas contra as suas regras e quando quer ser mais esperto que Deus, o seu Criador. O ser humano exige demais de si quando se quer reformular radicalmente.

46 Por que descreve o Livro do Gênesis a criação como uma «obra de seis dias»?

Na metáfora da "semana de trabalho", coroada por um dia de descanso (Gn 1,1-2,3), exprime-se quão boa, bela e sabiamente ordenada é a Criação. [337-342]

Do simbolismo da "semana de trabalho" podem deduzir-se relevantes postulados: 1. Nada há que não tivesse sido chamado à existência pelo Criador. 2. Tudo quanto existe é, à sua maneira, bom. 3. Mesmo aquilo que se tornou mau tem uma essência boa. 4. Os seres e as coisas criados estão mutuamente relacionados e orientados. 5. A Criação reflete, na sua ordem e harmonia, a extraordinária bondade e beleza de Deus. 6. Na Criação existe uma hierarquia: o ser humano está sobre os animais, os animais sobre as plantas, as plantas sobre a matéria não vivificada. 7. A Criação caminha para o grande festim em que Cristo recolherá o mundo em Sua casa, tornando-Se Deus «tudo em todos» (1Cor 15,28). → 362

> Pois fizestes todas as coisas e pela Vossa vontade existem e foram criadas.

Ap 4,11

> As árvores e os astros ensinar-te-ão o que nunca poderás aprender dos mestres.

São Bernardo de Claraval (1090-1153, segundo fundador da Ordem de Cister)

GÊNESIS (gr. *gênesis* = geração, origem) O primeiro livro da Bíblia, que descreve, entre outros, a Criação do mundo e do ser humano.

> Não creais que Deus nos proíba totalmente de amar o mundo. Não! Devemos amá-lo, porque tudo aquilo a que Ele deu existência é digno do nosso amor.

Santa Catarina de Sena (1347-1380, mística e doutora da Igreja)

> A glória de Deus é o ser humano vivo. A vida do ser humano é, todavia, ver Deus.
>
> SANTO IRENEU DE LIÃO

> O que te fez também sabe o que quer fazer contigo.
>
> SANTO AGOSTINHO

> A confiança na Providência Divina é a fé firme e viva de que Deus nos pode ajudar e nos ajudará. Que Ele nos pode ajudar, é evidente, pois Ele é onipotente. Que Ele nos ajudará, é seguro, porque Ele, em muitas passagens da Sagrada Escritura, prometeu e foi fiel a todas as Suas promessas.
>
> SANTA TERESA DE CALCUTÁ

47 *Por que descansou Deus no sétimo dia?*

O repouso de Deus, depois do trabalho, aponta para o aperfeiçoamento da Criação, que se encontra além de todo o esforço humano. [349]

Se é verdade que o ser humano trabalhador é o jovem parceiro do seu Criador (GN 2,15), ele não pode, contudo, redimir a terra com a sua labuta. A meta da Criação é «os novos céus e a nova terra» (Is 65,17), realizada pela redenção que nos é concedida. Por isso, o descanso dominical, um antegozo do descanso celeste, encontra-se acima do trabalho, o qual nos prepara para ele. → 362

48 *Para que criou Deus o mundo?*

«O mundo foi criado para a glória de Deus.» (CONCÍLIO VATICANO I, *Dei Filius*) [293-294, 319]

Não há outro motivo para a Criação que não seja o amor. Nela se manifesta a majestade e a glória de Deus. Louvar a Deus não significa, porém, aplaudir o Criador. O ser humano não é um espectador da obra da Criação. Para ele, "louvar" Deus significa estar agradecido, juntamente com toda a Criação, pela própria existência. → 489

Providência Divina

49 *Porventura Deus guia o mundo e a minha vida?*

Sim, mas de um modo misterioso. Deus conduz tudo ao seu aperfeiçoamento, por caminhos que só Ele conhece. O que Ele criou não cai um instante das Suas mãos. [302-305]

Deus atua tanto nos grandes fatos da História como nos mais pequenos acontecimentos da nossa vida pessoal; contudo, Ele não belisca a nossa liberdade, como se fôssemos marionetes dos Seus planos eternos. Em Deus «vivemos, movemo-nos e existimos» (AT 17,28). Deus está presente em todas as vicissitudes da nossa vida, mesmo nas ocorrências dolorosas e nos supostos acasos, aparentemente sem sentido. Deus também

escreve direito pelas linhas tortas da nossa vida.
O que Ele nos tira e o que nos dá, as situações
em que Ele nos fortalece e as circunstâncias
em que nos põe à prova... tudo isto constitui ocasiões
e sinais da Sua vontade. → 43

50 Que papel desempenha o ser humano na Providência Divina?

O aperfeiçoamento da Criação pela Providência Divina não acontece acima e para além de nós. Deus convida-nos a colaborar no aperfeiçoamento da Criação. [307-308]

O ser humano pode rejeitar a vontade de Deus, porém, é melhor se Ele se tornar um instrumento do amor divino. Madre Teresa, na sua vida terrena, esforçou-se por pensar assim: «Sou apenas um pequeno lápis na mão de Nosso Senhor. Ele pode apontar ou afiar o lápis. E pode escrever ou desenhar aquilo que Ele quiser e onde Ele desejar. Se o escrito ou o desenho forem bons, apreciamos não o lápis ou o material empregue, mas aquele que os utilizou.» Quando, de igual modo, Deus age em nós e através de nós, nunca deveríamos confundir o nosso pensamento, os nossos planos e atos, com a ação de Deus. No fundo, Ele não precisaria do nosso trabalho; mesmo na ausência deste, nada Lhe faltaria.

51 Se Deus tudo sabe e tudo pode, por que não evita o mal?

«Deus só permite o mal para fazer surgir dele algo melhor.» (São Tomás de Aquino) [309-314, 324]

O mal no mundo é um mistério sombrio e doloroso. O próprio Crucificado perguntou ao Seu Pai: «Meu Deus, Meu Deus, porque Me abandonaste?» (MT 27,46) Muito dele é incompreensível. Mas de algo temos a certeza: Deus é cem por cento bom. Ele nunca pôde ter sido o autor de algo mau. Deus criou o mundo bom, embora ainda não aperfeiçoado. Com violentas falhas e penosos processos, ele desenvolve-se até à definitiva perfeição. Existe o chamado *mal físico*, como por exemplo, uma malformação congênita ou uma catástrofe natural,

> Até os cabelos da vossa cabeça estão todos contados.
> MT 10,30

> Senhor, fazei de mim um instrumento da Vossa Paz!
> Onde houver Ódio, que eu leve o Amor;
> onde houver Ofensa, que eu leve o Perdão;
> onde houver Discórdia, que eu leve a União;
> onde houver Erro, que eu leve a Verdade;
> onde houver Dúvida, que eu leve a Fé;
> onde houver Desespero, que eu leve a Esperança;
> onde houver Trevas, que eu leve a Luz;
> onde houver Tristeza, que eu leve a Alegria!
> Senhor, fazei que eu procure mais:
> consolar, que ser consolado;
> compreender, que ser compreendido;
> amar, que ser amado!
> Oração de São Francisco de Assis

> Deus viu tudo o que tinha feito: era tudo muito bom.
> GN 1,31

> Eu penso que os sofrimentos do tempo presente não têm comparação com a glória que se há de manifestar em nós.
>
> RM 8,18

> 99 Nenhum sofrimento é absurdo. Está sempre alicerçado na Sabedoria de Deus.
>
> SÃO TOMÁS DE AQUINO

> 99 Deus sussurra nas nossas alegrias, fala na nossa consciência. Nas nossas dores, porém, Ele fala alto; elas são o Seu megafone para despertar um mundo surdo.
>
> CLIVE STAPLES LEWIS (1898- -1963, escritor inglês, autor das *Crónicas de Nárnia*)

> 99 Caminhai na Terra com os pés, mas estejai com os corações no Céu.
>
> SÃO JOÃO BOSCO (1815- -1888, santo da juventude)

> 99 Nada do que não é eterno terá valor na eternidade.
>
> C. S. LEWIS

que, tendo em conta a bondade de Deus, permanece um mistério. O *mal moral*, por sua vez, atinge o mundo pelo abuso da liberdade. O "inferno na terra" – crianças- -soldado, atentados suicidas, campos de concentração... – é geralmente operado por seres humanos. A pergunta decisiva não é, portanto, «Como se pode crer num Deus bom, se há tanto mal?», mas «Como poderia o ser humano, com coração e inteligência, suportar a vida neste mundo se não existisse Deus?» A morte e a ressurreição de Cristo mostram-nos que o mal não tem a primeira nem a última palavra: do pior dos males Deus fez surgir o bem absoluto. Nós cremos que Deus, no Juízo Final, acabará com toda a injustiça. Na vida do mundo vindouro, o mal não terá mais lugar e o sofrimento acabará. → 40, 286-287

O Céu e as criaturas celestes

52 O que é o Céu?

O Céu é o ambiente de Deus, a morada dos anjos e dos santos, e a meta da Criação. Pela expressão "Céu e Terra" designamos o todo da realidade criada. [325-327]

O Céu não é um lugar no espaço sideral. É um estado no Além. O Céu é onde a vontade de Deus acontece sem resistência. O Céu é, portanto, quando a Vida está presente em elevada densidade e felicidade, uma Vida como ninguém encontra na Terra. Quando, um dia, com a ajuda de Deus, formos para o Céu, estará à nossa espera algo que «o olho não viu, o ouvido não ouviu e não subiu ao coração de nenhum ser humano: o que Deus preparou para aqueles que O amam» (1COR 2,9). → 158, 285

53 O que é o inferno?

A nossa fé designa por "inferno" o estado do definitivo distanciamento de Deus, o «não» absoluto ao amor. [1033-1036]

Jesus, que conhece o inferno, fala dele como de «trevas exteriores» (Mt 8,12). Dito à nossa maneira, ele é mais frio que quente. Supomos, com calafrios, que seja um estado de entorpecimento total e isolamento desesperado de tudo o que traz à vida ajuda, alívio, alegria e conforto. → 161-162

54 O que são os anjos?

Os anjos são criaturas de Deus, puramente espirituais, que têm inteligência e vontade. Não são corporais nem mortais e normalmente não são visíveis. Vivem constantemente na presença de Deus e transmitem aos seres humanos a vontade de Deus e a Sua proteção. [328-333, 350-351]

Um anjo, escrevia o cardeal Joseph Ratzinger, «é, por assim dizer, o pensamento pessoal com que Deus Se dedica a mim». Ao mesmo tempo, os anjos dedicam-se totalmente ao seu Criador. Eles ardem de amor por Ele e servem-n'O dia e noite. Nunca cessa o seu canto de louvor. Na Sagrada Escritura, designam-se por "diabos" ou "demônios" os anjos que renegaram a Deus.

55 Podemos relacionar-nos com os anjos?

Sim. Podemos invocar a ajuda dos anjos e pedir-lhes intercessão junto de Deus. [334-336, 352]

> ❞ No fim, estarão, de pé, diante de Deus, dois grupos de pessoas: aqueles que dizem a Deus "Seja feita a Vossa vontade!", e aqueles a quem Deus diz "Seja feita a vossa vontade!" Os que estão no inferno optaram todos por ele.
> C. S. Lewis

> ❞ Jesus veio para nos dizer que nos quer a todos no Paraíso, e que o inferno, de que no nosso tempo pouco se fala, existe e é eterno para os que fecham o coração diante do Seu amor.
> Bento XVI, 08.05.2007

> Porque Ele mandará aos Seus anjos que te guardem em todos os teus caminhos. Na palma das mãos te levarão, para que não tropeces em alguma pedra.
> Sl 91,11-12

> ❞ Cada crente tem, a seu lado, um anjo como protetor e pastor, para o conduzir na vida.
> São Basílio Magno (ca. 330-379, doutor da Igreja)

> O ser humano não é anjo nem animal, e a sua infelicidade consiste em que, quando alguém faz dele um anjo, acaba por fazer dele um animal.
>
> BLAISE PASCAL

Quando contemplo os céus, obra das Vossas mãos, a lua e as estrelas que lá colocastes, que é o ser humano para que Vos lembreis dele, o filho do homem para dele Vos ocupardes? Fizestes dele quase um ser divino, de honra e glória o coroastes.

SL 8,4-6

> As criaturas da terra sentem todas como nós. As criaturas aspiram todas por felicidade, como nós. As criaturas da terra amam, sofrem e morrem todas como nós. Portanto, as criaturas do Criador onipotente são iguais a nós, são nossas irmãs.
>
> SÃO FRANCISCO DE ASSIS

Cada pessoa recebe, de Deus, um anjo da guarda. É bom e conveniente rezar ao anjo da guarda, em benefício seu ou dos outros. Os anjos, por iniciativa própria, também se podem fazer perceptíveis na vida de um cristão, como, por exemplo, quando são portadores de uma mensagem ou se fazem bons companheiros. A fé nada tem a ver com os anjos esotéricos.

A criatura humana

56 *O ser humano tem um lugar especial na Criação?*

Sim, o ser humano é topo da Criação, porque Deus o criou à Sua imagem (GN 1,27). [343-344, 353]

A criação do ser humano é nitidamente distinta da criação dos outros seres vivos. O ser humano é pessoa, isto é, ele pode, pela vontade e pela inteligência, decidir-se pelo amor ou contra ele.

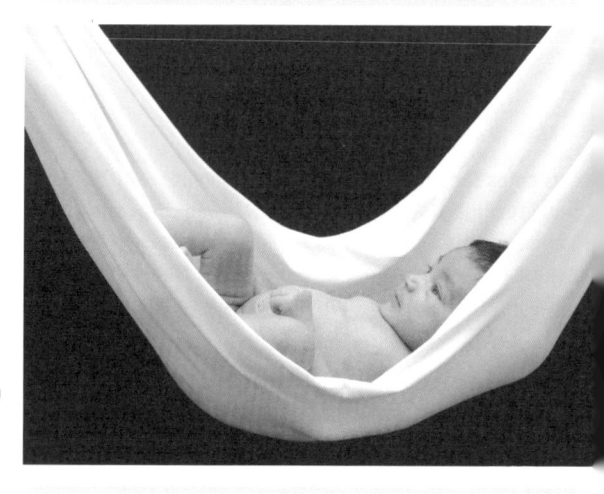

57 *Como deve proceder o ser humano para com os animais e as outras criaturas?*

O ser humano deve honrar o Criador nas criaturas, relacionando-se com elas séria e cuidadosamente. Os seres humanos, os animais e as plantas têm o mesmo Criador, que por amor os chamou à existência, daí que seja profundamente humano o amor às criaturas, sobretudo aos animais. [344, 354]

Embora seja permitido ao ser humano utilizar
e alimentar-se de plantas e de animais, ele não os deve,
porém, fustigar ou tratar barbaramente.
Isso contradiz a dignidade da Criação,
tal como acontece com a exploração da terra
quando ocorre com cega avidez.

58 O que significa dizer que o ser humano foi criado à "imagem de Deus"?

Ao contrário das coisas sem vida, das plantas e dos animais, o ser humano é uma pessoa dotada de espírito. Esta propriedade vincula-o mais a Deus que às outras criaturas visíveis. [355-357, 380]

O ser humano não é *algo*, mas *alguém*. Assim como dizemos que Deus é *pessoal*, dizemos o mesmo do ser humano. Um ser humano logra pensar para além do seu horizonte imediato e estimar toda a amplitude do ser; ele até consegue, a uma distância crítica, conhecer-se a si próprio e trabalhar em si mesmo; enquanto pessoa, ele pode perceber os outros, compreendê-los na sua dignidade e amá-los. Entre todas as criaturas visíveis apenas o ser humano é «capaz de conhecer e amar o seu Criador» (Concílio Vaticano II, *Gaudium et spes*, n.º 12). O ser humano está ordenado a viver em amizade com Ele (Jo 15,15).

59 Para que criou Deus o ser humano?

Deus fez tudo para o ser humano. Deus criou o ser humano, «a única criatura a ser querida por Deus em si mesma» (*Gaudium et spes*, n.º 24), para ser feliz. Isso acontece à medida que ele conhece Deus, O ama, O serve e vive com gratidão diante do seu Criador. [358]

A gratidão é o amor reconhecido. Quem é grato volta-se, na liberdade, para o Autor do Bem e começa com Ele uma relação nova e mais profunda. Deus gostaria que conhecêssemos o Seu amor e vivêssemos desde já toda a nossa vida numa relação com Ele. Esta relação permanece eternamente.

O amor vem de Deus e todo aquele que ama nasceu de Deus e conhece a Deus.

1Jo 4,7

> Reconhece-te como imagem de Deus e envergonha-te se te revestires de uma imagem estranha!

São Bernardo de Claraval

> Desconfia daquela alegria que não é também gratidão.

Theodor Haecker (1879--1945, escritor alemão)

> Se a única oração que fizesses em toda a tua vida fosse apenas "Eu Te agradeço!", isso já bastaria.

Mestre Eckhart (ca. 1260-1328, dominicano e místico)

> Suportado pela fé, o agradecimento pode também penetrar aquilo que é árduo; e, à medida que o consegue, transforma-o.

Romano Guardini (1885--1968, católico e filósofo da religião)

> Ele é a imagem de Deus invisível, o primogênito de toda criatura... Por Ele e para Ele tudo foi criado.
>
> Cl 1,15 ss.

> «Eis aqui o Homem!»
>
> (Jo 19,5: Com esta expressão, Pilatos apresentou ao povo Jesus flagelado e coroado com uma coroa de espinhos.)

> 99 Ele tornou-Se aquilo que somos, para poder fazer de nós aquilo que era.
>
> Santo Atanásio de Alexandria (ca. 295-373, doutor da Igreja)

> Abre a tua boca a favor do que não tem voz, pela causa de todos os fracos.
>
> Pr 31,8

> 99 Faz bem ao teu corpo, para que a alma tenha o prazer de nele habitar.
>
> Santa Teresa de Ávila (1515-1582, mística espanhola e doutora da Igreja)

60 Por que razão é Jesus o maior modelo do mundo?

Jesus é singular não apenas porque nos mostra a verdadeira essência de Deus, mas também porque é o verdadeiro ideal do ser humano. [358-359, 381]

Jesus foi mais que um ser humano ideal. Até os pretensos seres humanos ideais são pecadores. Por isso, nenhum ser humano pode ser a medida do ser humano. Jesus, por seu turno, não cometeu pecado. Só com Jesus Cristo «em tudo igual a nós, exceto no pecado» (Hb 4,15), compreendemos o que significa "ser humano" e o que faz a humanidade ser, no mais autêntico sentido da expressão, infinitamente digna de amor. Jesus, o Filho de Deus, é o ser humano verdadeiro por excelência. N'Ele reconhecemos o que Deus pretende do ser humano.

61 Em que consiste a igualdade de todo ser humano?

Todos os seres humanos são iguais à medida que têm origem no mesmo e único amor criativo de Deus. Todos os seres humanos têm em Jesus Cristo o seu salvador. Todos os seres humanos estão ordenados a encontrar em Deus a felicidade e a eterna bem-aventurança. [360-361]

Assim, todos os seres humanos são irmãos e irmãs. Os cristãos devem viver a solidariedade não apenas com os outros cristãos, mas com todos os seres humanos, opondo-se energicamente à desintegração da família humana, causada por motivos racistas, sexistas e economicistas. → 280, 517

62 O que é a alma?

A alma é o que faz cada pessoa ser humana, isto é, o seu princípio de vida espiritual, o seu íntimo. A alma faz com que o corpo material se torne um corpo vivo e humano. Através da alma, o ser humano torna-se um ente que pode dizer "eu" e permanece diante de Deus como um indivíduo inconfundível. [362-365, 382]

Os seres humanos são corporais e espirituais. O espírito do ser humano é mais que uma função do corpo e não se compreende a partir da composição material do ser humano. A razão diz-nos que tem de haver um princípio espiritual que esteja unido ao corpo, embora não lhe seja idêntico, e que designamos por "alma". Embora a alma não se possa "comprovar" pela ciência natural, o ser humano não se consegue entender enquanto ente espiritual sem a admissão deste princípio espiritual, que excede a matéria.

→ 153-154, 163

63 De onde obtém o ser humano a sua alma?

A alma humana é criada diretamente por Deus. Não é "produzida" pelos pais. [366-368, 382]

A alma de uma pessoa não pode ser produto de um desenvolvimento evolutivo da matéria nem o resultado de uma fusão genética do pai e da mãe. A Igreja explica da seguinte forma o mistério de cada ser humano vindo a este mundo ser uma pessoa única e espiritual: ao ser humano Deus dá uma alma imortal, ainda que ele, pela morte, perca o seu corpo, para o reencontrar na ressurreição. Dizer «Tenho uma alma» significa afirmar: «Deus criou-me não apenas como um ente, mas como pessoa, e chamou-me a uma relação com Ele que nunca mais termina.»

64 De que forma Deus criou o ser humano "homem e mulher"?

Deus, que é o amor e o arquétipo da comunhão, criou o ser humano "homem e mulher", para que, em comunhão, fossem um retrato do Seu ser. [369-373, 383]

Deus fez o ser humano de tal forma que este, sendo homem ou mulher, anseia pela realização e a totalidade no encontro com o sexo oposto. Os homens e as mulheres têm absolutamente a mesma dignidade, ainda que exprimam, no criativo desenrolar do seu ser masculino e feminino, aspectos distintos da perfeição de Deus. Deus não é homem nem mulher; todavia, Ele revelou-Se como paterno (Lc 6,36) e materno (Is 66,13). No amor do homem e da mulher, especialmente na comunhão matrimonial, em que o homem e a mulher se tornam

> 99 O ser humano torna-se realmente ele mesmo quando corpo e alma se encontram em íntima unidade... Se o ser humano aspira a ser somente espírito e deseja rejeitar a carne como uma herança apenas animalesca, o espírito e o corpo perdem, então, a sua dignidade. E se ele, por outro lado, renega o espírito e consequentemente considera a matéria, o corpo, como realidade exclusiva, perde igualmente a sua grandeza.
>
> BENTO XVI, *Deus caritas est*

> 99 O ser humano está unido a todos os seres vivos pela sua proveniência terrena, e só se torna humano através da sua alma, "insuflada" por Deus. Isso concede-lhe a sua inconfundível dignidade, mas também a sua responsabilidade única.
>
> CARDEAL CHRISTOPH SCHÖNBORN (*1945, arcebispo de Viena)

> Deus criou o ser humano à Sua imagem, criou-o à imagem de Deus. Ele o criou homem e mulher.
>
> GN 1,27

> Não é bom que o homem esteja só: vou dar-lhe uma auxiliar semelhante a ele.
>
> Gn 2,18

> Penetrando com o pensamento no conjunto da descrição de Gn 2,18-25 e interpretando-o à luz da verdade sobre a imagem e semelhança de Deus, podemos compreender ainda mais plenamente em que consiste o *caráter pessoal* do ser humano, graças ao qual ambos – o homem e a mulher – são semelhantes a Deus. Cada homem é à imagem de Deus enquanto criatura racional e livre, capaz de conhecê-l'O e de amá-l'O. O homem →

«uma só carne» (Gn 2,24), o ser humano pode pressentir a felicidade da união com Deus, na qual ele achará a definitiva totalidade. Tal como o amor de Deus é fiel, também o amor deles procura ser fiel; e este é criador, analogamente ao amor de Deus, pois do matrimônio surge vida nova. → 260, 400-401, 416-417

65 E as pessoas que se sentem homossexuais?

A Igreja crê que a homossexualidade não corresponde à ordem da Criação na qual foram delineadas a necessidade do complemento e a atração mútua entre homem e mulher, com vista à geração dos filhos. Por isso, a Igreja não pode aprovar práticas homossexuais. No entanto, ela deve respeito e amor a todas as pessoas, independentemente da sua orientação sexual, porque são todas respeitadas e amadas por Deus. [2358-2359]

Todo ser humano que existe na Terra provém da união de uma mãe e um pai. Por isso, para algumas pessoas orientadas homossexualmente é uma experiência dolorosa não se sentirem eroticamente atraídas pelo sexo oposto e terem de sentir, numa união homossexual, a falta da fecundidade física, como é próprio da natureza do ser humano e da divina ordem da Criação. Frequentemente, contudo, Deus chama a Si por vias inusitadas:

uma carência, uma perda ou uma ferida
– assumida ou aceite – pode tornar-se um trampolim
para se lançar nos braços de Deus, aquele Deus que tudo
corrige e Se deixa descobrir mais como Redentor
que como Criador. → 415

66 Estava no plano de Deus que o ser humano sofresse e morresse?

Deus não quer que o ser humano sofra nem morra. A ideia original de Deus para o ser humano era o Paraíso: vida eterna e paz entre Deus, o ser humano e o seu ambiente, entre homem e mulher. [374-379, 384, 400]

Por vezes, sentimos o modo como a vida deveria ser, como nós deveríamos ser; mas, de fato, vivemos em guerra com nós próprios, somos determinados pela angústia e por paixões descontroladas, e perdemos a harmonia original com o mundo e, por fim, com Deus. Na Sagrada Escritura, a experiência dessa alienação é expressa na história da "queda original". Porque o pecado se introduziu furtivamente, Adão e Eva tiveram de abandonar o Paraíso, no qual estavam em harmonia consigo e com Deus. A fadiga laboral, o sofrimento, a mortalidade e a inclinação para o pecado são indícios da perda do Paraíso.

O ser humano decaído

67 O que é o pecado?

O cerne do pecado é a rejeição de Deus e a recusa de aceitar o Seu amor. Isto revela-se no desdém pelos Seus Mandamentos. [385-390]

O pecado é mais do que um comportamento errôneo; não é apenas uma debilidade psíquica. Na sua natureza mais profunda, essa rejeição ou destruição de algo bom é a recusa do Bem por excelência, isto é, a recusa de Deus. O pecado, a sua mais profunda e terrível dimensão, é a separação de Deus e, com isso, a separação da fonte da Vida, daí que a morte seja também a consequência do pecado: Jesus sofreu a rejeição de Deus no Seu próprio corpo.

→ só pode existir como «unidade dos dois», e portanto em relação a *uma outra pessoa humana*. Trata-se de uma relação recíproca. Ser pessoa à imagem e semelhança de Deus comporta, pois, também um existir em relação, em referência ao outro «eu». Isto preludia a definitiva autorrevelação de Deus uno e trino: unidade viva na comunhão do Pai, do Filho e do Espírito Santo.

João Paulo II, *Mulieris dignitatem*, n.º 7

❝ Perdemos o Paraíso, mas recebemos o Céu, pelo que o ganho é maior que a perda.

São João Crisóstomo (349/350-407, doutor da Igreja)

❝ A fraqueza humana não consegue desmoronar os planos da onipotência divina. Um mestre de obras também pode trabalhar com pedras derribadas.

Cardeal Michael Faulhaber (1869-1952, arcebispo de Munique)

❝ Afastar-se de Ti, Deus, significa cair. Virar-se para Ti significa levantar-se. Permanecer em Ti significa ter apoio seguro.

Santo Agostinho

> Onde abundou o pecado superabundou a graça.
>
> RM 5,20b

> O mais grave não é cometer crimes, é não fazer o bem que poderia ter sido feito. É o pecado de omissão, que é nada mais que o não-amor; mas ninguém se queixa dele.
>
> LÉON BLOY (1846-1917, escritor francês)

> A serpente disse, então, à mulher: «[...] No dia em que dele comerdes, os vossos olhos se abrirão e sereis como deuses.»
>
> GN 3,4 ss.

> Um comportamento moral para com o mundo só é, então, possível e benéfico quando se assume a porcaria da vida, a cumplicidade na morte e no pecado, em suma, todo o pecado original, e quando se renuncia a ver a culpa sempre nos outros.
>
> HERMANN HESSE (1877--1962, escritor alemão)

Ele tomou sobre Si a violência mortal do pecado, para ele não nos atingir. É neste sentido que usamos a palavra "redenção".

→ 224-237, 315-318, 348-468

68 *Pecado original? O que temos nós a ver com a "queda" de Adão e Eva?*

O pecado é, em sentido próprio, uma culpa de responsabilidade pessoal. A expressão "pecado original" refere, portanto, não o pecado pessoal, mas o estado nocivo da humanidade em que nasce o indivíduo, antes mesmo de, por livre vontade, ele pecar. [388-389, 402-404]

Acerca do pecado original, diz Bento XVI que se deve compreender «que todos carregamos dentro de nós uma gota do veneno daquela forma de pensar que nos é ilustrada nas imagens do Livro do → GÉNESIS. [...] O ser humano não confia em Deus. Seduzido pelas palavras da serpente, levanta a suspeita de que Deus é um adversário que [...] restringe a nossa liberdade, e de que só seremos verdadeiramente humanos quando pusermos Deus de parte. [...] O ser humano não quer receber de Deus a existência e a plenitude da sua vida. [...] E, à medida que o faz, confia na mentira em vez da verdade e precipita a sua vida no vazio, na morte.» (08.12.2005)

69 *Somos coagidos a pecar pelo pecado original?*

Não. Todavia, o ser humano está profundamente ferido pelo pecado original e inclinado a pecar. Não obstante, é capaz de fazer o bem com a ajuda de Deus. [405]

É possível viver sem nunca pecar. Na realidade, porém, pecamos constantemente pelo fato de sermos fracos, néscios e seduzíveis. Um pecado forçado não seria, aliás, um pecado, porque o pecado envolve sempre a liberdade de escolha.

70 *Como nos retira Deus da sucção do mal?*

Deus não fica a assistir à forma sucessiva como o ser humano se destrói a si mesmo e ao seu ambiente, através da reação em cadeia do pecado. Ele envia-nos Jesus Cristo, o Salvador e Redentor, que nos arranca do poder do pecado. [410-412, 420-421]

"Ninguém me pode ajudar" – esta frase da experiência humana deixou de ser verdade. Deus Pai enviou o Seu Filho onde o ser humano, com o seu pecado, acabava. A consequência do pecado é a morte (cf. RM 6,23). Mas a consequência do pecado é também a maravilhosa solidariedade de Deus, que nos envia Jesus como amigo e salvador. Por isso, o pecado original é também designado *felix culpa* (= feliz culpa): «Oh ditosa culpa, que nos mereceu tão grande Redentor!» (Precônio Pascal)

SEGUNDO CAPÍTULO
Creio em Jesus Cristo, Filho Unigênito de Deus

71 *Por que se chama de "Evangelho", isto é, "Boa Notícia", a narrativa sobre Jesus?*

Sem os evangelhos, não saberíamos que Deus, por amor infinito, nos enviou o Seu Filho, para que nós, apesar dos nossos pecados, encontrássemos o caminho de regresso à eterna comunhão com Deus. [422-429]

As narrativas sobre a vida, a morte e a ressurreição de Jesus são a melhor notícia do mundo. Elas testemunham que Jesus de Nazaré, um israelita nascido em Belém, é o «Filho do Deus Vivo» (MT 16,16) feito homem. Ele foi enviado pelo Pai, para que todos se salvassem e chegassem ao conhecimento da verdade (cf. 1TM 2,4).

> Esta é uma das razões pelas quais eu acredito no Cristianismo: é uma religião que ninguém teria conseguido inventar.
>
> C. S. LEWIS

> Quando as mãos de Cristo foram pregadas na cruz, Ele pregou na cruz os nossos pecados.
>
> SÃO BERNARDO DE CLARAVAL

> E o Verbo fez-Se carne e habitou entre nós. Nós vimos a Sua glória, glória que Lhe vem do Pai como Filho Unigênito, cheio de graça e de verdade.
>
> JO 1,14

> Se a vida e a morte de Sócrates são a vida e a morte de um sábio, a vida e a morte de Cristo são a vida e a morte de um Deus.
>
> JEAN-JACQUES ROUSSEAU (1712-1778, iluminista francês)

ΙΧΘΥC ΖѠΝѠΝ

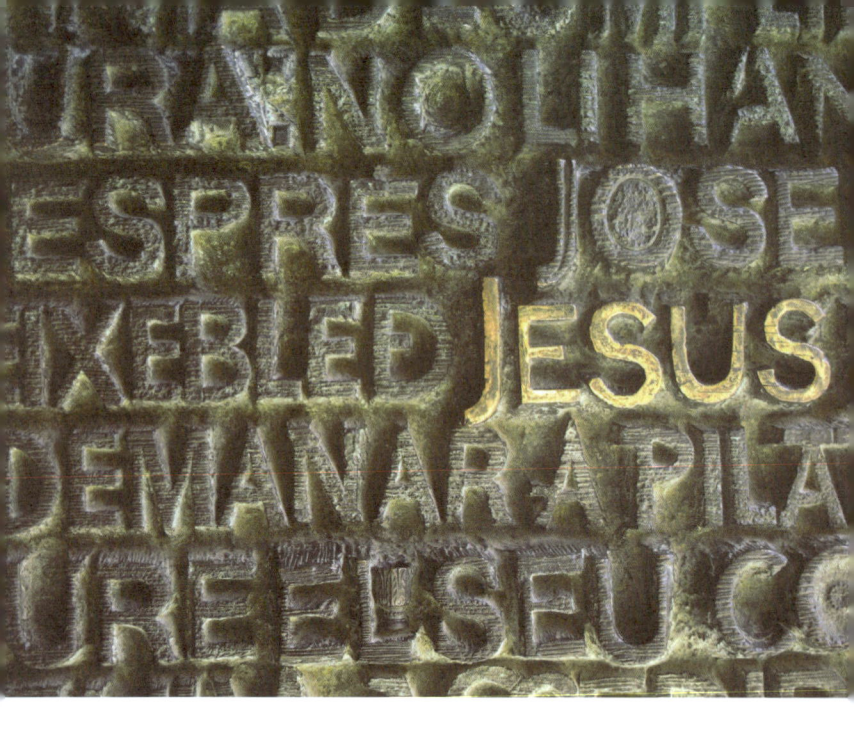

Nas catacumbas romanas, encontra-se um sinal secreto protocristão, que era uma profissão de fé em Jesus: a palavra ICHTHYS ("peixe"). As suas letras correspondem às iniciais das palavras Iesus ("Jesus"), CHristos ("Cristo"), THeou ("de Deus"), hYos ("Filho"), Soter ("Salvador").

72 O que significa o nome "Jesus"?

Em hebraico, "Jesus" significa "Deus salva". [430-435, 452]

Nos Atos dos Apóstolos, Pedro diz: «E em nenhum outro há salvação, pois não existe debaixo do céu outro nome, dado à humanidade, pelo qual possamos ser salvos.» (At 4,12) Essencialmente é esta mensagem que todos os missionários transmitem ao mundo.

73 Por que está Jesus associado ao cognome "Cristo"?

Na fórmula breve "Jesus é o Cristo" exprime-se o cerne da fé cristã: Jesus, o filho de um simples carpinteiro de Nazaré, é o Messias e Salvador esperado. [436-440, 453]

Tanto o adjetivo grego *Christos* (Cristo) como o particípio hebraico *mashiah* (messias) significam "ungido". Em Israel, eram ungidos reis, sacerdotes e profetas. Os → APÓSTOLOS perceberam que Jesus tinha sido ungido «com o Espírito Santo» (AT 10,38). Na sequência de Cristo, chamamo-nos cristãos, para exprimir a nossa elevada vocação.

74 O que significa dizer que Jesus é o «Filho Unigênito de Deus»?

Quando Jesus Se declara como «Filho Unigênito de Deus» [filho único ou filho nascido unicamente de Deus (Jo 3,16)], como testemunham São Pedro e os outros discípulos, fica expresso que, em toda a humanidade, apenas Jesus é mais que um ser humano, permanecendo numa relação única com Deus, Seu Pai. [441-445, 454]

Em muitas passagens do → NOVO TESTAMENTO (Jo 3,16.18; 1Jo 4,9), Jesus é chamado «Filho». Quando do Batismo e da Transfiguração, a voz celeste chama Jesus de «Filho amado». Jesus inicia os discípulos na Sua relação única com o Pai do Céu: «Tudo Me foi dado por Meu Pai. Ninguém conhece o Filho senão o Pai e ninguém conhece o Pai senão o Filho e aquele a quem o Filho O quiser revelar.» (MT 11,27) Pela ressurreição, torna-se evidente que Jesus Cristo é realmente o Filho de Deus.

75 Por que razão os cristãos tratam Jesus por "Senhor"?

«Vós chamais-Me Mestre e Senhor, e dizeis bem, porque o sou.» (Jo 13,13) [446-451, 455]

Era natural entre os primeiros cristãos falar-se de Jesus como do "Senhor", sabendo eles que, no → ANTIGO TESTAMENTO, essa designação era um título reservado a Deus. Jesus mostrou-lhes mediante muitos sinais que tinha poder divino sobre a Natureza, os demônios, o pecado e a morte. A origem divina do envio de Jesus revelou-se na ressurreição dos mortos. São Tomé confessou: «Meu Senhor e meu Deus!» (Jo 20,28) Para nós, dizer que Jesus é "o Senhor" implica que um cristão não se deve submeter perante mais nenhum poder.

> Fala de Cristo apenas quando te perguntarem! Mas vive de tal maneira que te perguntem por Cristo!
> PAUL CLAUDEL (1868- -1955, poeta e dramaturgo francês)

> Não é Cristo que é criticado, mas os cristãos, porque não são semelhantes a Ele.
> FRANÇOIS MAURIAC (1914- -1996, romancista francês)

> A dignidade humana é colocada em jogo quando Deus não ocupa o primeiro lugar. Por isso, pede-se insistentemente que o ser humano contemporâneo seja levado a descobrir a verdadeira face de Deus, que Se revelou em Jesus Cristo.
> BENTO XVI, 28.08.2005

> Deus é tão grande que Se pode tornar pequeno. Deus é tão poderoso que Se pode fazer indefeso, aproximando-Se de nós como uma criança indefesa, para que O possamos amar.
> BENTO XVI, 25.12.2005

> Não acreditas que Eu estou no Pai e o Pai está em Mim? As palavras que vos digo, não as digo por Mim próprio, mas é o Pai, permanecendo em Mim, que faz as obras.
> Jo 14,10

> Ele permaneceu o que era e assumiu o que não era.
> Liturgia romana do primeiro dia de Janeiro

> Sem a ideia da nossa miséria, o conhecimento de Deus provoca presunção. Sem a ideia de Deus, o conhecimento da nossa miséria provoca desespero. O conhecimento de Jesus Cristo alcança o equilíbrio, porque n'Ele encontramos tanto Deus como a nossa miséria.
> Blaise Pascal

> Uma religião sem mistério só pode ser uma religião sem Deus.
> Jeremy Taylor (1613-1667, escritor espiritual inglês)

76 Por que motivo Deus Se tornou homem em Jesus?

«E por nós, homens, e para nossa salvação desceu dos Céus.» (→ Credo Niceno-Constantinopolitano) [456-460]

Através de Jesus Cristo, Deus reconciliou-Se com o mundo e redimiu a humanidade do cativeiro do pecado. «Deus amou tanto o mundo que entregou o Seu Filho Unigênito.» (Jo 3,16) Em Jesus, Deus assumiu a nossa carne humana mortal (→ Encarnação), participou da nossa sorte terrena, dos sofrimentos e da nossa morte, tornando-Se um de nós em tudo, exceto no pecado.

77 O que significa dizer que Jesus Cristo é ao mesmo tempo verdadeiro Deus e verdadeiro homem?

Em Jesus, Deus tornou-Se verdadeiramente um de nós e, portanto, nosso irmão. Todavia, Ele não deixou de ser Deus nem nosso Senhor. O Concílio de Calcedónia ensinou, no ano de 451, que a divindade e a humanidade estão unidas – «não separadas nem misturadas» – na única pessoa de Jesus Cristo. [464-467, 469]

A Igreja precisou de muito tempo e esforço para conseguir expressar a relação entre a divindade e a humanidade em Jesus Cristo. Divindade e humanidade não são rivais, de modo a que Jesus só parcialmente fosse Deus e só parcialmente fosse homem; as dimensões divina e humana também não estão misturadas. Deus, em Jesus, não tomou só aparentemente um corpo humano (*docetismo*); Ele tornou-Se realmente homem. Além disso, a pessoa divina e humana não corresponde a duas pessoas distintas (*nestorianismo*). Finalmente, a natureza humana não foi absorvida pela natureza divina (*monofisismo*). Contra todos estes erros, a Igreja sustentou a fé de que Jesus Cristo é, conjuntamente, verdadeiramente Deus e verdadeiramente homem. A famosa expressão "nem separadas nem misturadas" (Concílio de Calcedónia) não procura explicar o que é superior à compreensão humana, mas determinar os pontos angulares da fé; ela aponta a direção em que pode ser procurado o mistério da pessoa de Jesus Cristo.

78 *Por que motivo só podemos entender Jesus como um "mistério"?*

Uma vez que Jesus adentra o mistério de Deus, Ele não pode ser entendido se Lhe for excluída a realidade divina invisível. [525-530, 536]

O lado visível de Jesus remete para o invisível. Vemos na Sua vida abundantes realidades poderosas que só conseguimos compreender como → MISTÉRIO. Tais mistérios são, a título de exemplo, a filiação divina, a encarnação, o sofrimento e a ressurreição de Cristo.

79 *Tinha Jesus, como nós, uma alma, um espírito e um corpo?*

Sim. Jesus «trabalhou com mãos humanas, pensou com uma inteligência humana, agiu com uma vontade humana, amou com um coração humano» (CONCÍLIO VATICANO II, *Gaudium et spes*, n.º 22). [470-476]

O ser integral de Jesus implica que Ele possuía uma "psique" (alma) e que Se desenvolvia "psiquicamente". Nesta alma habitava a Sua identidade humana e a Sua

MISTÉRIO
(gr. *mysterion* = mistério)
Um mistério é uma realidade (ou um aspecto de uma realidade) que, por princípio, não pode ser deduzida do conhecimento racional.

> Jesus é claro.

CARDEAL HANS URS VON BALTHASAR (1905-1988, teólogo católico suíço)

E Jesus ia crescendo em sabedoria, em estatura e em graça.

Lc 2,52

> Pois um tal pai como ele devia ser não há entre os pais humanos...
>
> WILHELM WILLMS, *Ave Eva* (1930-2002, presbítero e escritor)

especial autoconsciência. Jesus sabia da Sua unidade com o Pai celeste no Espírito Santo, pelo qual Se deixava guiar em todas as situações da vida.

80 Por que razão Maria é virgem?

Deus quis que Jesus Cristo tivesse uma verdadeira mãe humana, reservando a Si próprio a paternidade do Seu Filho, pois desejava estabelecer um novo início que não se devesse às forças humanas, mas só a Ele. [484-504, 508-510]

> Aquilo em que a fé católica crê a respeito de Maria funda-se no que crê a respeito de Cristo.
>
> CCC 487

A virgindade de Maria não é uma noção retirada da mitologia, mas está basicamente ligada à vida de Jesus. Ele nasceu de uma mulher, mas não teve um pai biológico. Jesus Cristo é um novo início, instituído no mundo pelo Alto. No Evangelho segundo São Lucas, Maria pergunta ao anjo Gabriel: «Como será isto, se eu não conheço homem?» (= não dormi com nenhum homem, Lc 1,34); o anjo respondeu-lhe: «O Espírito Santo virá sobre ti.» (Lc 1,35) Embora se tenha troçado da Igreja, desde o princípio, por causa da sua crença na virgindade de Maria, ela sempre acreditou que aqui se tratava de uma virgindade real, e não meramente simbólica. → 117

> Quem não confessar que o Emanuel (*) é Deus e que a Santa Virgem é mãe de Deus por essa razão... seja anátema!
>
> CONCÍLIO DE ÉFESO, 431
>
> (*) Em Mt 1,23 diz-se: «A Virgem conceberá e dará à luz um Filho, que será chamado "Emanuel", que quer dizer "Deus conosco".»

81 Maria teve outros filhos além de Jesus?

Não. Jesus é o único filho biológico de Maria. [500, 510]

Já na Igreja antiga se partia do princípio de que a virgindade de Maria era perene, o que excluía a ideia de que Jesus tivesse irmãos biológicos. Em aramaico, a língua-mãe de Jesus, só existe uma palavra para "irmão" e "irmã", "primo" e "prima". Onde, nos evangelhos, se fala de "irmãos" de Jesus (por exemplo, Mc 3,31-35), refere-se a parentes próximos d'Ele.

82 *Não é chocante chamar "mãe de Deus" a Maria?*

Não. Quem chama mãe de Deus a Maria confessa que o seu Filho é Deus. [495, 509]

Quando os primeiros cristãos discutiam quem era Jesus, o termo *theotokos* ("geradora de Deus") tornou-se sinal de reconhecimento da interpretação fidedigna da Sagrada Escritura: Maria não deu à luz simplesmente um ser humano, que após o nascimento se tivesse "tornado" Deus; o seu Filho era, já no ventre, o verdadeiro Filho de Deus. Esta questão, antes mesmo de ser um assunto mariológico, é novamente um tema relacionado com o fato de Jesus ser simultaneamente verdadeiro homem e verdadeiro Deus. → 117

83 *O que significa a "imaculada conceição de Maria"?*

A Igreja acredita «que a beatíssima Virgem Maria, no primeiro instante da sua concepção, por singular graça e privilégio de Deus onipotente, em vista dos méritos de Jesus Cristo, salvador do gênero humano, foi preservada imune de toda mancha de pecado original». (→ DOGMA de 1854) [487-492, 508]

A crença na "conceição sem mancha" existe desde o princípio da Igreja. Hoje, o conceito é equívoco. Ele declara que Deus preservou Maria do pecado original desde o início. Não se refere à concepção de Jesus no ventre de Maria. Nem sequer é uma desvalorização da sexualidade no Cristianismo, como se o homem e a mulher se manchassem quando concebessem um filho. → 68-69

84 *Maria foi apenas um instrumento de Deus?*

Maria foi mais do que um instrumento passivo de Deus. Foi também mediante o seu ativo consentimento que se deu a encarnação de Deus. [493-494, 508-511]

Ao anjo que lhe disse que conceberia o «Filho do Altíssimo» Maria respondeu: «Faça-se em mim segundo a tua palavra!» (Lc 1,38) A redenção da humanidade através de Cristo começa, portanto,

> Onde se afunda a fé na mãe de Deus, afunda-se também a fé em Deus Filho e em Deus Pai.
>
> LUDWIG FEUERBACH (1804--1872, filósofo ateísta, em *A essência do cristianismo*)

Em 1858, Santa Bernardete Soubirous teve uma aparição de Nossa Senhora, em que esta lhe revelou ser a "Imaculada Conceição".

> A resposta de Maria [...] é a expressão decisivamente mais difícil da história.
>
> REINHOLD SCHNEIDER (1903--1958, escritor alemão)

> Maria é a mais terna mãe do gênero humano, é o refúgio dos pecadores.

SANTO AFONSO MARIA DE LIGÓRIO (1696--1787, fundador dos Redentoristas, místico e doutor da Igreja)

> A Igreja exprime-se bem na figura de Maria; e quanto mais conseguir ser maternal, mais plenamente pode fazer nascer o Homem como criatura nova em Deus.

IRMÃO ROGER SCHUTZ (1915--2005, religioso suíço, fundador da Comunidade ecumênica de Taizé, França)

> As crianças aprendem a amar na família, porque aí são amadas gratuitamente; aprendem a estimar os outros, porque são estimadas; aprendem a conhecer o rosto de Deus, porque recebem a primeira revelação d'Ele de um pai e uma mãe, que lhes prestam toda a dedicação.

Comunicado da Santa Sé *Sobre a colaboração entre homem e mulher*, 31.05.2004

com uma interpelação de Deus, ou seja, o consentimento livre de uma pessoa humana – e uma gravidez não matrimonial. Por estes invulgares caminhos Maria tornou-se, para nós, a "porta da salvação". → 479

85 De que modo Maria também é a nossa mãe?

Maria é nossa mãe porque Cristo, o Senhor, no-la deu por mãe. [963-966, 973]

«Mulher, eis o teu filho!... Eis, a tua mãe!» (Jo 19,27) Estas frases, que Jesus pronunciou a João da cruz, foram sempre entendidas como uma entrega de toda a Igreja a Maria. Portanto, Maria também é nossa mãe. Podemos invocá-la e pedir-lhe intercessão junto de Deus.
→ 147-149

86 Por que não Se manifestou Jesus durante os primeiros trinta anos de vida?

Jesus quis participar conosco na vida normal, santificando assim o nosso quotidiano. [531-534, 564]

Jesus foi um menino que recebeu amor e afeto dos Seus pais, tendo sido educado por eles. Assim, Ele cresceu «em sabedoria, em estatura e em graça, diante de Deus e dos homens» (Lc 2,51-52). Pertenceu a uma comunidade de aldeia e tomou parte nos rituais religiosos; aprendeu uma profissão artesanal, na qual se afirmou. Pelo fato de Deus ter desejado nascer numa família humana e aí ter crescido, transformou a família num lugar de Deus e num modelo de comunhão eficaz.

87 Por que Se deixou Jesus batizar por João, se Ele não tinha pecado?

Batizar significa "imergir". No Seu batismo, Jesus imergiu simbolicamente na história do pecado de toda a humanidade. Para nos redimir dos nossos pecados, Ele seria um dia totalmente imergido na morte; porém, através do poder de Seu Pai seria novamente despertado para a Vida. [535-537, 565]

Vinham pecadores – soldados, prostitutas, publicanos – a João, o profeta batista, porque procuravam o «batismo da conversão, para o perdão dos pecados» (Lc 3,3). Jesus não precisava, propriamente, deste batismo, porque Ele não tinha pecado. Por duas razões Jesus Se submeteu a este batismo: Ele toma sobre Si os nossos pecados e compreende o Seu batismo como uma interpretação antecipada do Seu sofrimento e da Sua ressurreição. Como expressão da Sua disponibilidade de morrer por nós, abre-se o Céu: «Tu és o Meu Filho amado.» (Lc 3,22)

88 Por que motivo Jesus foi tentado? Ele pôde realmente ter sido tentado?

Se Jesus foi verdadeiramente humano, então foi verdadeiramente tentado. Em Jesus, não temos um redentor «incapaz de Se compadecer das nossas fraquezas. Pelo contrário, Ele mesmo foi provado em tudo, à nossa semelhança, exceto no pecado.» (Hb 4,15) [538-540, 566]

89 A quem promete Jesus o "Reino de Deus"?

«Deus quer que todos se salvem e cheguem ao conhecimento da verdade.» (1Tm 2,4) O "Reino de Deus" começa com aqueles que se deixam transformar pelo amor de Deus. Segundo a experiência de Jesus, isso acontece sobretudo com os pobres e os pequenos. [541-546, 567]

Há mesmo pessoas afastadas da Igreja que consideram Jesus fascinante por Ele Se ter dirigido primeiro aos socialmente excluídos, numa espécie de amor preferencial. No Sermão da Montanha, são os pobres e os aflitos, as vítimas da perseguição e da violência, todos os que procuram Deus de coração puro, todos os que buscam a Sua misericórdia, a justiça e a paz... que têm acesso prioritário ao Reino de Deus. Especialmente convidados são os pecadores: «Não são os que têm saúde que precisam de médico, mas os que estão doentes. Eu não vim chamar os justos, mas os pecadores.» (Mc 2,17)

> Existe uma comunhão entre pecadores e justos, porque, efetivamente, não existem justos.
> GERTRUD VON LE FORT (1876-1971, escritora alemã)

> Diariamente [...] o cristão tem de suportar um combate parecido ao que Cristo aguentou no deserto da Judeia, no qual foi tentado pelo diabo durante quarenta dias... Trata-se de um combate espiritual dirigido contra o pecado e, no fundo, contra Satanás. É um combate que implica toda a pessoa e exige uma constante e atenta vigilância.
> BENTO XVI, 01.03.2006

> Jesus disse: «O Espírito do Senhor está sobre Mim, porque Ele Me ungiu para anunciar a boa-nova aos pobres. Enviou-Me a proclamar a redenção aos cativos e a vista aos cegos, a restituir a liberdade aos oprimidos, a proclamar o ano da graça do Senhor.»
> Lc 4,18

> Um milagre não ocorre contra a Natureza, mas contra o nosso conhecimento da Natureza.
>
> SANTO AGOSTINHO

> Nenhures no mundo aconteceu tão grande milagre como naquele pequeno casebre em Belém; aqui tornaram-se um: Deus e o ser humano.
>
> TOMÁS DE KEMPIS (1379/1380-1471, místico alemão, autor da *Imitação de Cristo*)

Cheios de assombro, diziam: «Tudo o que faz é admirável: faz que os surdos ouçam e que os mudos falem.»

MC 7,37

90 Jesus operou mesmo milagres ou eles são meras lendas piedosas?

Jesus operou realmente milagres, tal como os →APÓSTOLOS. Os autores neotestamentários referem-se a ocorrências reais. [547-550]

Já as fontes mais antigas noticiam que os inúmeros milagres confirmam o anúncio de Jesus: «Se, porém, expulso os demônios pelo Espírito de Deus, então o Reino de Deus já chegou até vós.» (MT 12,28) Os milagres ocorriam em espaços públicos; por vezes, é referida a identidade das pessoas em questão, como o cego Bartimeu (MC 10,46-52) ou a sogra de Pedro (MT 8,14 ss.). Alguns milagres eram considerados chocantes sacrilégios para o ambiente judaico (como a cura do paralítico ao →SÁBADO e a cura de leprosos), mas não foram negados pelo Judaísmo desse tempo.

91 Como Jesus realizava milagres?

Os milagres que Jesus realizava eram sinais do começo do Reino de Deus. Eram expressão do Seu amor pela humanidade e corroboravam o Seu envio. [547-550]

Os milagres de Jesus não eram uma autoafirmação mágica. Ele estava cheio do poder amoroso de Deus que cura e salva. Através de milagres mostrou que era o Messias e que o Reino de Deus começava n'Ele. O amanhecer do novo mundo tornou-se patente quando Ele libertou da fome (JO 6,5-15), da injustiça (LC 19,8), da doença e da morte (MT 11,5). Com a expulsão dos demônios teve início o triunfo contra o «príncipe deste mundo» (ou seja, Satanás: JO 12,31). Não obstante, Jesus não suprimiu do mundo toda a desgraça e todo o mal. Ele dedicou especial atenção à libertação do ser humano da escravidão do pecado; importou-Se sobretudo com a fé, que Ele suscitou através de milagres. → 241-242

92 Por que razão Jesus chamou Apóstolos?

Jesus tinha, à Sua volta, um grande círculo de discípulos, homens e mulheres. Deste círculo, Ele escolheu doze homens, a quem deu o nome de →Apóstolos (Lc 6,12-16). Os Apóstolos foram formados especialmente por Ele, que lhes confiou diversas tarefas: «Enviou-os a proclamar o Reino de Deus e a curar os doentes.» (Lc 9,1-2) Também apenas a estes doze Apóstolos confiou, na Última Ceia, uma nova missão: «Fazei isto em memória de Mim!» (Lc 22,19) [551-553, 567]

Os →Apóstolos tornaram-se testemunhas da ressurreição de Jesus e garantes da Sua Verdade. Eles continuaram a missão de Jesus após a Sua morte; e escolheram bispos para seus sucessores. Os sucessores dos Apóstolos partilham, ainda hoje, do pleno poder transmitido por Jesus: eles guiam, ensinam e celebram a Liturgia. A união dos Apóstolos tornou-se o fundamento da unidade da Igreja (→Sucessão Apostólica). Entre os Apóstolos ainda se destaca Pedro, a quem Jesus concedeu uma especial autoridade: «Tu és Pedro; sobre esta pedra edificarei a Minha Igreja.» (Mt 16,18) Do especial lugar de Pedro entre os Apóstolos proveio o ministério papal. → 137

93 De que modo Se transfigurou Jesus no monte?

Já durante a vida terrena de Jesus, o Pai quis revelar a glória divina do Seu Filho. A transfiguração de Cristo deveria mais tarde ajudar os discípulos a compreender a Sua morte e a Sua ressurreição. [554-556, 568]

Três evangelhos referem como Jesus, no topo de uma montanha, resplandeceu ("transfigurou-Se") perante o olhar dos Seus discípulos.
A voz do Pai celeste chamou Jesus de "Filho amado", a quem Se deve escutar. Pedro queria "armar três tendas" e reter o momento. Jesus, porém, estava a caminho do sofrimento.
Por ora, pretendia-se apenas que os discípulos fossem fortalecidos.

> Assim como o Pai Me enviou, também Eu vos envio a vós.
>
> Jo 20,21

> " Quando se concede a alguém a graça de uma forte experiência de Deus, acontece-lhe algo semelhante ao que os discípulos viveram na transfiguração: durante um ligeiro momento, tem o antegozo do que será a felicidade do Paraíso. Normalmente trata-se de curtas experiências que Deus por vezes proporciona, com vista, sobretudo, a duras provações.
>
> Bento XVI, 12.03.2006

E o Verbo fez-Se carne e habitou entre nós. Nós vimos a Sua glória, glória que Lhe vem do Pai como Filho Unigênito, cheio de graça e de verdade.

Jo 1,14

PRIMEIRA PARTE – EM QUE CREMOS

62 | 63

[II] 2. CAPÍTULO: CREIO EM JESUS CRISTO, FILHO UNIGÊNITO DE DEUS

Depois, começou a ensinar-lhes que o Filho do homem tinha de sofrer muito, de ser rejeitado pelos anciãos, pelos sumos sacerdotes e pelos escribas; de ser morto e ressuscitar três dias depois.

Mc 8,31

Ele dizia: «Vede que subimos para Jerusalém e o Filho do homem será entregue aos príncipes dos sacerdotes e aos escribas. Vão condená-l'O à morte e entregá-l'O aos gentios; hão de escarnecê-l'O, cuspir--Lhe, açoitá-l'O e dar-Lhe a morte. Mas ao terceiro dia ressuscitará.»

Mc 10,32-33

Quando chegou a hora, Jesus sentou-Se à mesa com os Seus Apóstolos e disse-lhes: «Tenho desejado ardentemente comer convosco esta Páscoa, antes de padecer; pois digo-vos que não tornarei a comê-la, até que se realize plenamente no Reino de Deus.»

Lc 22,14-16

94 *Jesus sabia que ia morrer quando entrou em Jerusalém?*

Sim. Por três vezes, Jesus anunciou o Seu sofrimento e a Sua morte, antes de Ele, consciente e livremente (Lc 9,51), Se ter dirigido para a cidade onde haveria de sofrer a Paixão, Morte e Ressurreição. [557-560, 569-570]

95 *Por que escolheu Jesus a ocasião da festa da Páscoa judaica para a Sua morte e a Sua ressurreição?*

Jesus escolheu a festa da Páscoa do Seu povo Israel para indicar simbolicamente o que aconteceria na Sua morte e na Sua ressurreição: tal como o povo de Israel foi libertado da escravidão do Egito, também Cristo nos libertaria da escravidão do pecado e do poder da morte. [571-573]

A festa da Páscoa era a festa da libertação de Israel do cativeiro no Egito. Jesus foi a Jerusalém para nos libertar de uma forma ainda mais profunda. Ele celebrou a ceia pascal com os Seus discípulos; em vez, contudo, de imolar o tradicional cordeiro pascal, converteu-Se Ele próprio em cordeiro sacrificial. Como «nosso cordeiro pascal, Jesus foi imolado» (1Cor 5,7), para estabelecer, de uma vez por todas, a definitiva reconciliação entre Deus e a humanidade. → 171

96 *Por que motivo foi condenado à morte de cruz um homem de paz como Jesus?*

Jesus colocou os Seus contemporâneos perante uma questão decisiva: ou Ele agia com total poder divino, ou não passava de um vigarista, blasfemo e fora-da-lei, que, segundo a lei, devia ser levado à justiça. [574-576]

Em múltiplos sentidos, Jesus era uma singular provocação ao judaísmo tradicional do Seu tempo: perdoou pecados, o que apenas Deus podia fazer; relativizou o preceito do Sábado; expôs-Se à suspeita de blasfêmia e atraiu a Si a censura de ser um falso profeta. A lei previa a pena capital para todos estes delitos.

97 *Porventura os judeus foram culpados da morte de Jesus?*

"Os judeus" não devem ser coletivamente culpados pela morte de Jesus. O que a Igreja confessa com firmeza é, pelo contrário, a cumplicidade de todos os pecadores na morte de Jesus. [597-598]

O idoso profeta Simeão previu que Jesus seria «um sinal de contradição» (Lc 2,34). E, de fato, ocorreu uma decisiva rejeição de Jesus pelas autoridades judaicas, embora entre os fariseus, por exemplo, se achassem clandestinos simpatizantes de Jesus, como Nicodemos e José de Arimateia. Tomaram parte no processo de Jesus diversos romanos e judeus, tanto pessoas como instituições (Caifás, Judas, o sinédrio, Herodes, Pôncio Pilatos), cuja culpa individual só Deus conhece. A tese de que todos os judeus, contemporâneos a Jesus ou a nós, são culpados da morte de Jesus é absurda e biblicamente insustentável. → 135

98 *Deus quis a morte do Seu próprio Filho?*

A causa última da violenta morte de Jesus encontra-se por trás das trágicas condições externas. Jesus foi «entregue segundo o desígnio imutável e a previsão de Deus» (At 2,23). Para que nós, filhos do pecado e da morte, tivéssemos a Vida, «a Cristo, que não conhecera o pecado», o Pai do Céu «identificou-O com o pecado» (2Cor 5,21). A grandeza do sacrifício que Deus pediu ao Seu Filho correspondia à grandeza da entrega de Cristo: «E que hei de dizer? "Pai, salva-Me desta hora?" Mas por causa disto é que Eu cheguei a esta hora.» (Jo 12,27) De ambos os lados encontra-se o amor, que se confirma exteriormente na cruz. [599-609, 620]

Para nos salvar da morte, Deus entregou-Se a uma missão perigosa: Ele introduziu no mundo da morte um "medicamento de imortalidade", o Seu Filho Jesus Cristo (Santo Inácio de Antioquia). Pai e Filho estavam indissociavelmente aliados nesta missão, preparados e ansiosos para a tarefa de, por amor, tomarem sobre Si o que houvesse de mais extremo, em benefício

> Os demônios não são os que O crucificaram, mas tu, que, juntamente com eles, O crucificaste e continuamente crucificas quando te comprazes nos vícios e no pecado.

SÃO FRANCISCO DE ASSIS

> Antes da festa da Páscoa, sabendo Jesus que chegara a Sua hora de passar deste mundo para o Pai, Ele, que amara os Seus que estavam no mundo, amou-os até o fim.

Jo 13,1

> Além da cruz, não existe outra escada para subir ao Céu.

SANTA ROSA DE LIMA

(1586-1617, de nacionalidade peruana e primeira santa da América)

> Só quem seriamente ponderou quão pesada é a cruz pode conceber quão pesado é o pecado.
>
> Santo Anselmo de Cantuária

Não foi a morte que Lhe agradou, mas a vontade daquele que morreu livremente, que exterminou a morte através daquela morte, que tornou possível a salvação e restaurou a inocência, que triunfou sobre os principados e as potestades, que despojou o inferno e enriqueceu o Céu, que pacificou o que está no Céu e na Terra e tudo congregou.

São Bernardo de Claraval

> Em certo sentido, podemos dizer que é precisamente a Última Ceia o ato fundacional da Igreja, porque Ele entrega-Se a Si mesmo e, assim, cria uma nova comunidade, uma comunidade unida na comunhão com Ele próprio.
>
> Bento XVI, 15.03.2006

da humanidade. Deus quis realizar um intercâmbio para nos salvar para sempre: Ele quis dar-nos a Sua Vida eterna, para desfrutarmos da Sua alegria, e quis sofrer a nossa aflição, o nosso abandono e a nossa morte, para em tudo estar em comunhão conosco, para nos amar até o fim e para além da morte... A morte de Cristo é da vontade do Pai, mas não é a Sua última palavra. Desde que Cristo morreu por nós, podemos trocar a nossa morte pela Sua Vida.

99 O que aconteceu na Última Ceia?

Jesus revelou de três modos o Seu amor até ao fim: lavou os pés aos Seus discípulos, mostrando que está entre nós como aquele que serve (cf. Lc 22,27); antecipou simbolicamente o Seu sofrimento salvífico, pronunciando sobre os dons do pão e do vinho as palavras: «Isto é o Meu corpo, que será entregue por vós. Fazei isto em memória de Mim.» Depois da ceia, Jesus fez o mesmo com o cálice, dizendo: «Este cálice é a Nova Aliança do Meu sangue, que será derramado por vós.» (cf. Lc 22,19ss.) Instituiu, assim, a Sagrada → Eucaristia. Por fim, dizendo aos → Apóstolos «Fazei isto em memória de Mim!» (1Cor 11,24), fez deles sacerdotes da Nova Aliança. → 208-223

100 *Jesus teve realmente medo da morte, no monte das Oliveiras, na noite antes da Sua morte?*

Porque Jesus foi verdadeiro homem, Ele sentiu, no monte das Oliveiras, um medo de morte verdadeiramente humano. [612]

Jesus teve de lutar, com as mesmas forças humanas que todos nós possuímos, para aceitar interiormente a vontade do Pai, segundo a qual Ele devia dar a Sua Vida pela Vida do mundo. Na Sua hora mais dura, abandonado por todo o mundo, até pelos Seus amigos, Jesus venceu-Se a Si mesmo e disse "sim": «Meu Pai, se este cálice não pode passar sem que Eu o beba, faça-se a Tua vontade!» (Mt 26,42) → 476

101 *Por que teve Jesus de nos redimir justamente na cruz?*

A cruz na qual Jesus, inocente, foi cruelmente executado é o lugar do mais extremo rebaixamento e abandono. Cristo, o nosso Redentor, escolheu a cruz para carregar a culpa do mundo e suportar o sofrimento do mundo. Assim, pelo Seu perfeito amor, Ele reconduziu o mundo à casa de Deus. [613-617, 622-623]

Deus não nos podia ter demonstrado o Seu amor de forma mais eficaz que Se deixar pregar na cruz na pessoa do Seu Filho. A cruz era a forma de execução mais vergonhosa e severa da Antiguidade; a título de exemplo, os cidadãos romanos, independentemente da gravidade da culpa, nunca deviam ser crucificados. Portanto, Deus entrou no sofrimento mais abissal da humanidade; desde então, ninguém mais pode dizer: «Deus não sabe o que sofro.»

102 *Como podemos também nós assumir o sofrimento da nossa vida, tomando "a cruz sobre nós" e seguindo Jesus?*

Os cristãos não devem procurar o sofrimento. Se, porém, são confrontados com um sofrimento inevitável, ele pode ganhar um sentido para eles, caso unam o seu sofrimento ao de Cristo. «Cristo sofreu também por vós, deixando-vos o exemplo, para que sigais os Seus passos.» (1Pd 2,21) [618]

Uma das mais antigas representações da cruz de Jesus é uma cruz escarninha, encontrada nas catacumbas romanas, com a qual era escarnecido o Redentor dos cristãos. A inscrição indica: «Alexamenos adora o seu Deus.»

? PAIXÃO
(lat. *passio* = doença, sofrimento) É designação utilizada para o sofrimento de Cristo.

99 Deus estende as Suas mãos na cruz para abraçar os mais extremos confins do Universo.
São Cirilo de Jerusalém (313-386/387, doutor da Igreja)

99 Por isso, nós, cristãos, só não nos afundamos nas tempestades do mundo porque somos levados pelo madeiro da cruz.
Santo Agostinho

99 Temos de carregar a nossa cruz, não de a arrastar; e temos de a agarrar como um tesouro, não como uma carga. Só pela cruz nos podemos tornar semelhantes a Jesus.

FRANÇOIS FÉNELON (1651-
-1715, escritor francês)

Jesus disse: «Se alguém quiser seguir-Me, renuncie a si mesmo, tome a sua cruz e siga-Me!» (Mc 8,34)
Os cristãos têm a missão de mitigar o sofrimento no mundo. Porém, ele continuará a existir. Na fé, podemos assumir o nosso sofrimento e partilhar o do próximo. Desta forma, o sofrimento humano unir-se-á com o amor redentor de Cristo, transformando-se, assim, em parte da força divina que tornará o mundo melhor.

99 Se levares alegre a tua cruz, ela te levará.

TOMÁS DE KEMPIS

99 Realizando a Redenção mediante o sofrimento, Cristo elevou o sofrimento humano ao nível de Redenção. Por isso, toda pessoa humana com o seu sofrimento pode tornar-se também participante do sofrimento redentor de Cristo.

JOÃO PAULO II, *Salvifici doloris*, n.º 19

99 Quando olhamos para a cruz, compreendemos a grandeza do Seu amor. Quando olhamos para a manjedoura, compreendemos a ternura do Seu amor por ti e por mim, pela tua família e por cada família.

SANTA TERESA DE CALCUTÁ

103 *Jesus morreu realmente – ou teria Ele porventura ressuscitado por ter sofrido apenas uma morte aparente?*

Jesus morreu realmente na cruz; o Seu corpo foi sepultado. Isso é testemunhado por todas as fontes. [627]

Segundo Jo 19,33 ss., os soldados atestaram a morte de Jesus, até de forma expressiva: abriram, com uma lança, o lado de Jesus morto e viram sangue e água a manar. Diz também o texto que partiram as pernas dos que com Ele foram crucificados, uma medida que acelerava o processo de morte e que, no caso de Jesus, já não era necessária nesse momento, por Ele já estar morto.

104 Pode alguém ser cristão sem crer na ressurreição?

Não. «Se Cristo não ressuscitou, então a nossa pregação é inútil e também é inútil a vossa fé.» (1Cor 15,14) [631, 638, 651]

105 Como chegaram os discípulos à fé na ressurreição de Jesus?

Os discípulos, que antes tinham perdido a esperança, chegaram à fé na ressurreição de Jesus porque, de diferentes formas, O viram após a Sua morte e falaram com Ele. Tiveram, portanto, a experiência de que Ele estava vivo. [641-644, 656]

Os acontecimentos pascais que tiveram lugar em Jerusalém por volta do ano 30 não são uma história inventada. Impressionados pela morte de Jesus e pela derrota da sua causa comum («Nós esperávamos que fosse Ele quem havia de libertar Israel», Lc 24,21), os discípulos fugiram ou barricaram-se atrás de portas trancadas. Só o encontro com Cristo ressuscitado os libertou do seu entorpecimento e os encheu com o Espírito e com a fé de que Jesus Cristo é o Senhor da vida e da morte.

106 Existem provas da ressurreição de Jesus?

Em sentido científico-natural, não há provas da ressurreição de Jesus. Há, porém, testemunhos individuais e coletivos muito fortes de um grande número de pessoas que presenciaram os acontecimentos em Jerusalém. [639-644, 647, 656-657]

O mais antigo testemunho escrito da ressurreição é uma carta que São Paulo escreveu aos Coríntios cerca de vinte anos após a morte de Jesus: «Transmiti-vos em primeiro lugar o que eu mesmo recebi: Cristo morreu pelos nossos

O sudário de Turim é tido como o lençol que envolveu o corpo de Jesus no sepulcro. Estudos científicos comprovaram que é um tecido do século I, não pintado com tinta ou técnica conhecida. Ao ser fotografado em 1898, apareceu no negativo uma imagem tridimensional com todas as características de um homem crucificado.

> O acontecimento da morte e ressurreição de Cristo é o coração do Cristianismo, o ponto central e fundamental da nossa fé, o poderoso impulso da nossa certeza, o vento forte que afugenta toda a angústia e incerteza, a dúvida e o calculismo humano.
>
> Bento XVI, 19.10.2006

> Quem compreende a Páscoa não desespera.
>
> Dietrich Bonhoeffer (1906-1945, teólogo evangélico e resistente contra o regime de Hitler; foi executado no campo de concentração de Flossenbürg)

> O amor de Deus avança radiante, o Espírito de Deus, como um relâmpago, cruza-se com cada pessoa na sua noite. Nesta passagem, alcança-te o Ressuscitado, Ele encarrega-Se de tudo, Ele toma sobre Si tudo o que é insuportável. Só posteriormente, por vezes muito mais tarde, se te torna claro: Cristo passou e ofereceu do Seu excesso.
>
> IRMÃO ROGER SCHUTZ

Jesus apareceu a Maria Madalena, que não O reconheceu de imediato. Disse-lhe Jesus: «Maria!» Ela voltou-se e respondeu em hebraico: «Rabuni!», que quer dizer: «Mestre!»

Jo 20,16

pecados, segundo as Escrituras; foi sepultado e ressuscitou ao terceiro dia, segundo as Escrituras, e apareceu a Pedro e depois aos Doze. Em seguida apareceu a mais de quinhentos irmãos de uma só vez, dos quais a maior parte ainda vive, enquanto alguns já faleceram.» (1COR 15,3-6) São Paulo refere aqui uma Tradição viva que ele encontrou na comunidade primitiva quando ele próprio se tornou cristão, dois ou três anos depois da morte e da ressurreição de Jesus, devido ao seu próprio encontro transformador com o Senhor ressuscitado. Os discípulos compreenderam o fato do túmulo vazio (Lc 24,3-6) como a primeira indicação real da ressurreição. Foram precisamente umas mulheres, cujo testemunho era inválido para o Direito de então, que o descobriram. Embora se diga que já o → APÓSTOLO São João no túmulo vazio, «viu e acreditou» (Jo 20,8), a certeza de que Jesus vivia só se consolidou mediante uma série de aparições. Os múltiplos contatos com o Ressuscitado terminaram com a ascensão de Jesus ao Céu. Contudo, os encontros com o Senhor vivente continuam até hoje, o que demonstra que Jesus Cristo ainda vive!

107 *Regressou Jesus, através da ressurreição, ao estado corporal que tinha durante a Sua vida terrena?*

O Senhor ressuscitado deixou-Se tocar pelos discípulos, comeu com eles e mostrou-lhes as feridas da Sua Paixão. No entanto, o Seu corpo já não pertencia mais a este mundo, mas ao âmbito divino do Pai. [645-646]

Cristo ressuscitado, que traz as feridas da crucifixão, não está mais ligado ao espaço e ao tempo. Ele pôde passar através de portas trancadas e aparecer aos Seus discípulos em diferentes lugares e numa forma em que eles não O reconheciam imediatamente. A ressurreição de Cristo não foi, portanto, um regresso à vida terrena normal, mas a entrada numa nova forma de ser: «Sabemos que, uma vez ressuscitado dos mortos, Cristo já não pode morrer; a morte já não tem domínio sobre Ele.» (RM 6,9)

108 O que mudou no mundo com a ressurreição?

Agora, que a morte já não é mais o fim de tudo, veio ao mundo a alegria e a esperança. Depois de a morte deixar de ter poder sobre Jesus (Rm 6,9), também já não tem mais poder sobre nós, que pertencemos a Jesus. [655, 658]

109 O que significa dizer que Jesus subiu ao Céu?

Com Jesus, um de nós chegou a Deus e lá permanece para sempre. No Seu Filho, Deus está humanamente próximo de nós. Quanto ao mais, Jesus disse no Evangelho segundo São João: «E quando Eu for elevado da terra, atrairei todos a Mim.» (Jo 12,32) [659-667]

No → Novo Testamento, a ascensão de Cristo ao Céu marca o fim de uma especial proximidade do Ressuscitado com os Seus discípulos, que durou quarenta dias. Ao cabo deste tempo, Cristo entra, com todo o Seu humano ser, na glória de Deus. A Sagrada Escritura exprime-o com as metáforas da "nuvem" e do "céu". «O ser humano», diz o Papa Bento XVI, «encontra lugar em Deus.» Jesus Cristo está agora com o Pai, de quem um dia virá «para julgar os vivos e os mortos». A ascensão de Jesus ao Céu significa que Ele não está mais visível na Terra, embora esteja presente e disponível.

110 Por que razão Jesus Cristo é o Senhor de todo o Universo?

Jesus Cristo é o Senhor do Universo e o Senhor da História porque tudo foi criado para Ele. Todos os homens e as mulheres foram por Ele redimidos e por Ele serão julgados. [668-674, 680]

> Quem tiver ouvido a mensagem pascal não pode mais andar com o rosto trágico nem levar uma existência de pessoa sem humor, que não tem esperança.
>
> Friedrich Schiller (1759-1805, poeta e dramaturgo alemão)

> Homens da Galileia, por que olhais para o céu? Esse Jesus, que do meio de vós foi elevado ao Céu, virá do mesmo modo que O vistes ir para o Céu.
>
> At 1,11

> Porque n'Ele foram criadas todas as coisas no Céu e na Terra, visíveis e invisíveis, Tronos e Dominações, Principados e Potestades: por Ele e para Ele tudo foi criado.
>
> Cl 1,16

PARUSIA
(gr. *parusía* = presença pessoal)
Significa o regresso de Cristo para o julgamento final.

Morrer-se-á de pavor, na expetativa do que vai suceder ao Universo, pois as forças celestes serão abaladas. [...] Quando estas coisas começarem a acontecer, erguei-vos e levantai a cabeça, porque a vossa libertação está próxima.

Lc 21,26.28

Deus não rejeita nenhuma alma; ela é que se rejeita a si própria. Cada uma é para si o próprio tribunal.

Jakob Böhme (1575-1624, místico)

Ele está *sobre nós* como o único perante o qual dobramos o joelho em adoração; Ele está conosco como cabeça da Sua Igreja, na qual o Reino de Deus já começou; Ele é anterior a nós como o Senhor da História, porque Ele subjugou definitivamente os poderes das trevas, fazendo com que os destinos do mundo se cumprissem segundo o plano de Deus; Ele vem ao nosso encontro num dia que não conhecemos, para renovar e aperfeiçoar o mundo. A Sua proximidade pode ser experimentada sobretudo na Palavra de Deus, na celebração dos → Sacramentos, no cuidado dos pobres e onde «dois ou três estiverem reunidos em Meu nome» (Mt 18,20). → 157, 163

111 Como será o fim do mundo?

No fim do mundo, Cristo virá para todos visivelmente.
[675-677]

As dramáticas convulsões (Lc 21,8-28; Mt 24,3-14) que são anunciadas na Sagrada Escritura (a maldade que se revelará sem dissimulação, as provações e perseguições que testarão a fé de muitos) são apenas o lado escuro da nova realidade: a vitória definitiva de Deus sobre o mal será visível. A glória, a Verdade e a justiça de Deus ressaltarão radiosas. Com a vinda de Cristo haverá "um novo céu e uma nova terra". «Ele enxugará todas as lágrimas dos seus olhos; nunca mais haverá morte nem luto, nem gemidos nem dor, porque o mundo antigo desapareceu.» (Ap 21,4) → 164

112 Como julgará Cristo o mundo inteiro?

Jesus não poderá ajudar uma pessoa que não quer saber nada do amor. Ela é que acabará por se julgar.
[678-679, 681-682]

Porque Jesus Cristo é «o Caminho, a Verdade e a Vida» (Jo 14,6), ficará patente n'Ele o que perante Deus tem consistência ou não. Será na medida da Sua Vida que ficará a descoberto toda a Verdade acerca do ser humano, das coisas, dos pensamentos e dos acontecimentos.
→ 157, 163

❧ TERCEIRO CAPÍTULO ❧
Creio no Espírito Santo

113 *O que significa "crer no Espírito Santo"?*

Crer no Espírito Santo significa adorá-l'O do mesmo modo que ao Pai e ao Filho. Significa crer que o Espírito Santo vem ao nosso coração para, como filhos de Deus, conhecermos o Pai do Céu. Movidos pelo Espírito de Deus, podemos mudar a face da Terra. [683-686]

Antes da Sua morte, Jesus prometera aos discípulos dar-lhes um «outro advogado» (Jo 14,16) quando não estivesse mais com eles. Quando, então, o Espírito de Deus foi derramado sobre os discípulos da Igreja primitiva, eles compreenderam a que Se tinha referido Jesus. Eles fizeram a experiência de uma profunda segurança e alegria na fé, e obtiveram determinados → CARISMAS, como profetizar, curar e realizar milagres. Até hoje tem havido pessoas na Igreja que possuem tais dons e fazem essas experiências. → 35-38, 310-311

114 *Que papel desempenha o Espírito Santo na vida de Jesus?*

Sem o Espírito Santo não Se pode entender Jesus. É sobretudo na vida de Jesus que se revela a presença do Espírito de Deus, que designamos por Espírito Santo. [689-691, 702-731]

Foi o Espírito Santo que chamou Jesus à vida terrena no ventre da Virgem Maria (Mt 1,18), que O atestou como Filho amado (Lc 3,22), O conduziu (Mc 1,12) e O vivificou até o fim (Jo 19,30): na cruz, Jesus expirou-O. Após a Sua ressurreição, Jesus doou aos Seus discípulos o Espírito Santo (Jo 20,22). Foi assim que o Espírito de Jesus transbordou para a Sua Igreja: «Assim como o Pai Me enviou, também Eu vos envio a vós.» (Jo 20,21)

115 *Sob que nomes e sinais aparece o Espírito Santo?*

O Espírito Santo vem sobre Jesus na forma de uma pomba. Os primeiros cristãos experienciam o Espírito

CARISMAS
(gr. *charis* = dom, graça, benefício, encanto)
São os dons gratuitos do Espírito Santo, tal como são descritos, por exemplo, em 1Cor 12, 8-10: a sabedoria, o conhecimento, a força da fé, o dom da cura, o poder de exercer milagres, a profecia, o dom das línguas e o dom de as interpretar etc.; aqui estão incluídos os "sete dons" do Espírito Santo. São, portanto, dons especiais para a direção, a administração, o amor ao próximo e o anúncio da fé.

> Portanto, quem pede: «Vem, Espírito Santo!», tem de estar preparado para dizer: «Vem e incomoda-me onde tenho de ser incomodado!»
>
> WILHELM STÄHLIN (1883- -1975, teólogo evangélico)

> Em Jesus Cristo, o próprio Deus fez-Se homem e permitiu-nos, por assim dizer, lançar um olhar na intimidade do próprio Deus. E ali vemos algo totalmente inesperado... O Deus misterioso não constitui uma solidão infinita; Ele é um acontecimento de amor. ... Existe o Filho que fala com o Pai. E ambos são um só no Espírito Santo que é, por assim dizer, a atmosfera do doar e do amar, que faz deles um único Deus.
>
> BENTO XVI, 03.06.2006

O Espírito Santo virá sobre ti e a força do Altíssimo te cobrirá com a Sua sombra.

Lc 1,35

Santo como uma unção curadora, uma água viva, uma tempestade ruidosa ou um fogo ardente. O próprio Jesus designa-O por advogado, consolador, mestre e Espírito da Verdade. O Espírito Santo é dado nos sacramentos da Igreja, mediante a imposição das mãos e a unção com azeite. [691-693]

A paz que Deus fez com a humanidade, depois do dilúvio, foi anunciada a Noé por uma pomba. A Antiguidade pagã também a conheceu como metáfora do amor. Por tal razão, os primeiros cristãos compreenderam imediatamente por que motivo o Espírito Santo, o amor de Deus feito pessoa, sobreveio a Jesus como uma pomba, quando Ele Se deixou batizar no Jordão. Hoje, a pomba é o sinal da paz mundialmente reconhecido e um dos maiores símbolos da reconciliação do ser humano com Deus (cf. GN 8,10 ss.).

116 *O que significa dizer que o Espírito Santo «falou pelos Profetas»?*

Já na Antiga Aliança Deus enchera homens e mulheres com o Espírito, para que as suas vozes se elevassem a Deus, falassem em Seu nome e preparassem o Povo para a vinda do Messias. [683-688, 702-720]

No Antigo Testamento, Deus escolheu homens e mulheres dispostos a tornarem-se consoladores, guias e admoestadores do Seu Povo. Foi o Espírito de Deus que falou pela boca de Isaías, de Jeremias, de Ezequiel e de outros profetas. São João Batista, o último desses profetas, não previu apenas a vinda do Messias; ele ainda O encontrou e anunciou como o libertador do poder do pecado.

117 *Como pôde o Espírito Santo agir em Maria, com ela e através dela?*

Maria estava totalmente solícita e aberta a Deus (Lc 1,38). Desta forma pôde, mediante a ação do Espírito Santo, tornar-se "mãe de Deus" e, enquanto mãe de Cristo, também mãe dos cristãos e até mãe de toda a humanidade. [721-726]

Maria possibilitou ao Espírito Santo a maravilha das maravilhas: a encarnação de Deus. Ela deu o seu "sim" a Deus: «Eis a escrava do Senhor; faça-se em mim segundo a tua palavra.» (Lc 1,38) Fortalecida pelo Espírito Santo, andou com Jesus por montes e vales, até a cruz, junto à qual Jesus no-la deu por mãe. (Jo 19,25-27). → 80-85, 479

118 *O que aconteceu no dia de Pentecostes?*

Cinquenta dias após a ressurreição, o Senhor enviou do Céu o Espírito Santo sobre os Seus discípulos. Começou, então, o tempo da Igreja. [731-733]

No dia de → PENTECOSTES, o Espírito Santo fez, de medrosos Apóstolos, corajosas testemunhas de Cristo. Num curtíssimo espaço de tempo fizeram-se batizar milhares de pessoas. Era o nascimento da Igreja! O milagre pentecostal das línguas revela que a Igreja, desde o princípio, está aberta a todos, é "universal" (palavra latina que traduz o termo "católico", de origem grega) e, por conseguinte, missionária. Ela dirige-se a todas as pessoas, supera fronteiras étnicas e linguísticas, e pode ser entendida por todos. Até hoje, o Espírito Santo tem sido o "elixir vital" da Igreja.

> **PENTECOSTES**
> (gr. *pentecoste* = "o quinquagésimo" [dia depois da Páscoa]) Originalmente era uma festa em que Israel celebrava a aliança com Deus no Sinai. Por causa do acontecimento pentecostal em Jerusalém, tornou-se para os cristãos a festa do Espírito Santo.

> Todos ficaram cheios do Espírito Santo e começaram a falar outras línguas, conforme o Espírito lhes concedia que se exprimissem. [...] Cada qual os ouvia falar na sua própria língua.
>
> AT 2,4.6

Tenho ainda muitas coisas para vos dizer, mas não as podeis compreender agora. Quando vier o Espírito da Verdade, Ele vos guiará para a verdade plena.

Jo 16,12 ss.

OBRAS DA CARNE
São enumeradas em GL 5,19-21: luxúria, imoralidade, libertinagem, idolatria, feitiçaria, inimizades, ciúmes, discórdias, ira, rivalidades, dissenções, facciosismos, invejas, embriaguez, orgias e coisas semelhantes a estas.

FRUTOS DO ESPÍRITO
São apresentados em GL 5,22 ss.: caridade, alegria, paz, paciência, benignidade, bondade, fidelidade, mansidão, temperança.

119 O que faz o Espírito Santo na Igreja?

O Espírito Santo edifica a Igreja, impele-a e recorda-lhe a sua missão. Chama homens e mulheres para o serviço dela, concedendo-lhes os dons necessários. Introduz-nos cada vez mais profundamente na comunhão com o Deus trino. [733-741, 747]

Mesmo quando a Igreja, na sua longa história, pareceu ter sido "abandonada por todos os bons espíritos", o Espírito Santo, apesar de todos os erros e deficiências, permaneceu ativo nela. Os seus parcos 2000 anos de existência, com os muitos santos de todas as épocas e culturas, são um testemunho visível da Sua presença. É o Espírito Santo que mantém a Igreja, como um todo, na Verdade e a introduz cada vez mais profundamente no conhecimento de Deus. É o Espírito Santo que age nos → Sacramentos e faz com que a Sagrada Escritura se torne viva para nós. Presenteia ainda hoje, com os Seus dons gratuitos (→ Carismas), as pessoas que se abrem totalmente a Ele. → 203-206

120 O que faz o Espírito Santo na minha vida?

O Espírito Santo abre-me a Deus, ensina-me a rezar e ajuda-me a estar disponível para os outros. [738-741]

«O silencioso hóspede da nossa alma» – assim chama Santo Agostinho ao Espírito Santo. Quem o quer sentir tem de fazer silêncio. Muito frequentemente, este hóspede fala baixinho em nós e conosco, porventura pela voz da nossa consciência ou através de impulsos interiores ou exteriores. Ser "templo do Espírito Santo" significa estar de corpo e alma disponível para este hóspede, para Deus em nós. Portanto, o nosso corpo é, em certa medida, a sala de estar de Deus. Quanto mais nos abrimos, dentro de nós, ao Espírito Santo, tanto mais Ele Se torna o mestre da nossa vida, tanto mais Ele nos concede os Seus → Carismas, também hoje, para edificação da Igreja. Desta forma, crescem em nós, ao invés das → Obras da carne, os → Frutos do Espírito. → 290-291, 295-297, 310-311, 517

> Mas a nossa capacidade de compreensão é limitada; por isso, a missão do Espírito é introduzir a Igreja de maneira sempre nova, de geração em geração, na grandeza do mistério de Cristo.
>
> BENTO XVI, 07.05.2005

IGREJA
(gr. *kyriake* = [pertença] do Senhor) Os que são convocados de todos os povos (gr. *ex kaleo*, *ekklesia*, igreja) e que pelo Batismo pertencem ao "corpo" de Cristo.

Creio... na Santa Igreja Católica

121 *O que significa "Igreja"?*

Igreja, em grego, diz-se *ekklesia* e significa "os convocados". Todos nós, que somos batizados e cremos em Deus, somos convocados pelo Senhor. Juntos somos a Igreja. Cristo é, no dizer de São Paulo, a «cabeça» da Igreja; nós somos o seu «corpo». [748-757]

Quando celebramos os sacramentos e ouvimos a Palavra de Deus, Cristo está em nós e nós estamos n'Ele – isto é a Igreja. A Sagrada Escritura descreve a comunhão estreita, pessoal e vital de todos os batizados com Jesus através de metáforas sempre novas: ora fala do Povo de Deus, ora da Esposa de Cristo; ora é chamada Mãe, ora é a Família de Deus ou comparada a um banquete nupcial. A Igreja nunca é uma simples instituição ou uma "igreja administrativa" que podemos pôr de lado. Podem escandalizar-nos os erros e os defeitos da Igreja, mas não nos podemos distanciar dela, porque Deus a escolheu irrevogavelmente e, apesar de todos os pecados, não Se distancia dela. A Igreja é a presença de Deus na humanidade, pelo que a devemos amar.

Ele [Cristo] é a "Cabeça" da Igreja, que é o Seu "corpo".
CL 1,18

> A Igreja é uma mulher de idade muito avançada, com muitas rugas. Mas é a minha mãe. E numa mãe não se bate.
>
> KARL RAHNER, ao ouvir críticas descabidas à Igreja

O Senhor disse a Caim: «Onde está o teu irmão Abel?» Caim respondeu: «Não sei. Sou porventura eu o guarda do meu irmão?»

GN 4,9

> Temos de nos tornar santos uns com os outros. Temos de chegar a Deus uns com os outros, apresentar-nos diante d'Ele uns com os outros. Não nos devemos encontrar com o bom Deus uns sem os outros. Que diria Ele se regressássemos uns sem os outros?

CHARLES PÉGUY (1873-1914, poeta francês)

122 Para que quer Deus a Igreja?

Deus quer a Igreja, porque nos quer salvar, não individualmente, mas em comunhão. Ele quer fazer de toda a humanidade o Seu Povo. [758-781, 802-804]

Ninguém vai para o Céu por uma porta insocial. Quem só pensa em si e na salvação da própria alma vive "in-socialmente". Isso é impossível tanto na Terra como no Céu. Nem Deus é insocial; não é um Ser solitário, autossuficiente. O Deus trino é, em Si mesmo, "social", uma comunhão, um eterno intercâmbio de amor. Também o ser humano, segundo o modelo de Deus, visa relação, permuta, participação e amor. Somos responsáveis uns pelos outros.

123 Qual é a missão da Igreja?

A missão da Igreja é permitir que, em todos os povos, brote e cresça o Reino de Deus, que Jesus já inaugurou. [763-769, 774-776, 780]

Aonde Jesus foi, o Céu tocou a Terra, despontou o Reino de Deus, um reino de paz e de justiça. A Igreja serve este Reino de Deus. Ela não é um fim em si mesma. Ela tem de continuar o que Jesus começou. Ela deve proceder como Jesus procederia. Ela transmite as Palavras de Jesus e prossegue a celebração dos sinais sagrados de Jesus (→ SACRAMENTOS). Portanto, a Igreja, com toda a sua fraqueza, é um pedaço do Céu sobre a Terra.

124 Por que motivo a Igreja é mais do que uma instituição?

A Igreja é mais do que uma instituição porque ela é um →MISTÉRIO ao mesmo tempo humano e divino. [770-773, 779]

O verdadeiro amor não cega, mas faz ver. Com a Igreja passa-se o mesmo: vista de fora, ela é uma mera instituição ou organização, com feitos históricos, mas também com erros e crimes – uma Igreja de pecadores. Isso, porém, é uma apreciação superficial, porque Cristo deu-Se de tal forma a nós, pecadores, que Ele nunca abandona a Igreja, mesmo que O traíssemos diariamente. A inquebrável ligação entre o humano e o divino, o entrosamento entre o pecado e a graça, fazem parte do mistério da Igreja. Vista com os olhos da fé, a Igreja é indestrutivelmente santa. → 132

125 O que tem de tão singular o Povo de Deus?

O criador deste Povo é Deus Pai. O seu líder é Jesus Cristo. A fonte da sua força é o Espírito Santo. A porta de entrada para o Povo de Deus é o Batismo. A sua dignidade é a liberdade dos filhos de Deus. A sua lei é o amor. Quando este Povo permanece fiel a Deus e procura primeiramente o Reino de Deus, transforma o mundo. [781-786]

No meio de todos os povos da terra, há um Povo diferente. Não se submete a ninguém, só a Deus. Deve ser como o sal, que dá sabor, como o fermento, que entra em tudo, como luz, que afasta as trevas. Quem pertence ao Povo de Deus deve estar preparado para se achar em aberta contradição com as pessoas que negam a existência de Deus e desprezam os Seus Mandamentos. Na liberdade dos filhos de Deus, nada deve ser temido, nem sequer a morte.

> Assim como o Pai Me enviou, também Eu vos envio.
> Jo 20,21

> Ide, fazei discípulos de todas as nações; batizai-os em nome do Pai e do Filho e do Espírito Santo, ensinando-os a cumprir tudo o que vos mandei. Eu estou sempre convosco até o fim dos tempos.
> Mt 28,19 ss.

> A Igreja não se pode comportar como uma empresa, que muda a oferta quando a procura diminui.
> CARDEAL KARL LEHMANN (bispo de Mainz)

> Fazei tudo sem murmurações nem contendas, para que sejais irrepreensíveis e sinceros, filhos de Deus sem culpa, no meio de uma geração corrompida e perversa, na qual resplandeceis como astros do mundo.
> Fl 2,14 ss.

> Eles não podem fazer mais do que me matar. E, mesmo que me matem, não é para sempre.
>
> ROBERT, príncipe de Arenberg (1898-1972, um dos conspiradores do atentado contra Hitler em 20 de Julho de 1944)

126 O que significa dizer que a Igreja é o «corpo de Cristo»?

Sobretudo pelos → SACRAMENTOS do Batismo e da → EUCARISTIA surge uma indissolúvel ligação entre Jesus Cristo e os cristãos. A ligação é tão forte que ela O une a nós como uma "cabeça" aos membros de um "corpo" humano. [787-795]
→ 146, 175, 200, 208, 217

127 O que significa dizer que a Igreja é a «esposa de Cristo»?

Jesus ama a Igreja como um esposo ama a sua esposa. Ele liga-se a Ela para sempre e entrega a Sua vida por ela. [796]

Quem alguma vez esteve enamorado percebe o que é o amor. Jesus sabe-o e chama-Se a Si próprio «noivo», que num amor apaixonado namora com a Sua «noiva» e deseja celebrar com ela a festa do amor. Nós, a Igreja, somos a Sua «noiva». Já no → ANTIGO TESTAMENTO o amor de Deus pelo Seu Povo era comparado ao amor entre um homem e uma mulher. Quando Jesus quer "namorar" com cada um de nós, quão frequentemente não Se torna um infeliz enamorado naqueles, de fato, que não querem saber do Seu amor e não Lhe correspondem?!

> Amar Cristo e a Igreja: trata-se da mesma coisa.
>
> IRMÃO ROGER SCHUTZ

> Achas, portanto, que as fraquezas da Igreja fariam com que Cristo a abandonasse? Abandonar a Igreja seria o mesmo que abandonar o Seu próprio corpo.
>
> D. HÉLDER CÂMARA (1909--1999, bispo brasileiro, amigo dos pobres)

128 O que significa dizer que a Igreja é o «templo do Espírito Santo»?

A Igreja é o lugar do Universo em que o Espírito Santo Se encontra integralmente. [797-801, 809]

O Povo de Israel venerava Deus no templo de Jerusalém. Este templo já não existe. A Igreja veio ocupar o seu lugar, embora não esteja ligada a nenhum espaço determinado. «Onde estão dois ou três reunidos em Meu nome, Eu estou no meio deles.» (MT 18,20) É o Espírito de Cristo que a vivifica: Ele habita na Palavra da Sagrada Escritura e está presente nos sinais sagrados dos → SACRAMENTOS; vive nos corações dos crentes e fala quando eles oram; guia-os e presenteia-os com dons (→ CARISMAS), sejam singelos ou extraordinários.

> Porque nós somos o templo do Deus vivo, como Deus disse: «Habitarei no meio deles e caminharei com eles. Eu serei o seu Deus e eles serão o Meu povo.»
>
> 2COR 6,16

Quem Se abandona ao Espírito Santo pode presenciar ainda hoje verdadeiros milagres. → 113-120, 203-205, 310-311

Creio na Igreja una, santa, católica e apostólica

129 *Por que só pode haver uma Igreja?*

Tal como só há um único Cristo, também só pode haver um único "corpo" de Cristo, uma única "esposa" de Cristo, isto é, uma única Igreja de Jesus Cristo. Ele é a cabeça, a Igreja é o corpo. Juntos formam o "Cristo total" (Santo Agostinho). Assim como o corpo tem muitos membros, embora ele seja um só, também a Igreja única se compõe de muitas Igrejas parciais. [811-816, 866, 870]

Jesus construiu a Igreja sobre o fundamento dos → APÓSTOLOS. Este fundamento suporta-a até hoje. A fé dos Apóstolos foi transmitida de geração em geração, sob a direção do ministério petrino, que «preside à caridade» (Santo Inácio de Antioquia). Também os → SACRAMENTOS que Jesus confiou ao colégio dos Apóstolos continuam a atuar com a sua força original.

130 *São também nossas irmãs e irmãos os cristãos não-católicos?*

Todos os batizados pertencem à Igreja de Jesus Cristo. Portanto, também os batizados que se acham separados da total comunhão da Igreja Católica, na qual persiste a Igreja de Jesus Cristo, são com razão chamados cristãos e são, assim, nossos irmãos. [817-819]

As divisões da única Igreja de Cristo aconteceram por causa de adulterações do ensinamento de Cristo, erros humanos e escasso espírito de reconciliação – na maioria das vezes, por parte dos representantes de ambos os lados. Os cristãos atuais não têm nenhuma culpa dos cismas históricos da Igreja. O Espírito Santo age também nas comunidades eclesiais separadas da → IGREJA CATÓLICA, em benefício da salvação das pessoas. Todos os dons aí existentes, como a Sagrada

> A maioria das pessoas não faz ideia do que Deus poderia fazer delas se somente elas se colocassem à disposição d'Ele.

SANTO INÁCIO DE LOYOLA
(1491-1556, fundador dos jesuítas)

> Há um só corpo e um só Espírito, como também uma só esperança a que fostes chamados. Há um só Senhor, uma só fé, um só Batismo. Há um só Deus e Pai de todos, o qual está sobre todos, por todos e em todos vós.

EF 4,4-6

> Devido à especial primazia desta Igreja [a comunidade de Roma], cada Igreja (isto é, os crentes de todas partes do mundo) tem de permanecer em uníssono com ela, porque aí foi preservada a Tradição dos Apóstolos.

SANTO IRENEU DE LIÃO

IGREJAS E COMUNIDADES ECLESIAIS
Muitas comunidades cristãs chamam-se Igrejas. →

→ Mas, segundo o ensino da Igreja Católica, só se podem considerar "Igreja" aquelas comunidades onde os sacramentos de Jesus Cristo permaneceram íntegros. Isto vale sobretudo para as Igrejas ortodoxas e orientais. Nas "comunidades eclesiais" saídas da Reforma os sacramentos não foram conservados íntegros.

ECUMENISMO
(gr. *oikumene* = a terra habitada, o globo terrestre) Trata-se dos esforços pela unidade dos cristãos separados.

Naquele tempo, Jesus elevou os olhos ao Céu e orou: «Que todos sejam um, como Tu, ó Pai, estás em Mim e Eu estou em Ti, para que o mundo creia que Tu Me enviaste!»
Jo 17,21

Escritura, os → SACRAMENTOS, a fé, a esperança, o amor e os outros → CARISMAS, provêm de Cristo. Onde vive o Espírito de Cristo há uma dinâmica interior no sentido de uma "reunificação", porque o que pertence a todos quer crescer com todos.

131 O que temos de fazer pela unidade dos cristãos?

Com palavras e obras, temos de obedecer a Cristo, cuja vontade clara é que «todos sejam um» (Jo 17,21). [820-822]

Independentemente da idade, a unidade dos cristãos diz respeito a todos. A unidade foi um dos mais importantes desejos de Jesus. Ele rezou ao Pai: «Que todos sejam um, [...] para que o mundo creia que Tu Me enviaste.» (Jo 17,21) Os cismas são como feridas no corpo de Cristo: doem e supuram. Levam a inimizades e enfraquecem a fé e a credibilidade dos cristãos. Para que desapareça do mundo o escândalo da divisão, é precisa a conversão de todos os interessados, mas também o conhecimento das próprias convicções de fé e uma discussão teologicamente séria; sobretudo, é necessária a oração comum, assim como o serviço comum à humanidade. Os responsáveis da Igreja não deviam deixar interromper o diálogo teológico.

132 Por que razão a Igreja é santa?

A Igreja é santa não por serem santos todos os seus membros, mas porque Deus é santo e age nela. Todos os membros da Igreja são santificados no Batismo. [823-829]

Sempre que nos deixamos tocar pelo Deus trino, cresce em nós o amor, somos santificados, curados e salvos. Os santos são pessoas que amam – não porque o consigam fazer tão bem, mas porque Deus os tocou. Eles transmitem às outras pessoas o amor que, de um jeito próprio, frequentemente original, experimentaram de Deus. Um dia, quando já estiverem junto de Deus, continuarão a santificar a Igreja, porque passarão ao Céu apoiando-nos no caminho para a → SANTIDADE.

133 Por que se chama a Igreja «católica»?

Ser "católico" (gr. *katholikós*) significa estar "referido ao todo". A Igreja é católica porque Cristo a chamou a confessar toda a fé, a guardar e celebrar todos os → SACRAMENTOS, a anunciar a boa-nova na sua totalidade. E Ele enviou-a a todos os povos. [830-831, 849-856]

134 Quem pertence à Igreja Católica?

Pertence totalmente à comunhão da Igreja Católica quem, unido ao → PAPA e aos bispos, se incorpora em Cristo através da confissão da fé católica e da celebração dos → SACRAMENTOS. [836-838]

Deus queria *uma* Igreja para *todos*. Desafortunadamente, nós, cristãos, tornamo-nos infiéis a este desejo de Cristo. No entanto, ainda estamos profundamente ligados uns aos outros através da fé e do batismo comum.

135 Que relação tem a Igreja com os judeus?

Os judeus são os "irmãos mais velhos" dos cristãos, porque foi primeiramente a eles que Deus amou e falou. Une-nos o fato de Jesus Cristo ter sido, enquanto homem, um israelita. Separa-nos, porém, o fato de a Igreja O reconhecer como o Filho de Deus vivo. Somos "um" na expetativa do advento definitivo do Messias. [839-840]

A fé judaica é o rizoma da nossa fé. A Sagrada Escritura dos judeus, que designamos por Antigo Testamento, é a primeira parte da nossa Sagrada Escritura. A antropologia judaico-cristã, cuja ética é cunhada pelos Dez Mandamentos, constitui o fundamento das democracias ocidentais. É vergonhoso que, ao longo dos séculos, tivesse havido cristãos que não admitiram a sua estreita afinidade com o Judaísmo e, inclusivamente com motivações pseudoteológicas, atiçaram um ódio aos judeus suficientemente mortal. Por ocasião do Ano Santo de 2000, o Papa João Paulo II pediu expressamente perdão por essas situações.

SANTIDADE (lat. *sanctitas* = caráter sagrado, inviolabilidade, pureza) É a característica fontal de Deus. Deus é o "totalmente Outro", o «Santo de Israel» (Is 30,15). Jesus vem ao mundo como o «Santo de Deus» (Mc 1,24); n'Ele se faz a leitura do que é "ser santo": amar, sem fronteiras, misericordiosamente, ajudando e curando, até a consumação da cruz e da ressurreição.

Deus quer que todos se salvem e cheguem ao conhecimento da verdade.

1TM 2,4

Ele submeteu--Lhe todas as coisas e constituiu-O como cabeça da Igreja, ela que é o Seu corpo, a plenitude d'Aquele que cumpre tudo em todos.

EF 1,22

> Não penseis que vim revogar a Lei ou os Profetas! Não vim abolir, mas dar pleno cumprimento.
>
> Mt 5,17

O Concílio Vaticano II deixa claro que aos judeus, enquanto povo, não deve ser atribuída uma culpa coletiva na morte de Cristo na cruz.
→ 96–97, 335

> 99 A religião judaica não é extrínseca a nós, mas pertence, de certa maneira, ao cerne na nossa religião. Por consequência, temos relações com ela que não temos com nenhuma outra religião. Sois os nossos irmãos prediletos e, de certa forma, os nossos irmãos mais velhos.
>
> João Paulo II, quando da visita à Grande Sinagoga de Roma, 1986

136 Como vê a Igreja as outras religiões?

A Igreja respeita tudo o que de bom e verdadeiro têm as outras religiões. Estima e apoia a liberdade de religião como um direito humano. Não obstante, sabe que Jesus Cristo é o único redentor da humanidade. Só Ele é «o Caminho, a Verdade e a Vida» (Jo 14,6). [841-848]

Quem incessantemente procura Deus está próximo de nós, cristãos. Existe um especial grau de "afinidade" com os muçulmanos. Tal como o Judaísmo e o Cristianismo, também o Islamismo pertence ao → Monoteísmo. Os muçulmanos adoram igualmente o Deus Criador e veneram Abraão como pai da sua fé. Para o Corão, Jesus é um grande profeta e Maria, Sua mãe, é uma mãe-profetiza. A Igreja ensina que todas as pessoas que, sem culpa própria, desconhecem Cristo e a Sua Igreja, mas buscam Deus de coração sincero e seguem a voz da própria consciência, podem alcançar a salvação eterna. Quem, porém, sabe que Jesus Cristo é «o Caminho, a Verdade e a Vida», mas não O quer

> **LIBERDADE DE RELIGIÃO**
> É o direito de cada pessoa a seguir a própria consciência na escolha e no exercício da religião. O reconhecimento da liberdade de religião não diz expressamente que todas as religiões são iguais ou que são identicamente verdadeiras.

seguir, não encontrará a salvação em outros caminhos. É isso que significa a frase em língua latina *Extra ecclesiam nulla salus* ("fora da Igreja não há salvação"). → 199

> A Igreja jamais se deve contentar com a plêiade daqueles que ela alcançou num dado momento e dizer que os outros estão bem assim: os muçulmanos, os hindus e assim por diante. A Igreja não se pode retirar comodamente nos limites do seu ambiente. Ela tem a responsabilidade da solicitude universal; deve preocupar-se por todos e com todos.
>
> BENTO XVI, 7.05.2006

137 *Por que se chama a Igreja «apostólica»?*

A Igreja chama-se «apostólica» porque ela, fundada sobre os Apóstolos, baseia-se na sua Tradição e é guiada pelos seus sucessores. [857-860, 869, 877]

Jesus chamou os → APÓSTOLOS como Seus colaboradores mais próximos. Eles eram as Suas testemunhas oculares. Após a Sua ressurreição, apareceu-lhes reiteradas vezes, deu-lhes o Espírito Santo e enviou-os ao mundo como Seus mensageiros plenipotenciários. Na Igreja jovem, eram a garantia da unidade. Através da imposição das mãos, transmitiram aos seus sucessores, os bispos, o seu envio e os seus plenos poderes. E assim foi até hoje. Este processo é designado por → SUCESSÃO APOSTÓLICA. → 92

138 *Como é edificada a Igreja una, santa, católica e apostólica?*

Na Igreja, há → LEIGOS e clérigos (→ CLERO) que, como filhos de Deus, têm a mesma dignidade. Têm tarefas de igual valor, mas distintas. A missão dos leigos é construir e reconstruir o mundo segundo o modelo do Reino de Deus. Para eles são ordenados ministros (clérigos) com o serviço do governo eclesial, do ensino

DOZE APÓSTOLOS (gr. *apostolos* = enviado, mensageiro) «São estes os nomes dos Doze Apóstolos: primeiro, Simão, chamado Pedro, e André, seu irmão; Tiago, filho de Zebedeu, e João, seu irmão; Filipe e Bartolomeu; Tomé e Mateus, o publicano; Tiago, filho de Alfeu, e Tadeu; Simão, o cananeu, e Judas Iscariotes, que foi quem O entregou.» (MT 10,2-4).

SUCESSÃO APOSTÓLICA
(lat. *successio* = sucessão, sequência)
É a série ininterrupta dos bispos desde os Apóstolos e a sua sucessão no ministério episcopal. Tal como Jesus deu aos Apóstolos os Seus plenos poderes, também estes são transmitidos, desde o início, de bispo para bispo, pela imposição das mãos, até que o Senhor regresse.

LEIGOS
(gr. *laos* = povo)
É o estado comum dos batizados que pertencem ao Povo de Deus, mas não são ordenados.

CLERO
(gr. *kleroi* = parte, herança)
É o estado dos que são ordenados, dos que participam do ministério pastoral.

„ Sou chamado a fazer ou ser algo para o qual mais ninguém é chamado; no plano de Deus e nesta terra de Deus, ocupo um espaço que mais ninguém pode ocupar.

BEATO JOHN HENRY NEWMAN

doutrinal e da santificação sacramental. Em ambos os estados também há cristãos que, de modo especial, em castidade, pobreza e obediência, se colocam à disposição de Deus (por exemplo, os membros das ordens e das congregações religiosas). [871-876, 934-935]

Cada cristão tem a missão de testemunhar o Evangelho com a própria vida. Mas Deus percorre, com cada pessoa, um caminho próprio. A uns envia como → LEIGOS, para construírem o Reino de Deus no meio do mundo, numa família e com uma profissão; para isso, concede-lhes, no Batismo e na Confirmação, todos os dons do Espírito Santo necessários. A outros encarrega com o ministério pastoral, para guiar, ensinar e santificar o Seu Povo; ninguém pode reclamar a si esta missão, pois é o próprio Senhor que os envia e dá, mediante o sacramento da Ordem, a Sua força divina para o caminho, para, no lugar de Cristo, atuar e celebrar os → SACRAMENTOS. → 259

139 *Em que consiste a vocação dos leigos?*

Os → LEIGOS são enviados para se comprometerem na sociedade, para que o Reino de Deus possa crescer no mundo. [897-913, 940-943]

Um → LEIGO não é um cristão de segunda classe, porque ele participa do ministério sacerdotal de Cristo (sacerdócio comum dos fiéis). Ele empenha-se para que as pessoas do seu meio (escola, faculdade, família e profissão) aprendam a conhecer e a amar Cristo. Ele cunha com a sua fé a sociedade, a economia e a política. Ele promove a vida eclesial assumindo ministérios, como o acolitado e o leitorado, disponibilizando-se para dirigir grupos e aderindo aos movimentos e conselhos eclesiais (por exemplo, os conselhos paroquiais, pastoral ou econômico). Também os jovens devem refletir seriamente sobre o lugar em que Deus os quer.

140 *Por que motivo a Igreja não é uma organização democrática?*

O princípio da democracia consiste em que todo o poder advém do povo. Na Igreja, porém, todo o poder

vem de Cristo, pelo que ela tem um perfil hierárquico; simultaneamente, Cristo deu-lhe uma estrutura colegial. [874-879]

O princípio "hierárquico" da Igreja consiste no próprio Cristo, que nela age quando os ministros ordenados fazem ou concedem algo que por si mesmos não fariam ou concederiam, isto é, quando, no lugar de Cristo, eles celebram os → SACRAMENTOS e ensinam com plenipotência. O princípio "colegial" da Igreja consiste em que Cristo confiou a totalidade da fé a uma comunhão de doze Apóstolos, cujos sucessores conduzem a Igreja sob a presidência do ministério petrino; na base desta dimensão colegial são imprescindíveis os concílios da Igreja. A multiplicidade dos dons espirituais e a universalidade da Igreja tornam-se também fecundas noutras instituições da Igreja, como os sínodos e os conselhos.

141 *Que missão tem o Papa?*

Como sucessor de São Pedro e cabeça do colégio dos bispos, o → PAPA é garante da unidade da Igreja. Ele possui a mais alta autoridade pastoral, quer doutrinal quer disciplinar. [880-882, 936-937]

Jesus concedeu a São Pedro uma singular precedência entre os Apóstolos, que fez dele a superior autoridade na Igreja primitiva (→ ROMA). A igreja local que São Pedro

> **HIERARQUIA**
> (gr. *hieros* = sagrado e *arché* = princípio)
> Diz respeito à constituição escalonada da Igreja a partir de Cristo, de quem provém todo o poder e toda a autoridade.

> **PAPA**
> (gr. *pappas* = papá)
> É o sucessor do Apóstolo São Pedro, bispo de Roma. Como São Pedro fora já o primeiro entre os Apóstolos, o Papa, seu sucessor, tem a presidência do colégio dos bispos. Como representante de Cristo, é o pastor supremo da Igreja.

> **BISPO**
> (gr. *episkopein* = o que vê de cima)
> É um sucessor dos Apóstolos e guia uma diocese (Igreja local); como membro do colégio dos bispos, participa, sob a orientação do Papa, no cuidado da Igreja universal.

PRESBÍTERO
(gr. *presbyteros*
= ancião, o mais velho)
É um colaborador do bispo na evangelização e na celebração dos sacramentos. Exerce o seu serviço em comunhão com os outros presbíteros, sob a orientação do bispo.

dirigia e o lugar do seu martírio tornou-se, após a sua morte, o ponto orientador da jovem Igreja. Cada comunidade devia estar em consonância com Roma, o que se tornou a medida da fé correta, íntegra e genuína. Até o momento presente, cada → Bispo de Roma, tal como São Pedro, tem sido o supremo pastor da Igreja, cuja cabeça é, na verdade, Cristo; só assim o → Papa é "representante de Cristo na Terra". Como autoridade superior na pastoral e no ensino, vela pela transmissão pura da fé. Em casos necessários, deve revogar nomeações ou exonerar ministros ordenados por causa de erros graves de fé

DIÁCONO
(gr. *diakonos*
= servo, ajudante)
É ordenado para o serviço (a diaconia) da Palavra de Deus, a Liturgia e a caridade. A sua ordenação implica o poder de batizar, pregar na Eucaristia e assistir ao sacramento do Matrimônio e aos funerais.

ou moral no exercício do seu ministério. A → Unidade da fé e da moral, garantida pelo ministério pastoral, em cujo topo se encontra o Papa, produz, em parte, a capacidade de resistência e a difusão da Igreja Católica.

142 *Podem os bispos agir e ensinar contra o Papa e vice-versa?*

Os bispos não podem agir nem ensinar contra o → Papa; só o devem fazer com ele. Pelo contrário, o Papa pode, em determinados casos, tomar decisões mesmo sem a concordância dos bispos. [883-885, 880-890]

Efetivamente, o →Papa está, nas suas decisões, unido à fé da Igreja. Existe algo que se chama o "sentido comum da fé da Igreja", uma convicção fundamental nas coisas da fé, operada pelo Espírito Santo e corrente na Igreja, em certa medida designada por "senso comum da Igreja", isto é, «aquilo em que se creu sempre, em toda a parte e por todos» (São Vicente de Lérins).

143 O Papa é realmente infalível?

Sim. Porém, o →Papa só fala infalivelmente quando proclama um dogma solenemente (*ex cathedra*), ou seja, quando toma uma decisão vinculativa sobre questões de fé e de moral. Caráter infalível também podem possuir as decisões do colégio dos bispos em comunhão com o Papa, como são o caso das decisões dos concílios ecumênicos. [888-892]

A infalibilidade dos →Papas nada tem a ver com a sua integridade moral ou a sua inteligência. A Igreja é que é propriamente infalível, pois Jesus prometeu-lhe o Espírito Santo para a manter e introduzir cada vez mais profundamente na Verdade. Quando uma verdade de fé evidente é repentinamente negada ou mal interpretada, a Igreja tem de ter uma última voz que explique vinculativamente o que é verdadeiro e o que é falso; trata-se da voz do Papa. Como sucessor de São Pedro e como o primeiro dos bispos, tem sozinho poder de formular a indiscutível Verdade segundo a Tradição da fé da Igreja, que essa Verdade é exposta aos crentes para todos os tempos como "digna de fé"; neste caso, dizemos que o Papa anuncia um dogma. Assim, um dogma não pode conter novidade a nível de conteúdo. Raramente é anunciado um dogma; o último foi apresentado em 1950.

144 Que missão têm os bispos?

Os bispos têm a responsabilidade pela Igreja local a eles confiada, assim como a corresponsabilidade pela Igreja universal. Exercem a sua autoridade em comunhão mútua e em proveito de toda a Igreja, sob a orientação do →Papa. [886-887, 893-896, 938-939]

? ROMA

A comunidade de Roma foi considerada, desde o princípio, como a Igreja «suprema, a mais antiga e conhecida», «fundada e organizada pelos dois mais gloriosos Apóstolos, Pedro e Paulo. [...] Mercê da sua especial primazia, teve de estar em consonância com esta Igreja cada uma das Igrejas, isto é, os crentes de todo o mundo, porque nela fora sempre guardada a Tradição dos Apóstolos» (Santo Ireneu de Lião, 135-202). O fato de ambos os Apóstolos terem sofrido o martírio em Roma deu à comunidade romana um peso suplementar.

Também Eu te digo: tu és Pedro; sobre esta pedra edificarei a minha Igreja e as portas do inferno não prevalecerão contra ela. Dar-te-ei as chaves do Reino dos Céus: tudo o que ligares na Terra será ligado nos Céus, e tudo o que desligares na Terra será desligado nos Céus.

Mt 16,18-20

> **CONCÍLIO ECUMÉNICO**
> (gr. *oikumene* = a terra habitada)
> É uma reunião dos bispos católicos da Igreja universal; não deve ser confundido com o "ecumenismo", que se debruça sobre a unidade de todos os cristãos (católicos ou não).

> Escolheu doze, para andarem com Ele e para os enviar...
> Mc 3,14

> **DOGMA**
> (gr. *dogma* = opinião, resolução, teorema)
> É uma formulação de fé anunciada *ex cathedra* como divina Revelação e contida já na Sagrada Escritura e na Tradição viva.

> **EX CÁTEDRA**
> (lat. *ex cathedra* = a partir da cátedra)
> O conceito designa algo especial, decidido pelo ensino catedrático e infalível do Papa.

> Quem vos escuta escuta-Me a Mim; e quem vos rejeita, rejeita-Me a Mim. Mas quem Me rejeita, rejeita Aquele que Me enviou.
> Lc 10,16

Os → Bispos devem ser, antes de mais, → Apóstolos, isto é, testemunhas fiéis de Jesus, que pessoalmente os chamou à Sua intimidade e os envia. Por isso, eles trazem Cristo à humanidade e a humanidade a Cristo, mediante o seu anúncio, a celebração dos → Sacramentos e a condução da Igreja. Enquanto sucessor dos Apóstolos, o → Bispo exerce o seu ministério por força da autoridade apostólica que detém; ele não é um funcionário ou uma espécie de assistente do → Papa, mas atua com ele e sob a sua orientação.

145 *Por que quer Jesus que haja pessoas que vivam para sempre em pobreza, em castidade celibatária e em obediência?*

Deus é amor. Ele também deseja o nosso amor. Uma forma de entrega amorosa a Deus é *viver como Jesus*, ou seja, pobre, celibatário e obediente. Quem assim vive tem cabeça, coração e mãos livres para Deus e para a humanidade. [914-933, 944-945]

Surgem continuamente indivíduos que se deixam conquistar verdadeira e totalmente por Jesus, a ponto de, «por causa do Reino dos Céus» (Mt 19,12), entregarem tudo a Deus, mesmo coisas boas, como as suas riquezas, a autodeterminação e o amor conjugal. Esta existência segundo os → Conselhos Evangélicos em pobreza, → Castidade celibatária e obediência, mostra a todos que o mundo não é tudo. No fundo, só o encontro "face a face" com o esposo divino fará a humanidade feliz.

Creio... na comunhão dos santos

146 *O que significa a "comunhão dos Santos"?*

Pertencem à "comunhão dos santos" todas as pessoas que colocaram a sua esperança em Cristo e Lhe pertencem pelo Batismo, tenham elas já morrido ou vivam ainda. Porque somos um "corpo" em Cristo, vivemos uma comunhão que abraça o Céu e a Terra. [946-962]

CONSELHOS EVANGÉLICOS

A pobreza, a castidade celibatária e a obediência são conselhos apresentados no Evangelho para o seguimento de Cristo.

> A todos vós que doastes a vida a Cristo [...] obrigado pelo vosso testemunho muitas vezes silencioso e nada fácil; obrigado pela vossa fidelidade ao Evangelho e à Igreja.
>
> BENTO XVI, 12.05.2010, em Fátima

Jesus olhou para ele com simpatia e respondeu: «Falta-te uma coisa: vai vender o que tens, dá o dinheiro aos pobres e terás um tesouro no Céu! Depois, vem e segue-Me!»

Mc 10,21

Deste modo, se um membro sofre, todos os membros sofrem com ele; se um membro é honrado, todos os membros se alegram com ele.

1Cor 12,26

A Igreja é maior e mais viva do que pensamos. A ela pertencem conhecidos e desconhecidos, grandes santos e pessoas modestas, os vivos e os mortos, encontrem-se estes ainda em processo de purificação ou estejam já na glória de Deus. Podemos ajudar-nos mutuamente até para além da morte. Podemos pedir ajuda aos santos que mais nos agradam ou têm o nosso nome, e inclusivamente aos nossos familiares falecidos que cremos estarem já em Deus. Inversamente, podemos ajudar os nossos falecidos ainda em processo de purificação, mediante a nossa oração de súplica.
Tudo o que uma pessoa faz ou sofre em Cristo e por Cristo torna-se proveitoso para todos; infelizmente, isso também significa, contrariamente, que cada pecado danifica a comunhão. → 126

> No Céu temos uma mãe. [...] Estando em Deus e com Deus, ela está próxima de nós. [...] Ela conhece o nosso coração, pode ouvir as nossas orações, pode ajudar-nos com a sua bondade materna e é-nos dada, como disse o Senhor, como "mãe", à qual podemos dirigir-nos em todos os momentos.
>
> BENTO XVI, 15.08.2005

> Deus deu à humanidade não uma serva, mas uma mãe.
>
> ADOLF KOLPING (1813--1865, apóstolo dos trabalhadores e operários)

A certa altura faltou o vinho. Então a mãe de Jesus disse-Lhe: «Não têm vinho.» Jesus respondeu-lhe: «Mulher, que temos nós com isso? Ainda não chegou a minha hora.» Sua mãe disse aos serventes: «Fazei tudo o que Ele vos disser!»

Jo 2,3-5

147 Por que tem Maria um lugar tão distinto na comunhão dos santos?

Maria é a mãe de Deus. Na Terra, ela esteve ligada a Jesus como ninguém – uma proximidade que não cessa no Céu. Maria é a Rainha do Céu e está realmente, no seu ser materno, muito próxima de nós. [972]

Porque se entregou de corpo e alma e com enorme risco a uma missão tão perigosa quanto divina, Maria foi também em corpo e alma acolhida no Céu. Quem vive e crê como Maria vai para o Céu. → 80-85

148 Pode Maria ajudar-nos realmente?

Sim. Desde o início da Igreja tem-se tido a experiência de que Maria ajuda. Milhões de cristãos dão testemunho disso. [967-970]

Enquanto mãe de Jesus, Maria também é nossa mãe. As boas mães responsabilizam-se sempre pelos filhos. Esta mãe não foge à regra. Já na Terra, ela mobilizou-se junto de Jesus pelos outros, como foi o caso das bodas de Caná, em que ela salvou o casal de noivos de uma situação complicada. Na sala do dia de Pentecostes, ela orava com os discípulos. Porque o seu amor por nós não acaba, podemos estar certos de que ela se comprometeu por nós nos dois momentos mais importantes da nossa vida: «Agora e na hora da nossa morte.» → 85

149 Podemos adorar Maria?

Não. Só devemos adorar a Deus. Mas podemos honrar Maria como mãe de nosso Senhor. [971]

A adoração constitui o reconhecimento humilde e incondicional da absoluta sublimidade de Deus sobre todas as criaturas. Maria é criatura como nós. Ela é, na fé, nossa mãe. E devemos honrar os nossos pais. Biblicamente, trata-se de uma atitude correta, pois ela própria diz: «De hoje em diante me chamarão bem-aventurada todas as gerações.» (Lc 1,48) Por esse motivo, a Igreja tem locais de peregrinação, festas, cânticos e orações marianas, como o → ROSÁRIO, que é uma síntese do Evangelho. → 353, 485

Creio... na remissão dos pecados

150 *Pode a Igreja perdoar realmente os pecados?*

Sim. O próprio Jesus não apenas perdoou pecados, como também deu à Igreja o encargo e o poder de libertar as pessoas dos seus pecados. [981-983, 986-987]

Através do ministério do sacerdote, é concedido ao homem o perdão de Deus, pelo que a culpa é perfeitamente apagada, como se nunca tivesse existido. O → SACERDOTE só o pode fazer porque Jesus o fez participar no Seu próprio poder divino de perdoar pecados. → 225-239

151 *Que possibilidades há, na Igreja, de perdão dos pecados?*

O perdão dos pecados acontece fundamentalmente no →SACRAMENTO do Batismo. Depois, para o perdão de pecados graves existe o sacramento da Reconciliação (também chamado Penitência ou Confissão). Para pecados mais leves é recomendada a Confissão. Porém, também a leitura da Sagrada Escritura, a oração, o jejum e a realização de boas obras têm o efeito de perdoar pecados. [976-980, 984-987]
→ 226-239

Creio... na ressurreição dos mortos

152 *Por que cremos na ressurreição dos mortos?*

Cremos na ressurreição dos mortos, porque Cristo ressuscitou dos mortos, vive para sempre e faz-nos participantes dessa vida eterna. [988-991]

Quando uma pessoa morre, o seu corpo é sepultado ou cremado. Contudo, cremos que existe, para essa pessoa, uma vida depois da morte. Jesus revelou-Se, na Sua ressurreição, como Senhor da morte; a Sua Palavra é fidedigna: «Eu sou a Ressurreição e a Vida. Quem acredita em Mim, ainda que tenha morrido, viverá.» (Jo 11,25)
→ 103-108

Àqueles a quem perdoardes, os pecados ser-lhes-ão perdoados; e àqueles a quem os retiverdes, ser-lhes-ão retidos.

Jo 20,23

Os sacerdotes receberam um poder que Deus nem aos anjos nem aos arcanjos concedeu. [...] Lá em cima Deus confirma tudo o que os sacerdotes fazem sobre a Terra.

São João Crisóstomo

Porque dizem alguns no meio de vós que não há ressurreição dos mortos? Se não há ressurreição dos mortos, também Cristo não ressuscitou. E, se Cristo não ressuscitou, então a nossa pregação é inútil e também é inútil a vossa fé. ... Se é só para a vida presente que temos posta em Cristo →

→ a nossa esperança, somos os mais miseráveis de todos. Mas, não! Cristo ressuscitou dos mortos, como primícias dos que morreram.

1Cor 15,12-14.19.20

E o Verbo [de Deus] fez-Se carne e habitou entre nós.

Jo 1,14

99 Também para o corpo há espaço em Deus.

Bento XVI, 15.08.2005

Alguém poderia perguntar: «Como ressuscitam os mortos? Com que espécie de corpo voltam eles?» Insensato! O que tu semeias não volta à vida sem morrer. E o que semeias não é a planta que há de nascer, mas um simples grão, de trigo, por exemplo, ou de qualquer outra espécie.

1Cor 15,35-37

153 *Por que cremos na ressurreição da "carne"?*

A palavra bíblica "carne" carateriza o ser humano na sua fraqueza e mortalidade. Deus não considera, contudo, a carne humana como algo inferior. Em Jesus Cristo, Ele próprio assumiu a "carne" (→ Encarnação), para nos redimir. Deus redime não apenas o espírito do ser humano; Ele redime-o *totalmente*, no corpo e na alma. [988-991, 997-1001, 1015]

Deus criou-nos com corpo (carne) e alma. No fim do mundo, Ele não deixa simplesmente de lado a "carne", ou seja, a Criação inteira, como um velho brinquedo. No Último Dia, Ele despertar-nos-á na carne, ou seja, seremos transformados, para nos sentirmos no nosso elemento. O "estar-na-carne" não foi, para Jesus, uma coisa do outro mundo; quando Se mostrou como o Ressuscitado, os discípulos viram as Suas feridas corporais.

154 *O que nos acontecerá quando morrermos?*

Na morte, separaram-se o corpo e a alma. O corpo decompõe-se, enquanto a alma vai ao encontro de Deus e espera que, no Juízo Final, seja unida ao seu corpo ressuscitado. [992-1004, 1016-1018]

O "como" da ressurreição do nosso corpo é um mistério. Pode ajudar-nos a entendê-lo a seguinte metáfora: observando um bulbo de tulipa, podemos não reconhecer para quão belíssima flor ele se desenvolverá na terra escura. Do mesmo modo, não sabemos nada sobre o aspecto futuro do nosso corpo novo. São Paulo está, contudo, seguro: «Semeado desprezível, ressuscita glorioso.» (1Cor 15,43a)

155 *Como nos ajuda Cristo na morte, se nos confiarmos a Ele?*

Cristo vem ao nosso encontro e introduz-nos na Vida eterna. «Não é a morte que me vai buscar, mas Deus.» (Santa Teresa de Lisieux) [1005-1014, 1016, 1019]

Tendo em conta o sofrimento e a morte de Jesus,
a nossa morte pode tornar-se mais ligeira. Num ato
de confiança e de amor ao Pai, podemos dizer "sim"
como Jesus fez no monte das Oliveiras. Tal compostura
chama-se "sacrifício espiritual": aquele que morre
une-se ao sacrifício de Jesus na cruz. Quem morre assim,
numa confiança em Deus e em paz com os outros, ou seja,
sem pecado grave, está no caminho para a comunhão
com Cristo ressuscitado. A nossa morte não nos faz cair
mais fundo que nas Suas mãos. Quem morre não viaja
para "nenhures", mas regressa à casa do amor de Deus,
o seu Criador. → 102

> Quero ver Deus, e para O ver é preciso morrer.
> SANTA TERESA DE ÁVILA

> O tempo para procurar Deus é esta vida. O tempo para encontrar Deus é a morte. O tempo para desfrutar Deus é a eternidade.
> SÃO FRANCISCO DE SALES

Creio… na Vida eterna

156 *O que é a Vida eterna?*

A Vida eterna começa no Batismo. Atravessa a morte e não tem fim. [1020]

Quando estamos apaixonados, não queremos que isso termine. «Deus é amor», diz-nos a Primeira Carta de São João (1Jo 4,16). «O amor», como diz a Primeira Carta de São Paulo aos Coríntios, «nunca termina» (1Cor 13,8). Deus é eterno, porque Ele é amor; e o amor é eterno, porque é divino. Quando estamos no amor, entramos na infinda presença de Deus.
→ 285

> Não morro; entro na vida.
> SANTA TERESA DE LISIEUX
> (1873-1897, mística e doutora da Igreja)

> Há uma coisa, caríssimos, que não deveis esquecer: um dia diante do Senhor é como mil anos e mil anos como um dia.
> 2Pd 3,8

157 *Seremos colocados, após a morte, perante algum julgamento?*

O chamado juízo especial ou pessoal sucede à morte do indivíduo. O juízo universal, também chamado último ou final, sucede no Último Dia, ou seja, no fim do mundo, aquando do regresso do Senhor. [1021-1022]

Na morte, cada pessoa chega ao momento da Verdade. Nessa altura, nada mais pode ser reprimido ou ocultado, nada mais pode ser alterado. Deus vê-nos tal como somos. Compareceremos perante o Seu julgamento onde Ele fala e pratica justiça. Talvez tenhamos de passar por um processo de purificação, talvez possamos cair logo nos braços de Deus. Talvez, porém, estejamos tão cheios de maldade, de ódio, de um rotundo "não"

> No crepúsculo da nossa vida, seremos julgados pelo Amor.
> SÃO JOÃO DA CRUZ (1542-1591, místico, doutor da Igreja e poeta espanhol)

JUÍZO
(lat. *iudicium* = julgamento, tribunal) O chamado juízo especial ou pessoal sucede à morte do indivíduo. O juízo último, final ou universal, acontece no Último Dia, ou seja, no fim do mundo, quando do regresso do Senhor.

No presente, nós vemos como num espelho e de maneira confusa; então, veremos face a face. No presente, conheço de maneira imperfeita; então, conhecerei como sou conhecido.

1Cor 13,12

> A Natureza é passageira, nós sobreviveremos a ela. Ainda que tenham passado todos os sóis e brumas, continuará na vida cada um de nós.
>
> C. S. Lewis

Por isso é que ele [Judas Macabeu] mandou oferecer um sacrifício de expiação pelos mortos, para que fossem libertados do seu pecado.

2Mc 12,45

a tudo, que apartemos a nossa face do amor de Deus para sempre. Uma vida sem amor é nada mais que o inferno. → 163

158 Em que consiste o Céu?

O Céu é um interminável momento de amor. Nada mais nos separa de Deus, porque o nosso espírito ama o que toda a vida procurou. Juntamente com os anjos e os santos, alegramo-nos ao lado de Deus e com Deus. [1023-1026, 1053]

Quem observa um casal de namorados olhando-se carinhosamente, quem vê um bebé procurando tranquilamente os olhos da sua mãe, como se quisesse gravar para sempre o seu sorriso... fica com uma ideia (ainda que longínqua) do Céu. Poder ver Deus face a face é como um instante de amor, único e infindável. → 52

159 O que é o Purgatório?

O Purgatório, frequentemente imaginado como um lugar, é antes um estado. Quem morre na graça de Deus (isto é, em paz com Deus e com os outros), mas ainda necessita de purificação para poder estar face a face diante Deus, passa por um purgatório. [1030-1031]

Quando São Pedro traiu Jesus, o Senhor voltou-Se e olhou para ele «e, saindo Pedro para fora, chorou amargamente» (cf. Lc 22,61 ss.). Trata-se aqui de um sentimento "como no purgatório". E provavelmente a maioria de nós espera, no momento da morte, um purgatório como este: o Senhor olha-nos cheio de amor e nós sentimos uma ardente vergonha e um doloroso arrependimento pelo nosso comportamento mau ou "simplesmente" insensível. Só após esta dor purificadora seremos capazes de nos encontrar com o Seu olhar amoroso numa pura alegria celestial.

160 *Podemos ajudar os falecidos que se encontram no estado do Purgatório?*

Sim. Visto que todos os batizados constituem uma comunhão em Cristo e estão mutuamente ligados, os vivos também podem ajudar as almas dos falecidos que se encontram no Purgatório. [1032]

Quando uma pessoa morre, não pode fazer mais nada por si. O tempo da prova expirou. Mas nós podemos fazer algo pelos falecidos que estão no Purgatório. O nosso amor estende-se até o Além. Através do nosso jejum, da nossa oração, das nossas boas obras e, acima de tudo, da celebração da Santa → EUCARISTIA, podemos rogar graça para os falecidos. → 146

161 *Em que consiste o Inferno?*

O Inferno consiste no estado da eterna separação de Deus, a absoluta ausência do amor. [1033-1037]

Quem morre em pecado grave, de plena consciência e vontade, e sem disso se arrepender, rejeitando o amor de Deus, que perdoa com misericórdia, exclui-se da comunhão com Deus e com os santos. A nossa liberdade possibilita tal decisão. Jesus adverte constantemente para o fato de nos podermos separar definitivamente d'Ele, fechando-nos às carências dos nossos irmãos e irmãs: «Afastai-vos de Mim, malditos! [...] Quantas vezes o deixastes de fazer a um dos Meus irmãos mais pequeninos, também a Mim o deixastes de fazer.» (MT 25,41.45) → 53

162 *Mas se Deus é amor, como pode então haver Inferno?*

Não é Deus que condena o ser humano. É o próprio ser humano que, por livre vontade, rejeita o amor misericordioso de Deus e a Vida eterna, excluindo-se da comunhão com Deus. [1036-1037]

Deus anseia pela comunhão até com o último pecador; Ele quer que todos se convertam e sejam salvos. Todavia,

> Não hesitemos em ajudar os falecidos e dedicar-lhes as nossas orações.
>
> SÃO JOÃO CRISÓSTOMO

Quem não ama permanece na morte. Todo aquele que odeia o seu irmão é homicida e vós sabeis que nenhum homicida tem em si a vida eterna.

1Jo 3,14-15

> Pergunto-me: o que significa o inferno? Afirmo: a incapacidade para amar.
>
> FIÓDOR DOSTOIÉVSKI (1821--1881, escritor russo)

O Senhor não tardará em cumprir a Sua promessa, como pensam alguns. Mas usa de paciência para convosco e não quer que ninguém pereça, mas que todos se possam arrepender.

2Pd 3,9

Deus quer que todos se salvem e cheguem ao conhecimento da verdade.

1Tm 2,4

Quando o Filho do homem vier na Sua glória com todos os Seus anjos, sentar-Se-á no Seu trono glorioso. Todas as nações se reunirão na Sua presença e Ele separará uns dos outros, como o pastor separa as ovelhas dos cabritos. [...] Estes irão para o suplício eterno e os justos para a Vida eterna.

Mt 25,31 ss.

Todas as promessas de Deus são um "sim" em Seu Filho. É por Ele que nós dizemos «Amém» a Deus para Sua glória.

2Cor 1,20

Vi também a cidade santa, a nova Jerusalém, que descia do Céu, da presença de Deus, bela como noiva adornada para o seu esposo. Do trono ouvi uma voz forte que dizia: «Eis a morada de Deus com os homens. Deus habitará com os homens: eles serão o Seu povo e o próprio Deus, no meio deles, será o seu Deus. Ele enxugará todas as lágrimas dos seus olhos; nunca mais haverá morte nem luto, nem gemidos nem dor, →

Deus criou o ser humano livre e respeita as suas opções. Nem o próprio Deus força o amor. Sendo amor, Ele é "impotente" quando alguém, em vez do Céu, escolhe o Inferno. → 51, 53

163 O que é o Juízo Final?

O Juízo Final terá lugar no fim dos tempos, por ocasião do regresso de Cristo. «Os que tiverem praticado boas obras irão para a ressurreição dos vivos; e os que tiverem praticado o mal, para a ressurreição dos condenados.» (Jo 5,29) [1038-1041, 1058-1059]

Quando Cristo voltar na Sua glória, toda a Sua Luz incidirá sobre nós. A Verdade ficará totalmente patente: os nossos pensamentos, as nossas ações, a nossa relação com Deus e com os outros – já nada ficará

escondido. Conheceremos o sentido último da Criação, compreenderemos os maravilhosos caminhos de Deus para a nossa salvação e obteremos finalmente a resposta para a questão «Como pode o mal ser tão poderoso, se Deus é que é realmente o poderoso?» O Juízo Final será também para nós um encontro de julgamento; aqui se decidirá se despertamos para a Vida eterna ou se somos separados de Deus para sempre. Deus voltará a agir criacionalmente naqueles que tiverem escolhido a Vida: viverão para sempre na glória de Deus num «corpo novo» (cf. 2Cor 5,1) e louvá-l'O-ão em corpo e alma.
→ 110-112, 157

→ porque o mundo antigo desapareceu.» Disse então Aquele que estava sentado no trono: «Vou renovar todas as coisas.» E disse-me: «Escreve, porque estas palavras são verdadeiras e fiéis!»

Ap 21,2-5

164 Como será o mundo acabado e aperfeiçoado?

No fim dos tempos, Deus criará um novo Céu e uma nova Terra. O mal já não terá mais poder nem força de atração. Os que forem salvos estarão diante de Deus, face a face, como amigos. O seu desejo de paz e justiça será realizado. Ver Deus será a sua felicidade. O Deus trino habitará no meio deles e enxugará todas as lágrimas dos seus olhos: não haverá mais morte, nem tristeza, nem lamentação, nem fadiga.
[1042-1050, 1060] → 110-112

165 Por que dizemos «Amém» ao terminar a confissão da nossa fé?

Dizemos →«Amém», isto é, «sim», à confissão da nossa fé, porque Deus fez de nós testemunhas da fé. Quem diz →«Amém» afirma alegre e livremente a ação de Deus na Criação e na Redenção.
[1061-1065]

A palavra hebraica → "Amém" provém de uma família de palavras cujo sentido pode ser o de "fé" e o de "firmeza, segurança e fidelidade". «Quem diz Amém dá a sua assinatura.» (Santo Agostinho) Podemos dizer este sim "ilimitado" porque Jesus, morrendo e ressuscitando, deu-nos provas de segurança e fidelidade. Ele próprio é o "sim" humano a todas as promessas de Deus, tal como é o "sim" definitivo de Deus a nós.
→ 527

AMÉM
(hebr. *aman* = ser firme, ser de confiança)
A palavra "Amém" é, no Antigo Testamento, utilizada predominantemente com o sentido de "assim seja!" para asseverar o desejo da ação de Deus ou juntar a voz ao louvor de Deus. No Novo Testamento, é amiúde a palavra final que corrobora uma oração. Mas é Jesus que a utiliza mais, nomeadamente como introdução a um discurso invulgar; assim, ela sublinha a autoridade das Suas palavras.

SEGUNDA PARTE

Como celebramos os mistérios cristãos

PERGUNTAS 166 – 278

Deus age em nós através de sinais sagrados 102

Deus e a Sagrada Liturgia 104

Como celebramos os mistérios de Cristo 108

Os sete sacramentos da Igreja 116

Sacramentos da iniciação (Batismo, Confirmação e Eucaristia) 116

Sacramentos da cura (Penitência e Unção dos Enfermos) 133

Sacramentos da comunhão e do envio (Ordem e Matrimônio) 143

Outras celebrações litúrgicas 156

LITURGIA
(gr. *leiturgia*
= ação pública, serviço, obra do povo
e para o povo)
Nas tradições cristãs, a Liturgia significa que o Povo de Deus participa na "ação de Deus".
O cerne das celebrações litúrgicas é a Santa Eucaristia; a ela estão ordenadas as restantes, como a celebração dos outros sacramentos, a Liturgia das Horas, as devoções, as bênçãos e as procissões.

Na celebração dos mistérios cristãos (→ SACRAMENTOS) acontece o nosso encontro com Jesus Cristo no tempo. Até o fim dos dias, Ele está presente na Sua Igreja.
A → LITURGIA, enquanto "serviço divino", é o encontro mais profundo com Ele: «Nada se deve preferir à Liturgia.» (SÃO BENTO DE NÚRSIA, ca. 480-547, fundador do monacato ocidental)

◇ PRIMEIRA SEÇÃO ◇
Deus age em nós através de sinais sagrados

166 *Por que celebra a Igreja a Liturgia frequentemente?*

Já o Povo de Israel interrompia o trabalho para louvar a Deus «sete vezes ao dia» (SL 119,164). Jesus participou na → LITURGIA e na oração do Seu Povo; ensinou os discípulos a rezar e reuniu-os na sala da Última Ceia, para com eles celebrar a Liturgia das liturgias: a entrega de Si mesmo na refeição. A Igreja, que convoca à → LITURGIA, segue o Seu convite: «Fazei isto em memória de Mim!» (1COR 11,24) [1066-1070]

A liturgia nunca é um mero encontro de um grupo, que cria para si mesmo a sua celebração. [...] Estamos [...] também, a participar da apresentação de Jesus ao Pai [...], na comunhão dos santos. Sim, é, em certa medida, a Liturgia do Céu!
CARDEAL JOSEPH RATZINGER/
/BENTO XVI, em *Deus e o Mundo*

Tal como uma pessoa precisa respirar para viver, também a Igreja respira e vive quando celebra a → LITURGIA. É o próprio Deus que, dia após dia, lhe insufla Vida nova e a presenteia com a Sua Palavra e os Seus → SACRAMENTOS. Pode ainda utilizar-se a seguinte metáfora: cada celebração litúrgica é como um ponto de encontro de amor que Deus escreve na nossa agenda; quem alguma vez já sentiu o amor de Deus comparece com todo o prazer; e quem comparece, mesmo sem sentir nada durante algum tempo, revela a Deus a sua fidelidade.

167 *O que é a Liturgia?*

A → LITURGIA é o culto divino oficial da Igreja. [1077-1112]

Uma celebração litúrgica não é um evento feito de boas ideias e de cânticos fantásticos. A Liturgia não é feita nem inventada. É algo vivo que foi crescendo numa fé de séculos. Uma celebração litúrgica é um acontecimento sagrado e venerável. A Liturgia é cativante quando é sentida: é o próprio Deus que está presente nos Seus sinais sagrados e nas Suas preciosas orações, muitas vezes antiquíssimas.

168 Por que tem a Liturgia prioridade na vida da Igreja e de cada um?

«A → LITURGIA é simultaneamente a meta para a qual se encaminha a ação da Igreja e a fonte de onde promana toda a sua força.» (CONCÍLIO VATICANO II, *Sacrosanctum Concilium*, n.º 10) [1074]

No tempo da Sua vida terrena, afluíam a Jesus autênticas multidões de pessoas, que procuravam a Sua proximidade salvífica. Ainda hoje O podemos encontrar, pois Ele vive na Sua Igreja. São dois os lugares onde Ele nos garante a Sua presença: no serviço aos mais pobres (MT 25,40) e na → EUCARISTIA. Aí corremos diretamente para os Seus braços. Se O deixarmos aproximar-Se de nós na Santa Missa, Ele ensina-nos, alimenta-nos, transforma-nos, cura-nos e torna-Se um conosco.

169 O que acontece conosco quando celebramos a Liturgia?

Quando celebramos a Liturgia, introduzimo-nos no amor de Deus, curados e transformados. [1076]

Toda a Liturgia da Igreja e todos os → SACRAMENTOS servem para termos a Vida e a termos em abundância. Ao celebrarmos a Liturgia, encontramo-nos com Aquele que disse: «Eu sou o Caminho, a Verdade e a Vida.» (Jo 14,6) Deus concede proteção a quem está abandonado e participa na Liturgia. Quem toma parte na Liturgia e se sente perdido encontra um Deus que espera por ele.

Saía d'Ele uma força que a todos sarava.

Lc 6,19

> Não podemos viver sem a Eucaristia dominical. Não sabes que o cristão existe para a Eucaristia e que a Eucaristia existe para o cristão?

Resposta do mártir São Saturnino (305), ao ser interrogado sobre a acusação de ter participado numa assembleia dominical proibida.

Eu vim para que as Minhas ovelhas tenham Vida e a tenham em abundância.

Jo 10,10

Ainda ele estava longe, quando o pai o viu: encheu-se de compaixão e correu a lançar-se-lhe ao pescoço, cobrindo-o de beijos.

Lc 15,20

> Eu irei ao altar de Deus, ao Deus que me alegra. Vou exultar e celebrar-Te com a harpa, ó Deus, meu Deus!
>
> Sl 43,4

BÊNÇÃO
(lat. *bene-dicere* = achar bem, aprovar; corresponde ao gr. *eu-logein*)
A bênção é o bem que vem de Deus, é uma atitude divina que despende e guarda a vida. Deus, que é Pai e Criador de tudo, diz: «É bom que estejas aqui! É bonito que existas!»

❦ PRIMEIRO CAPÍTULO ❦
Deus e a Sagrada Liturgia

170 *Qual é a origem última da Liturgia?*

A origem última da → Liturgia é Deus, no qual acontece uma festa de amor eterno e celestial, a alegria do Pai, do Filho e do Espírito Santo. Porque Deus é amor, quer fazer-nos participar na festa da Sua alegria e conceder-nos a Sua → Bênção. [1077–1109]

As nossas celebrações litúrgicas terrenas têm de ser festas cheias de beleza e de vigor: festas do *Pai, que nos criou* – daí que os dons da terra desempenhem um papel tão grande: o pão, o vinho, o óleo e a luz, o incenso, a música sacra e as cores esplêndidas; festas do *Filho, que nos redimiu* – daí que nós rejubilemos pela nossa libertação, sentindo-nos serenos quando ouvimos a Palavra e fortalecendo-nos quando tomamos os dons eucarísticos; festas do *Espírito Santo, que nos vivifica* – daí a transbordante riqueza de consolo, conhecimento, coragem, força e → Bênção, que emana da assembleia sagrada. → 179

171 O que é essencial na Liturgia?

A →LITURGIA é, acima de tudo, comunhão com Jesus Cristo. Cada celebração litúrgica, e não apenas a eucarística, é uma pequena festa pascal. Jesus celebra conosco a passagem da morte à Vida, abrindo-a a nós. [1085]

A celebração litúrgica mais importante era a liturgia pascal, que Jesus celebrou com os Seus discípulos, na sala de jantar, na véspera da Sua morte. Os discípulos pensavam que Jesus ia libertar Israel do Império Romano, como outrora Deus o libertou do Egito. Jesus celebrou, porém, a libertação de toda a humanidade do poder da morte. Antes, fora o "sangue do cordeiro" que preservou os israelitas do anjo da morte; agora, seria Ele próprio o cordeiro cujo sangue salvaria a humanidade da morte. Portanto, a morte e a ressurreição de Jesus são um testemunho de que se pode morrer e, apesar disso, voltar à vida. Este é o conteúdo próprio de cada celebração litúrgica cristã. O próprio Jesus comparou a Sua morte e a Sua ressurreição com a libertação de Israel da escravidão do Egito. Por isso, a ação redentora da morte de Jesus é designada por "mistério pascal". Assim como o sangue do cordeiro salvou a vida dos israelitas quando da sua saída do Egito, também Jesus, enquanto verdadeiro cordeiro pascal, redimiu a humanidade do seu envolvimento na morte e no pecado.

172 Quantos sacramentos existem e como se chamam?

A Igreja conhece sete →SACRAMENTOS: Batismo, →CONFIRMAÇÃO, →EUCARISTIA, Reconciliação, Unção dos Enfermos, Ordem e Matrimônio. [1210]

173 Para que precisamos nós de sacramentos?

Precisamos dos →SACRAMENTOS para crescermos para além desta nossa vida humana pequena e para nos tornarmos, através de Jesus e como Jesus, filhos de Deus em liberdade e glória. [1129]

> A Eucaristia é a fonte e o centro de toda a vida cristã.
>
> *Lumen gentium*, n.º 11

> O sangue [do cordeiro] será para vós um sinal, nas casas em que estiverdes: ao ver o sangue, passarei adiante e não sereis atingidos pelo flagelo exterminador, quando Eu ferir a terra do Egito.
>
> Ex 12,13

SACRAMENTO (lat. *sacramentum* = juramento de bandeira; muito utilizado como tradução do gr. *mysterion* = mistério) Os sacramentos são sinais visíveis de uma realidade invisível, mediante os quais os cristãos podem experimentar a presença de Deus que cura, perdoa, alimenta, fortalece e capacita para amar, visto que neles age a graça de Deus.

As criaturas têm também a esperança de serem libertadas da corrupção que escraviza, para receberem a gloriosa liberdade dos filhos de Deus.

RM 8,21

Jesus, com o Seu divino poder, concedeu-nos tudo o que é necessário à vida e à piedade, fazendo-nos conhecer Aquele que nos chamou pela Sua glória e virtude. Assim, entramos na posse das maiores e mais preciosas promessas, para nos tornarmos participantes da natureza divina, livres da corrupção que a concupiscência gera no mundo.

2Pᴅ 1,3

Jesus tomou o cego pela mão e levou-o para fora da localidade. Depois, deitou-lhe saliva nos olhos, impôs-lhe as mãos e perguntou-lhe: «Vês alguma coisa?»

Mᴄ 8,23

99 O que era visível no nosso Redentor passou para os Seus sacramentos.

Sᴀ̃ᴏ Lᴇᴀ̃ᴏ Mᴀɢɴᴏ
(ca. 400-461, Papa e doutor da Igreja)

No Batismo passamos de "ameaçados filhos humanos" a "protegidos filhos de Deus"; através da
→ Cᴏɴғɪʀᴍᴀᴄ̧ᴀ̃ᴏ, passamos de "pessoas que procuram" a "pessoas decididas"; mediante a Confissão passamos de "culpados" a "reconciliados"; pela → Eᴜᴄᴀʀɪsᴛɪᴀ passamos de "famintos" a "pão para os outros"; no Matrimônio e na Ordem passamos de "individualistas" a "servos do amor"; através da Unção dos Enfermos passamos de "desesperados" a "pessoas confiantes". Em todos os sacramentos, o → Sᴀᴄʀᴀᴍᴇɴᴛᴏ é o próprio Cristo. N'Ele crescemos da inutilidade do egoísmo para a verdadeira Vida, que não mais acaba.

174 *Por que razão não basta a fé em Jesus Cristo? Por que motivo Deus nos dá também os sacramentos?*

Devemos e podemos chegar a Deus com todos os sentidos, e não apenas com a inteligência. Por isso, Deus dá-Se a nós nos sinais terrenos – pão, vinho e óleo, através de palavras, unções e imposições das mãos. [1084,1146-1152]

As pessoas viram Jesus, ouviram-n'O, puderam tocá-l'O, experimentando com isso a cura e a salvação do corpo e do espírito. Os sinais sensíveis dos → Sᴀᴄʀᴀᴍᴇɴᴛᴏs mostram esta maneira de abordar que atinge o ser humano na sua totalidade, e não apenas a cabeça.

175 *Por que pertencem os sacramentos à Igreja? Porque não os podemos utilizar como desejarmos?*

Os → Sᴀᴄʀᴀᴍᴇɴᴛᴏs são dons de Cristo à Sua Igreja. É sua missão celebrá-los em favor do Povo de Deus e preservá-los de atitudes abusivas. [1117-1119; 1131]

Jesus confiou as Suas palavras e os Seus sinais a pessoas concretas, nomeadamente aos Apóstolos, para as transmitir; não as entregou a uma massa anônima. Não os pôs à disposição da liberdade de qualquer um, mas reservou a sua gestão a um grupo específico. Os → Sᴀᴄʀᴀᴍᴇɴᴛᴏs são para a Igreja e existem "através" da Igreja. Eles existem para ela porque o "corpo de Cristo", que é a Igreja, precisa ser constituído, alimentado e aperfeiçoado. Eles existem "através" da Igreja pois os sacramentos são as forças do "corpo de Cristo", como, por exemplo, na Confissão, em que Cristo, "através" do → SACERDOTE, nos perdoa os pecados.

176 *Que sacramentos se recebem apenas uma vez na vida?*

São o Batismo, a → CONFIRMAÇÃO e a Ordem. Estes → SACRAMENTOS imprimem no cristão um selo indelével. O Batismo e a Confirmação tornam-no, de uma vez por todas, filho de Deus e semelhante a Cristo. A Ordem também marca o cristão definitivamente. [1121]

Tal como uma pessoa é e permanece sempre filha dos seus pais (e não apenas "às vezes" ou "um pouco"), também ela se torna para sempre, pelo Batismo e pela → CONFIRMAÇÃO, filha de Deus, semelhante a Cristo e pertencente à Igreja. De igual modo, a Ordem não é uma profissão que se tem até a reforma, mas um dom gratuito e irrevogável. Porque Deus é fiel, a ação destes → SACRAMENTOS – predisposição para o chamamento de Deus, vocação e proteção – mantém-se para sempre. Consequentemente, estes sacramentos não podem ser repetidos.

177 *Por que motivo os sacramentos pressupõem a fé?*

Os → SACRAMENTOS não são magia. Um sacramento tem efeito por si mesmo, mas deve ser entendido e recebido na fé para ser eficaz. Os sacramentos não pressupõem apenas a fé, mas também a fortalecem e exprimem. [1122-1126]

Jesus encarregou os → APÓSTOLOS, primeiro, de fazer discípulos pelo seu anúncio, isto é, despertar a sua fé, e só *depois* de os batizar. Portanto, são duas coisas que recebemos da Igreja: a fé e os → SACRAMENTOS. Também hoje uma pessoa não se torna cristã através de um simples rito ou da inscrição numa lista, mas através do acolhimento da fé autêntica. Recebemos a verdadeira fé da Igreja, que dá garantias da sua veracidade. Porque a fé da Igreja é exprimida na → LITURGIA, nenhum rito sacramental deve ser alterado ou manipulado a bel--prazer individual de um ministro ou de uma comunidade.

> Todos nos devem considerar como servos de Cristo e administradores dos mistérios de Deus.
>
> 1Cor 4,1

> Porque quem come e bebe indignamente, sem dircernir que é o corpo do Senhor, come e bebe a própria condenação.
>
> 1Cor 11,29

> Cada um administre aos outros o dom como o recebeu, como bons dispenseiros da multiforme graça de Deus.
>
> 1Pd 4,10

> Ele salvou-nos, não pelas obras justas que praticamos, mas em virtude da sua misericórdia, pelo Batismo da regeneração e renovação do Espírito Santo.
>
> Tt 3,5

> Transmiti-vos em primeiro lugar o que eu mesmo recebi.
>
> 1Cor 15,3

> Tal como uma vela é acesa na chama de uma outra, assim a fé se incendeia na fé.
>
> ROMANO GUARDINI

178 *Fica sem efeito uma celebração sacramental presidida por um ministro indigno?*

Não. Os sacramentos agem por força do ato sacramental realizado (*ex opere operato*), isto é, independentemente da atitude moral ou da orientação espiritual do ministro. Basta ele querer fazer o que a Igreja faz. [1127-1128, 1131]

Em todo o caso, os ministros dos → SACRAMENTOS devem ser pessoas exemplares. No entanto, não é por causa da → SANTIDADE dos seus ministros que os sacramentos se tornam eficazes, mas porque é o próprio Cristo que age por eles. Além disso, Ele tem em conta a nossa liberdade quando recebemos os sacramentos, pelo que eles só têm efeito se nos entregarmos a Cristo.

❧ SEGUNDO CAPÍTULO ❧
Como celebramos os mistérios de Cristo

179 *Quem celebra a Liturgia?*

É o próprio Cristo Senhor que em todos os eventos litúrgicos terrenos celebra a → LITURGIA cósmica, que envolve anjos e seres humanos, vivos e falecidos, passado, presente e futuro, o Céu e a Terra. Os → SACERDOTES e os crentes tomam parte de diversos modos na celebração litúrgica. [1136-1139]

Quando celebramos a → LITURGIA, temos de nos preparar interiormente para o que de grande aí acontece: Cristo está agora aqui e, com Ele, todo o Céu, onde todos estão cheios de alegria inefável e, simultaneamente, de cuidado amoroso por nós. O último livro da Sagrada Escritura, o Apocalipse de São João, ilustra com misteriosas imagens essa → LITURGIA celeste, a que juntamos aqui na Terra a nossa voz. → 146, 170

180 *Por que se pode utilizar a expressão "Serviço Divino" em vez de "Liturgia"?*

"Serviço Divino" é, acima de tudo, o serviço que Deus nos faz; só depois é o nosso serviço a Deus. Deus oferece-Se a nós nos sinais sagrados, para que

---

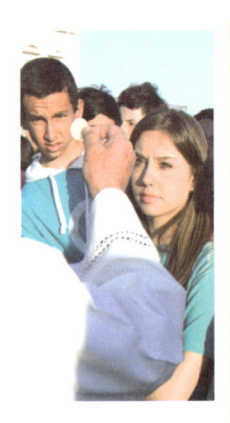

❞ Por isso, com os anjos e os santos e todos os coros celestes, proclamamos a Vossa glória, cantando numa só voz: Santo, santo, santo, Senhor Deus do universo...

Conclusão de um prefácio eucarístico

❞ Ela [a Liturgia] é uma entrada na constante e perene Liturgia do Céu. [...] Não é que o ser humano imagine algo e o cante, mas é o cântico que lhe advém dos anjos.

CARDEAL JOSEPH RATZINGER/ /BENTO XVI, em *Ein neues Lied für den Herrn*

façamos o mesmo, ou seja, para que, sem reservas, nos ofereçamos a Ele. [1145-1192]

Jesus está na Palavra e no → SACRAMENTO – Deus está presente. Isto é o principal e o mais importante em cada celebração litúrgica. Depois, entramos nós: Jesus imola a Sua vida por nós, para que nos imolemos a Ele espiritualmente. Na Sagrada → EUCARISTIA, Cristo dá-Se a nós, para que nos demos a Ele. Por assim dizer, nós passamos a Cristo um "cheque em branco" sobre a nossa vida. Desta forma, participamos na imolação redentora e transformadora de Cristo. A nossa vida abre-se ao Reino de Deus e Deus pode viver no seio da nossa vida.

181 Por que existem tantos sinais e símbolos nas celebrações litúrgicas?

Deus sabe que nós, humanos, somos seres não apenas espirituais, mas também corporais; precisamos de sinais e de símbolos para conhecer e indicar realidades espirituais ou íntimas. [1145-1152]

Sejam rosas vermelhas, alianças, vestuário negro, grafitos ou o laço vermelho do HIV, expressamos as nossas realidades interiores por meio de sinais e somos imediatamente entendidos. Deus, que Se fez carne, dá-nos sinais humanos em que Ele está vivo e ativo entre nós: o pão e o vinho, a água do Batismo, a unção com o Espírito Santo. A nossa resposta aos sinais sagrados de Deus consiste em sinais de veneração: dobrando o joelho, levantando-nos para ouvir o Evangelho, fazendo uma vénia, juntando as mãos. E, por ocasião de um casamento, enfeitamos o lugar da presença divina com as coisas mais belas: flores, velas e música. No entanto, os sinais precisam, de quando em vez, de palavras explicativas.

182 Para que precisam também de palavras os sinais sagrados da Liturgia?

Celebrar a → LITURGIA é encontrar-se com Deus: deixá-l'O agir, escutá-l'O, responder-Lhe. Tais diálogos exprimem-se por gestos e palavras. [1153-1155, 1190]

> Os símbolos são a língua de um Invisível, falada no visível.
>
> GERTRUD VON LE FORT (1876--1971, escritora alemã)

> Considero a língua dos símbolos a única língua estrangeira que cada um de nós deveria aprender.
>
> ERICH FROMM (1900-1980, psicanalista)

> A liturgia constitui o âmbito privilegiado onde Deus nos fala no momento presente da nossa vida: fala hoje ao Seu povo, que escuta e responde. Cada ação litúrgica está, por sua natureza, impregnada da Sagrada Escritura. [...] A celebração litúrgica torna-se uma contínua, plena e eficaz proclamação da Palavra de Deus.
>
> *Verbum Domini*, n.º 52

> Eles [os serafins] clamavam alternadamente: «Santo, santo, santo é o Senhor do Universo. A Sua glória enche toda a terra!»
>
> Is 6,3

Jesus falou às pessoas por sinais e por palavras. O mesmo acontece na Igreja quando o sacerdote mostra os dons e diz: «Isto é o meu corpo. [...] Este é o cálice do Meu sangue. [...]» Só a palavra explicativa de Jesus permite aos sinais tornarem-se sacramentos, sinais que fazem o que significam.

183 Por que recorrem as celebrações litúrgicas à música e como deve ser esta para condizer com aquelas?

Quando, para louvar a Deus, as palavras não bastam, a música ajuda-nos. [1156-1158, 1191]

Quando nos dirigimos a Deus, fica sempre um resto que não se disse ou não se conseguiu dizer. Aí a música pode substituir-nos. A linguagem converte-se jubilosamente em canto, daí que os anjos cantem. Nas celebrações

> Terra inteira, aclama ao Senhor, e dá gritos de alegria! Tocai para o Senhor com a harpa e o som dos instrumentos. Com trombetas e o som da corneta, aclamai o Senhor, que é rei.
>
> Sl 98,4-6

> Recitai entre vós salmos, hinos e cânticos espirituais, cantando e salmodiando em vossos corações, dando graças, por tudo e em todo o tempo, a Deus Pai, em nome de nosso Senhor Jesus Cristo.
>
> Ef 5,19

litúrgicas, a música deve tornar a oração mais bela e interior, agarrar profundamente os corações dos presentes e levá-los a Deus, proporcionando-Lhe uma festa de sons.

184 De que modo a Liturgia marca o tempo?

Na Liturgia o tempo torna-se tempo para Deus.

> Quem canta reza duas vezes.
>
> Santo Agostinho

Frequentemente não conseguimos ocupar todo o nosso tempo; procuramos, então, um *passatempo*. Na Liturgia o tempo torna-se denso, porque cada segundo está cheio de sentido. Quando celebramos a Liturgia, compreendemos que Deus santificou o tempo e fez de cada segundo uma porta para a eternidade.

185 Por que se repete anualmente a Liturgia?

Tal como anualmente celebramos o dia do nosso nascimento ou de casamento, também a →LITURGIA celebra, a um ritmo anual, os mais importantes acontecimentos salvíficos do Cristianismo. Todavia, com uma diferença decisiva: todo o tempo é tempo de Deus. "Memórias" da mensagem e da vida de Jesus são simultaneamente encontros com o Deus vivo. [1163-1165, 1194-1195]

O filósofo dinamarquês Sören Kierkegaard disse uma vez: «Ou somos contemporâneos de Jesus, ou é melhor deixar isso.» Acompanhar fielmente o Ano Litúrgico faz-nos, efetivamente, contemporâneos de Jesus. Não porque entramos, com o nosso pensamento ou até todo o nosso ser, no *Seu* tempo e na *Sua* vida, mas porque Ele, quando Lhe dou espaço, entra no *meu* tempo e na *minha* vida com a Sua presença que cura e perdoa, com a força explosiva da Sua ressurreição.

186 O que é o Ano Litúrgico?

O Ano Litúrgico é a sobreposição do percurso do ano normal com os mistérios da vida de Cristo, desde a encarnação até ao regresso glorioso.
O Ano Litúrgico começa com o Advento (o tempo da espera do Senhor), tem o seu primeiro clímax no Tempo do Natal e o segundo, ainda mais alto, na celebração da Paixão, Morte e Ressurreição redentora de Cristo, na Páscoa.
O Tempo Pascal termina com o Pentecostes (a descida do Espírito Santo sobre a Igreja).
O Ano Litúrgico é cadenciado por festas do Senhor, de Maria e dos santos, nas quais a Igreja exalta a graça de Deus, que conduziu a humanidade à salvação. [1168-1173, 1194-1195]

> Aproveitai bem o tempo!
>
> EF 5,16

> A eternidade de Deus não é simplesmente atemporalidade, negação do tempo, mas "espessura temporal", que se realiza como "ser com" e "ser em".
>
> CARDEAL JOSEPH RATZINGER/ /BENTO XVI, em *O Espírito da Liturgia*

> O Ano Litúrgico, com as suas sempre novas atualizações e exposições da vida de Cristo, é a maior obra de arte da humanidade; e Deus mostra-Se favorável a isso, consentindo-o a cada ano e concedendo-o numa luz sempre nova, como se fosse a primeira vez.
>
> JOCHEN KLEPPER (1903- -1942, escritor alemão)

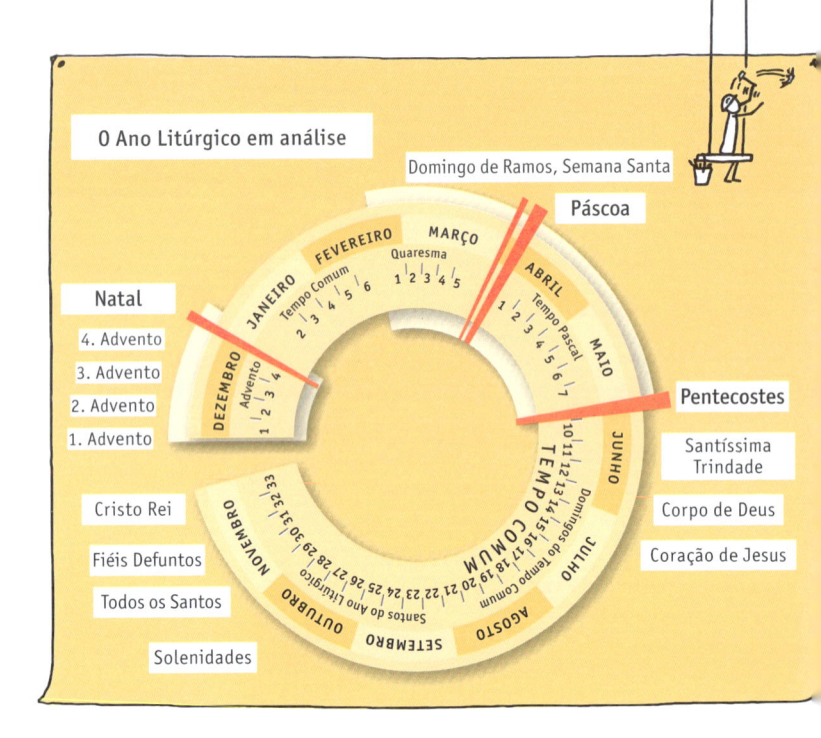

O Ano Litúrgico em análise

Domingo de Ramos, Semana Santa

Páscoa

Natal
- 4. Advento
- 3. Advento
- 2. Advento
- 1. Advento

JANEIRO · FEVEREIRO · MARÇO
Tempo Comum 2 3 4 5 6 · Quaresma 1 2 3 4 5
ABRIL · Tempo Pascal 1 2 3 4 5 6 7 · MAIO
DEZEMBRO Advento 1 2 3 4
JUNHO · JULHO · AGOSTO · SETEMBRO · OUTUBRO · NOVEMBRO
TEMPO COMUM — Domingos do Tempo Comum 10 11 12 13 14 15 16 17 18 19 20 21 22 23 24 25 26 27 28 29 30 31 32 33 — Santos do Ano Litúrgico

Pentecostes
- Santíssima Trindade
- Corpo de Deus
- Coração de Jesus

- Cristo Rei
- Fiéis Defuntos
- Todos os Santos
- Solenidades

O Ano Litúrgico que a Igreja celebra começa no I Domingo do Advento, tem o seu ponto mais alto na Páscoa e termina na solenidade de Cristo Rei.

As "Sete Horas" da Liturgia das Horas são:
- Ofício de Leitura (madrugada)
- Laudes (louvor da manhã)
- Tércia (9 horas)
- Sexta (12 horas)
- Noa (15 horas)
- Vésperas (louvor ao fim da tarde)
- Completas (oração da noite)

187 Por que motivo o domingo é importante?

O domingo é o centro do tempo cristão, pois ao domingo celebramos a ressurreição de Cristo, e cada domingo é uma pequena Páscoa.
[1163-1167, 1193]

Quando o domingo é menosprezado ou suprimido, só existem na semana dias de trabalho. O ser humano, que foi criado para a alegria, degenera-se em animal trabalhador e pateta consumista. Temos de aprender na Terra a celebrar autenticamente, pois, caso contrário, não sabemos o que fazer no Céu, onde o domingo não tem ocaso. → 104-107

188 O que é a Liturgia das Horas?

A "Liturgia das Horas" é a oração universal e pública da Igreja. Os textos bíblicos introduzem cada vez mais profundamente o orante no mistério da vida de Jesus Cristo.

Mundialmente e a cada hora, é dado a Deus trino o espaço para transformar gradualmente o orante e o mundo. Oram pela Liturgia das Horas não apenas os →Sacerdotes e os monges; muitos cristãos, para quem a fé é importante, juntam a sua voz aos muitos milhares de vozes que por todo o mundo se elevam a Deus. [1174-1178, 1196]

As "Sete Horas" são como um dicionário de oração da Igreja que nos liberta a língua quando ficamos desnorteados com a alegria, a preocupação ou a angústia. Constantemente me espanto com a Litugia das Horas: "por acaso"... uma frase, um texto inteiro condiz exatamente com a minha situação. Deus escuta quando O chamamos. Ele responde-nos através destes textos, por vezes de uma forma direta e estupefactamente concreta. Mas Ele também pode ser exigente conosco, com largos períodos de silêncio e aridez, na expetativa da nossa fidelidade. → 473, 492

189 *De que forma a Liturgia impregna os locais em que vivemos?*

Com a Sua vitória, Cristo entrou em todos os espaços do mundo. Ele próprio é o verdadeiro "templo", e a adoração de Deus «em Espírito e em Verdade» (Jo 4,24) já não está mais ligada a um sítio particular. No entanto, o mundo cristão está marcado por igrejas e sinais sagrados, porque as pessoas precisam de locais concretos para se encontrarem, e de sinais, para se lembrarem da nova realidade. Cada Casa de Deus é uma imagem da Casa celestial do Pai, para onde caminhamos. [1179-1181, 1197-1198]

Certamente podemos orar em qualquer parte: na floresta, na praia, na cama. Mas porque nós, seres humanos, não somos apenas espirituais, mas temos corpo, precisamos de nos ver, ouvir e sentir, quando nos queremos encontrar, precisamos de um local concreto para sermos "corpo de Cristo"; precisamos de nos ajoelhar quando queremos adorar a Deus; precisamos de comer o pão transformado, onde ele é oferecido. Precisamos de nos deslocar corporalmente, quando Ele nos chama; e uma "via-sacra" lembrar-nos-á a quem pertence o mundo e para onde caminhamos.

> Sete vezes por dia eu Te louvo, por causa das Tuas justas normas.
>
> Sl 119,164

> À doutrina da Igreja invisível segue-se logicamente a doutrina da religião invisível e a esta, necessariamente, o desaparecimento da religião.
>
> Paul de Lagarde (1827--1891, orientalista e filósofo alemão)

> Deus erigiu as igrejas como portos no mar, para aí vos salvardes do turbilhão das preocupações terrenas e encontrardes descanso e sossego.
>
> SÃO JOÃO CRISÓSTOMO

190 · O que significa "Casa de Deus"?

A Casa de Deus é tanto um símbolo de uma comunhão eclesial de pessoas num lugar concreto, como a habitação celeste que Deus preparou para todos nós. Encontramo-nos numa Casa de Deus cristã para orarmos, em comunhão ou sós, e para celebrar os →SACRAMENTOS, sobretudo a Sagrada →EUCARISTIA. [1179-1186, 1197-1199]

"Aqui cheira a Céu." – "Aqui ficamos totalmente em silêncio e veneração." Algumas igrejas cercam-nos verdadeiramente com uma densa atmosfera de oração. Sentimos que Deus está aí presente. A beleza das igrejas remete-nos para a beleza, a grandeza e o amor de Deus. As igrejas não são apenas mensageiras da fé feitas de pedra, mas Casas de Deus, o qual está real e verdadeiramente presente no →SACRAMENTO do Altar.

191 · Que lugares sagrados marcam a Casa de Deus?

Os lugares centrais de uma Casa de Deus são o altar com a cruz, o →SACRÁRIO, a cadeira do presidente, o ambão, a pia batismal e o confessionário. [1182-1188]

O *altar* é o ponto central da igreja; sobre ele, na celebração eucarística, torna-se presente a imolação da cruz de Jesus Cristo e é preparada a Ceia Pascal. O altar é também a mesa a que está convidado o Povo de Deus. O → SACRÁRIO, uma espécie de tesouro sagrado, num local o mais possível digno e destacado da igreja, hospeda o Pão Eucarístico, em que o próprio Senhor está presente; a chamada *luz permanente* mostra que o sacrário está "habitado"; se está apagada, o → SACRÁRIO está vazio. A cadeira (lat. *cathedra*) do → BISPO ou do presbítero, em lugar de destaque, deve dizer que, no fundo, é Cristo que conduz a comunidade. O *ambão* (gr. *anabainein* = subir), a estante de leitura da Palavra de Deus, deve permitir reconhecer o valor e a dignidade das leituras bíblicas, que contêm a Palavra do Deus vivo. Na *pia batismal* celebra-se o Batismo e as *pias de água benta* refrescam-nos a memória das nossas promessas batismais. O *confessionário* (ou outro espaço reservado à penitência sacramental) existe para confessar a culpa e receber o perdão.

192 Pode a Igreja alterar ou renovar a Liturgia?

Existem partes da → LITURGIA que podem ser alteradas, outras não. Inalterável é tudo o que tem origem divina, como as palavras de Jesus na Última Ceia. A par disso, há partes alteráveis que a Igreja, por vezes, tem de mudar; como o mistério de Cristo deve ser anunciado, celebrado e vivido em todos os tempos e lugares, a Liturgia tem de corresponder ao espírito e à cultura de cada povo. [1200-1209]

Jesus atingiu o ser humano na sua totalidade: espírito e inteligência, coração e vontade. O mesmo quer Ele fazer na → LITURGIA. Por isso, ela assume traços e rostos diferentes na África, na América, na Ásia, na Oceania e na Europa, num lar de terceira idade e nas Jornadas Mundiais da Juventude, nas comunidades paroquiais e nos mosteiros. Porém, deve ficar claro que ela é o único "serviço divino" da Igreja total e universal.

,, Quando, nas reflexões sobre a liturgia, as pessoas só se questionam sobre como torná-la atraente, interessante e bela, aí o jogo já está perdido. Ou ela é *opus Dei* e tem Deus como o seu sujeito específico, ou não é.
BENTO XVI, 09.09.2007

? INICIAÇÃO
(lat. *initium* = início)
Designa a introdução e a integração de um estranho numa comunhão já formada.

Batizai-os em nome do Pai e do Filho e do Espírito Santo!

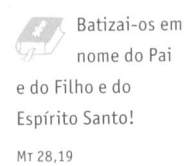

Mt 28,19

> No Batismo cada criança é inserida numa companhia de amigos que nunca a abandonará na vida nem na morte... Esta companhia de amigos, esta família de Deus, na qual agora a criança é inserida, acompanhá-la-á sempre, também nos dias de sofrimento, nas noites escuras da vida; dar-lhe-á consolo, conforto e luz.

Bento XVI, 08.01.2006

Se alguém está em Cristo, é uma nova criatura. As coisas antigas passaram: tudo foi renovado.

2Cor 5,17

A noite vai adiantada e o dia está próximo. Abandonemos as obras das trevas e revistamo-nos das armas da luz! [...] Revesti-vos do Senhor Jesus!

Rm 13,12.14

◇ SEGUNDA SECÇÃO ◇
Os sete sacramentos da Igreja

193 *Existe alguma lógica que une os sacramentos?*

Os →Sacramentos são todos um encontro com Cristo, que é, no fundo, o sacramento original. Há sacramentos da →Iniciação, que introduzem na fé: o Batismo, a →Confirmação e a →Eucaristia. Há sacramentos da cura: a Reconciliação e a Unção dos Enfermos. E há sacramentos da comunhão e do envio: o Matrimônio e a Ordem. [1210-1211]

O Batismo une a Cristo. A →Confirmação concede-nos o Seu Espírito. A →Eucaristia liga-nos a Ele. A Reconciliação reconcilia-nos com Cristo. Pela Unção dos Enfermos, Cristo cura, fortalece e consola. No sacramento do Matrimônio, Cristo promete o Seu amor no nosso amor e a Sua fidelidade na nossa fidelidade. Pelo sacramento da Ordem, os →Sacerdotes podem perdoar pecados e celebrar a Santa Missa.

◇ PRIMEIRO CAPÍTULO ◇
Sacramentos da iniciação

Sacramento do Batismo

194 *O que é o Batismo?*

O Batismo é o caminho do reino da morte para a Vida, a porta da Igreja e o começo de uma comunhão duradoura com Deus. [1213-1216, 1276-1278]

O Batismo é o →Sacramento fundamental e a condição prévia para todos os outros sacramentos. Ele liga-nos a Jesus Cristo, insere-nos na Sua morte redentora na cruz, libertando-nos do poder do pecado, e faz-nos ressuscitar com Ele para uma Vida interminável. Visto que o Batismo é uma aliança com Deus, o batizando (ou os pais no batismo da criança) deve aceitá-lo na liberdade. → 197

195 *Como é celebrado o Batismo?*

A forma clássica da celebração batismal é a tripla submersão do batizando na água. Muitas vezes, porém, a água é derramada três vezes sobre a cabeça do batizando. O ministro do Batismo diz as palavras: «Eu te batizo em nome do Pai e do Filho e do Espírito Santo.» [1229-1245, 1278]

A água simboliza a purificação e a vida nova, que já fora expressa pelo batismo de penitência de João Batista. O Batismo que é celebrado "em nome do Pai e do Filho e do Espírito Santo" implica mais do que um sinal de conversão e penitência; é *vida nova em Cristo*. Isso torna-se claro nos ritos explicativos da unção, da veste branca e da vela batismal.

196 *Quem pode ser batizado e o que é exigido de um candidato ao Batismo?*

Pode ser batizada qualquer pessoa que ainda não é batizada. A única predisposição para o Batismo é a fé, que deve ser publicamente confessada por ocasião do Batismo. [1246-1254]

Uma pessoa que se volve para o Cristianismo não muda apenas a mundivisão. Ela percorre um caminho de aprendizagem (→ CATECUMENATO), no qual, pela conversão pessoal e sobretudo pelo dom do Batismo, ela se torna uma pessoa nova. Agora, ela é um membro vivo no "corpo de Cristo".

197 *Por que conserva a Igreja a prática do Batismo das crianças?*

A Igreja conserva, desde tempos antigos, o Batismo das crianças. Existe uma razão para isso: antes de nos termos decidido por Deus, já Deus Se tinha decidido por nós. O Batismo é, portanto, uma graça, um imerecido dom de Deus, que nos acolhe incondicionalmente. Os pais crentes, que desejam o melhor para o seu filho, desejam para ele também o Batismo, em que a criança é retirada do influxo do pecado original e do poder da morte. [1250, 1282]

> **CATECUMENATO**
> (gr. *kat'echein* = adquirir pela escuta, ensinar)
> Especialmente na Igreja primitiva, os candidatos ao Batismo de adultos (catecúmenos) passavam um tempo de preparação trifaseada, o catecumenato, em que eram instruídos na doutrina da fé e gradualmente inseridos nas celebrações litúrgicas, até terem finalmente a permissão de participar na Eucaristia.

> ,, O dom recebido pelos recém-nascidos deve ser por eles acolhido de modo livre e responsável, quando se tornarem adultos: em seguida, este processo de amadurecimento levá-los-á a receber o sacramento da Crisma ou da Confirmação, que, precisamente, confirmará o Batismo e conferirá a cada um o "selo" do Espírito Santo.
> BENTO XVI, 08.01.2006

Pelo batismo fomos sepultados com Ele na morte, para que, assim como Cristo foi ressuscitado dos mortos por meio da glória do Pai, assim também possamos caminhar numa vida nova.

Rm 6,4

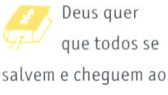

Deus quer que todos se salvem e cheguem ao conhecimento da verdade.

1Tm 2,4

Quem não nascer da água e do Espírito não pode entrar no Reino de Deus.

Jo 3,5

O Batismo das crianças pressupõe que os pais cristãos introduzam o batizando na fé. É injusto negar o Batismo à criança por causa de uma liberalidade mal-entendida. Assim como não se pode negar o amor a uma criança, com a justificação de que ela própria, mais tarde, se decidirá ou não pelo amor, também seria injusto que os pais crentes negassem ao seu filho a graça de Deus no Batismo. Assim como cada pessoa nasce com a capacidade para falar, embora tenha de aprender a língua, também cada pessoa nasce com a capacidade para crer, embora tenha de conhecer a fé. O Batismo não é, contudo, um enfeite; quando uma criança recebe o Batismo, ela tem de o "ratificar" mais tarde, ou seja, deve confirmá-lo, para que seja fecundo.

198 *Quem pode batizar?*

Quem preside normalmente a uma celebração batismal é o → Bispo, um → Presbítero ou um → Diácono. Em caso de emergência, qualquer cristão, ou mesmo qualquer pessoa, pode batizar, derramando água sobre a cabeça do batizando e dizendo a fórmula batismal: «Eu te batizo em nome do Pai e do Filho e do Espírito Santo.» [1256, 1284]

O Batismo é tão importante, que até uma pessoa que não é cristã pode ser o seu ministro. Ela apenas tem de ter a intenção de fazer o que a Igreja faz quando batiza.

199 Porventura o Batismo é o único caminho para a salvação?

Para todos os que acolheram o Evangelho e ouviram que Cristo é «o Caminho, a Verdade e a Vida» (Jo 14,6), o Batismo é o único caminho para Deus e para a salvação. É verdade que Cristo morreu por toda a humanidade. Portanto, também encontram a salvação as pessoas que, embora não tenham tido oportunidade de conhecer Cristo e a fé, procuram Deus de coração sincero e orientam uma vida segundo a sua consciência (trata-se do *batismo de desejo*). [1257-1261, 1281, 1283]

Deus ligou a salvação aos → SACRAMENTOS. Por isso, a Igreja tem de os oferecer a todos incansavelmente. Desistir da missão seria uma traição ao mandamento de Deus. Deus, não obstante, não está ligado aos Seus sacramentos. Quando a Igreja, por culpa própria ou por outras razões, não cumpre a sua missão ou vê os seus trabalhos gorados, o próprio Deus abre outros caminhos para a salvação em Cristo.
→ 136

200 O que acontece no Batismo?

No Batismo, tornamo-nos membros do "corpo de Cristo", irmãs e irmãos do nosso Redentor e filhos de Deus. Somos libertados do pecado, arrebatados da morte e destinados a uma vida na alegria dos redimidos. [1262-1274, 1279-1280]

Ser batizado significa: a minha história de vida pessoal mergulha na corrente do amor de Deus. «A nossa vida», diz o Papa Bento XVI, «pertence a Cristo, não a nós mesmos. [...] Acompanhados por Ele, aliás, acolhidos por Ele no Seu amor, libertamo-nos do medo. Ele envolve-nos e leva-nos aonde quer que formos – Ele que é a própria Vida.» (07.04.2007)
→ 126

Na verdade, todos nós – judeus e gregos, escravos e livres – fomos batizados num só Espírito, para constituirmos um só Corpo. E a todos nos foi dado a beber um único Espírito.

1Cor 12,13

Se somos filhos, também somos herdeiros, herdeiros de Deus e herdeiros com Cristo.

Rm 8,17

99 Sou chamado a fazer ou ser algo para o qual mais ninguém é chamado; no plano de Deus e nesta terra de Deus, ocupo um espaço que mais ninguém pode ocupar. Seja eu rico ou pobre, desprezado ou honrado pelos outros, Deus conhece-me e chama-me pelo meu nome.

Beato John Henry Newman

CONFIRMAÇÃO
(lat. *confirmatio*
= consolidação, encorajamento, reforço)
A Confirmação pertence, juntamente com o Batismo e a Eucaristia, aos três sacramentos da iniciação cristã da Igreja Católica. Tal como no Pentecostes o Espírito Santo desceu sobre a comunidade dos discípulos, então reunida, também agora o Espírito Santo vem a cada batizado que pede à Igreja o dom do Espírito Santo. Ele encoraja-o e fortalece-o para uma vida de testemunho por Cristo.

CRISMA
(gr. *chrisma*
= óleo da unção)
O crisma é composto de óleo de oliveira (azeite) perfumado com resina balsâmica. Na manhã da Quinta-Feira Santa, o bispo consagra-o para ser utilizado no Batismo, na Confirmação, na Ordenação dos sacerdotes e dos bispos, e na consagração dos altares e dos sinos. O óleo representa a alegria, a força e a saúde. Quem é ungido com o crisma deve difundir o «bom perfume de Cristo» (2Cor 2,15).

201 *Que significado tem o nome dado por ocasião do Batismo?*

Através do nome que adquirimos no Batismo, Deus diz-nos: «Chamei-te pelo teu nome, tu és Meu!» (Is 43,1) [2156-2159, 2165-2167]

No Batismo, o ser humano não se dissolve numa divindade anônima, mas é precisamente confirmado na sua individualidade. Ser batizado com um nome significa: Deus conhece-me; Ele aceita-me como sou e acolhe-me para sempre na minha inconfundível unicidade. → 361

202 *Por que devem os cristãos escolher para o Batismo os nomes de grandes santos?*

Não há melhores modelos e melhores auxiliares que os santos. Quando o meu nome é um nome de um santo, tenho pelo menos um amigo junto de Deus. [2156-2159, 2165-2167]

Sacramento da Confirmação

203 *O que é a Confirmação?*

A →Confirmação é o →Sacramento que completa o Batismo e pelo qual recebemos o dom do Espírito Santo. Quem se decide livremente por uma vida como filho de Deus e pede o Espírito de Deus, sob o sinal da imposição das mãos e da unção com o →Crisma, obtém a força para testemunhar o amor e o poder de Deus com palavras e atos. Ele é agora um membro legítimo e responsável da Igreja Católica. [1285-1314]

Quando um treinador manda um jogador de futebol para o campo, põe-lhe a mão sobre o ombro e dá-lhe as últimas instruções. Assim também se pode compreender a Confirmação. É-nos posta a mão, entramos no campo da vida. Pelo Espírito Santo, sabemos o que temos a fazer; Ele motivou-nos até a ponta dos cabelos; o Seu envio ressona-nos no ouvido; sentimos a Sua ajuda; não frustraremos a Sua confiança e decidiremos o jogo por Ele; agora, é só ter vontade e escutá-l'O. → 119, 120

204 *O que diz a Sagrada Escritura sobre o sacramento da Confirmação?*

Já no →Antigo Testamento o Povo de Deus esperava a difusão do Espírito Santo sobre o Messias. Jesus viveu a vida num especial Espírito de amor e de perfeita união com o Seu Pai do Céu. Este Espírito de Jesus era o "Espírito Santo" que o Povo de Israel almejava; e era o mesmo Espírito que Jesus prometera aos Seus discípulos, o mesmo Espírito que desceu sobre os discípulos no dia de Pentecostes, cinquenta dias depois da Páscoa. E é novamente este Espírito Santo de Jesus que vem sobre cada pessoa que recebe o →Sacramento da →Confirmação.
[1285-1288, 1315]

Logo nos Atos dos Apóstolos, escritos poucas décadas após a morte de Jesus, vemos São Pedro e São João numa "viagem de confirmação": ambos impuseram as mãos sobre os novos cristãos, que antes "tinham sido apenas

> Os Apóstolos, pois, que estavam em Jerusalém, ouvindo que a Samaria recebera a Palavra de Deus, enviaram para lá Pedro e João, que, tendo descido, oraram por eles, para que recebessem o Espírito Santo, porque ainda não tinha descido sobre nenhum deles; estavam somente batizados em nome do Senhor Jesus.
>
> At 8,14-16

> O Espírito do Senhor está sobre mim, porque o Senhor ungiu-me e enviou-me a anunciar a boa-nova aos infelizes, a curar os corações atribulados, a proclamar a redenção aos cativos e a liberdade aos prisioneiros.
>
> Is 61,1

> Criai em mim, ó Deus, um coração puro e fazei nascer dentro de mim um espírito firme.
>
> Sl 51,12

> Aproximai-vos de Deus e Ele Se aproximará de vós!
>
> Tg 4,8

> Proponho-vos a vida e a morte, a bênção e a maldição. Portanto, escolhe a vida, para que vivas tu e a tua descendência!
>
> Dt 30,19

> 99 Depende sobretudo de começar com determinação.
>
> Santa Teresa de Ávila

batizados no nome do Senhor Jesus",
para que o coração destes ficasse cheio do Espírito Santo. → 113-120, 310-311

205 O que acontece na Confirmação?

Na →Confirmação é marcado na alma de um cristão batizado um selo indelével e eterno, que só se pode receber uma vez. O dom do Espírito Santo é a força do Alto em que esse cristão realiza a graça do seu Batismo ao longo da vida, como "testemunha" de Cristo. [1302-1305, 1317]

Ser confirmado significa fazer um acordo com Deus. O confirmando diz: sim, eu creio em Ti, meu Deus; dá-me o Teu Espírito Santo, para que eu Te pertença totalmente, nunca me separe de Ti e Te testemunhe com o corpo e com a alma, durante toda a minha vida, em obras e palavras, em bons e maus dias! E Deus diz: sim, Eu também creio em ti, Meu filho, e te darei o Meu Espírito e até a Mim mesmo; pertencer-te-ei totalmente; nunca Me separarei de ti, nesta e na vida eterna; estarei no teu corpo e na tua alma, nas tuas obras e nas tuas palavras; mesmo que Me esqueças, estarei sempre aqui, em bons e maus dias. → 120

206 Quem pode ser confirmado e o que é exigido de um candidato à Confirmação?

Pode ser admitido à →Confirmação qualquer cristão católico que tenha recebido o →Sacramento do Batismo e esteja em "estado de graça". [1306-1311, 1319]

Estar "em estado de graça" significa não ter cometido nenhum pecado grave (pecado mortal). Mediante um pecado grave separamo-nos de Deus e só nos podemos reconciliar com Ele através da Penitência. Um (jovem) cristão que se prepara para a →Confirmação encontra-se numa das mais importantes fases da sua vida. Ele fará tudo para apreender a fé com o seu coração e o seu entendimento; rezará pelo Espírito Santo, só e juntamente com os outros; reconciliar-se-á consigo, com as outras pessoas do seu meio e com Deus, através do sacramento

da Penitência, que também aproxima de Deus quando se cometem pecados menos graves.
→ 316-317

207 *Quem pode confirmar?*

O →SACRAMENTO da →CONFIRMAÇÃO é normalmente presidido pelo →BISPO. Por razões pastorais, o bispo pode incumbir determinado sacerdote de o celebrar. Em caso de morte, qualquer →SACERDOTE o pode fazer. [1312-1314]

Sacramento da Eucaristia

208 *O que é a Sagrada Eucaristia?*

A Sagrada →EUCARISTIA é o →SACRAMENTO em que Jesus Cristo entrega o Seu corpo e o Seu sangue – Ele próprio – por nós, para que também nos entreguemos a Ele em amor e nos unamos a Ele na Sagrada →COMUNHÃO. Assim nos ligamos ao corpo único de Cristo, a Igreja. [1322, 1324, 1409]

A →EUCARISTIA é, depois do Batismo e da Confirmação, o terceiro sacramento da iniciação cristã da Igreja Católica. A Eucaristia é o misterioso centro de todos estes sacramentos, pois a imolação histórica de Jesus na cruz torna-se presente, de uma forma oculta e incruenta, durante a consagração do pão e do vinho. A Eucaristia é, portanto, «fonte e centro de toda a vida cristã» (CONCÍLIO VATICANO II, *Lumen gentium*, n.º 11). Tudo aponta para ela; aliás, não há nada maior que se possa alcançar. Quando comemos o pão partido, unimo-nos ao amor de Jesus, que no madeiro da cruz nos ofereceu o Seu corpo; quando bebemos do cálice, unimo-nos Àquele que até derramou sangue durante a Sua oferta por nós. Não inventamos este rito; foi o próprio Jesus que celebrou com os Seus discípulos a Última Ceia e antecipou a Sua morte; Ele ofereceu-Se aos Seus discípulos sob os sinais do pão e do vinho e exortou-os a celebrarem a Eucaristia a partir da Sua morte: «Fazei isto em memória de Mim!» (1COR 11,24) → 126, 193, 217

> Deus ter-nos-ia dado algo maior, se houvesse algo maior que Ele próprio.
>
> SÃO JOÃO MARIA VIANNEY (1786-1859, o Santo Cura de Ars)

> No fundo, o efeito da Eucaristia é a transformação do ser humano em Deus.
>
> SÃO TOMÁS DE AQUINO

EUCARISTIA (gr. *eucharistia* = ação de graças) Originalmente, a Sagrada Eucaristia era a oração de ação de graças que, na Liturgia da Igreja primitiva, precedia a consagração do pão e do vinho. Posteriormente, a palavra foi conferida a toda a celebração da Santa Missa.

Antes da festa da Páscoa, sabendo Jesus que chegara a Sua hora de passar deste mundo para o Pai, Ele, que amara os Seus que estavam no mundo, amou-os até o fim.

JO 13,1

> Como pode Jesus distribuir o Seu Corpo e o Seu Sangue? Ao fazer do pão o Seu Corpo e do vinho o Seu Sangue, Ele antecipa a Sua morte, aceita-a no Seu íntimo e transforma-a numa ação de amor. Aquilo que exteriormente é violência brutal – a crucifixão – torna-se interiormente um gesto de amor que se doa totalmente.
>
> BENTO XVI, 21.08.2005

> Aconteceu que ouvi uma voz das alturas: «Eu sou o alimento dos fortes; sobe e come de Mim! Mas não Me transformarás em ti, como um alimento físico, mas tu é que serás transformado em Mim.»
>
> SANTO AGOSTINHO, no tempo da sua conversão

> Não se deve comungar como alguém que morre de sede junto de uma fonte.
>
> SÃO JOÃO MARIA VIANNEY

209 Quando instituiu Cristo a Eucaristia?

Jesus instituiu a Sagrada → EUCARISTIA na véspera da Sua morte, «na noite em que Ele ia ser entregue» (1COR 11,23), quando reuniu os → APÓSTOLOS à Sua volta, na sala da ceia, em Jerusalém, e celebrou com eles a Última Ceia.
[1323, 1337-1340]

210 De que forma Cristo instituiu a Eucaristia?

«Eu recebi do Senhor o que também vos transmiti: o Senhor Jesus, na noite em que ia ser entregue, tomou o pão e, dando graças, partiu-o e disse: "Isto é o Meu corpo, entregue por vós. Fazei isto em memória de Mim!" Do mesmo modo, no fim da ceia, tomou o cálice e disse: "Este cálice é a Nova Aliança no Meu sangue. Todas as vezes que o beberdes, fazei-o em memória de Mim!"» (1COR 11,23-25)

Esta antiquíssima narrativa sobre os acontecimentos na sala da Última Ceia é do → APÓSTOLO São Paulo, que nem foi testemunha ocular, mas registou o que a jovem comunidade dos cristãos guardou como mistério sagrado e celebrava liturgicamente. → 99

211 Quão importante é a Eucaristia para a Igreja?

A celebração da → EUCARISTIA é o cerne da comunhão cristã. Nela a Igreja torna-se Igreja.
[1325]

Somos Igreja, não porque pagamos o culto ou a côngrua, porque nos damos bem ou porque nos deparamos casualmente numa comunidade, mas porque na → EUCARISTIA recebemos o corpo de Cristo e somos transformados sempre de novo no corpo de Cristo. → 126, 127

212 Que designações tem a ceia de Jesus e que significam?

Distintos nomes designam este mistério insondável: Santo Sacrifício, Santa Missa, Missa Sacrificial, Ceia do Senhor, Fração do Pão, Assembleia Eucarística,

Memorial da Paixão, Morte e Ressurreição, Santa e Divina Liturgia, Sagrados Mistérios, Sagrada → COMUNHÃO. [1328-1332]

Santo Sacrifício, Santa Missa, Missa Sacrificial: o singular sacrifício de Jesus, que leva à plenitude todos os sacrifícios, torna-se presente na celebração eucarística. A Igreja e os crentes inserem-se com a sua própria entrega no sacrifício de Cristo. A palavra Missa provém da fórmula de despedida em língua latina *Ite missa est*, que significa «Ide, sois enviados!»

Ceia do Senhor: cada celebração eucarística continua a ser a única ceia que Jesus celebrou com os Seus discípulos e simultaneamente a antecipação da ceia que o Senhor celebrará com os redimidos no fim dos dias. Não somos nós que fazemos a celebração litúrgica; é o Senhor que nos chama a ela, onde está misteriosamente presente.

Fração do Pão: a "fração do pão" era um antigo banquete ritual que Jesus aproveitou por ocasião da Última Ceia, para exprimir a Sua entrega «por nós» (Rm 8,32). Na "fração do pão", os discípulos reconheceram-n'O após a ressurreição. A comunidade primitiva designava as suas celebrações eucarísticas por "fração do pão".

> Na Sagrada Eucaristia tornamo-nos um com Deus, como o alimento com o corpo.
>
> SÃO FRANCISCO DE SALES

> A vossa vida deve ser tecida à volta da Eucaristia. Dirigi os vossos olhos para Ele, que é a Luz! Aproximai bem os vossos corações do Seu divino coração! Pedi-Lhe a graça de O conhecer, o amor para O amar, a coragem de O servir! Procurai-O ansiosamente!
>
> SANTA TERESA DE CALCUTÁ

> Não podemos separar a nossa vida da Eucaristia. No momento em que o fizéssemos, quebrar-se-ia algo. As pessoas perguntam-nos: «Onde têm as irmãs a alegria e a força para fazer o que fazem?» A Eucaristia contém mais que aquilo que se recebe; contém também o silêncio da fome de Cristo. Ele diz: «Vinde a Mim!» Ele tem fome de almas.
> SANTA TERESA DE CALCUTÁ

CONSAGRAÇÃO (lat. *consecratio* = ação de tornar sagrado) Na Santa Missa são consagrados pão e vinho, isto é, são convertidos em corpo e sangue de Cristo. Também são consagrados os bispos, os presbíteros e os diáconos para o serviço a Deus, assim como determinadas coisas, como igrejas e altares. Por vezes, também se chama ao altar principal, em que o sacerdote celebra com o povo, altar da consagração ou altar do sacrifício.

Assembleia Eucarística: a celebração da Ceia do Senhor é também uma assembleia de "ação de graças", na qual a Igreja encontra a sua expressão.

Memorial da Paixão, Morte e Ressurreição: na celebração eucarística, não é a comunidade que é celebrada; antes, ela descobre e celebra de um modo sempre novo a passagem de Cristo à Vida, por meio do sofrimento e da morte.

Santa e Divina Liturgia, Santos Mistérios: na celebração eucarística unem-se, numa única festa, a Igreja celeste e a terrestre. Porque os dons eucarísticos em que Cristo está presente são, em certa medida, o que de mais santo se encontra no mundo, fala-se também do Santíssimo Sacramento.

Sagrada Comunhão: porque na Santa Missa nos unimos a Cristo, e n'Ele nos unimos uns aos outros, fala-se de Sagrada → COMUNHÃO.

213 *Que elementos pertencem necessariamente à Santa Missa?*

Cada Santa Missa desenvolve-se em duas partes principais: a celebração da Palavra e a celebração eucarística em sentido estrito. [1346-1347]

Na celebração da Palavra, escutamos as leituras do Antigo e do → NOVO TESTAMENTO, incluindo o Evangelho; além disso, há lugar para o anúncio e a oração universal de intercessão. Na parte que vem a seguir, apresentam-se pão e vinho, que são consagrados e oferecidos aos crentes em → COMUNHÃO.

214 *Como é organizada a Santa Missa?*

A Santa Missa começa com a reunião dos crentes e com a entrada do sacerdote e dos ministros do altar (acólitos, leitores etc.). Após a saudação, faz-se a confissão geral (ato penitencial), que culmina no → KYRIE. Nos domingos (exceto no Advento e na Quaresma) e nas festas canta-se ou diz-se o → GLÓRIA. A oração coleta introduz uma ou duas leituras do Antigo e/ou do Novo Testamento. Antes do Evangelho, tem lugar a sua aclamação (→ ALELUIA).

Depois de anunciar o Evangelho, o →Sacerdote ou o →Diácono faz uma reflexão (→Homilia), especialmente nos domingos e nos dias solenes. Igualmente nestes dias, a comunidade faz a sua profissão de fé comum mediante o →Credo, a que se seguem as orações de intercessão (oração universal). A segunda parte da Santa Missa começa com a preparação dos dons (oferendas), que é rematada com a oração sobre as oferendas. O zênite da celebração é a Oração Eucarística, introduzida pelo prefácio e pelo →Santo. Então, os dons do pão e do vinho são convertidos no corpo e no sangue de Cristo. A Oração Eucarística desemboca na →Doxologia, que faz a ponte para a Oração do Senhor (Pai Nosso). Segue-se a oração pela paz, o →Agnus Dei, a fração do pão e a oferta dos dons sagrados aos crentes, o que em regra acontece apenas com o corpo de Cristo. A Santa Missa termina com um tempo de silêncio orante, uma ação de graças, uma oração pós-comunhão e a →Bênção pelo sacerdote. [1348-1355]

→ Kyrie:

S Senhor, tende piedade de nós!
P *Senhor, tende piedade de nós!*
S Cristo, tende piedade de nós!
P *Cristo, tende piedade de nós!*
S Senhor, tende piedade de nós!
P *Senhor, tende piedade de nós!*

S Kyrie eleison!   P *Kyrie eleison!*
S Christe eleison!   P *Christe eleison!*
S Kyrie eleison!   P *Kyrie eleison!*

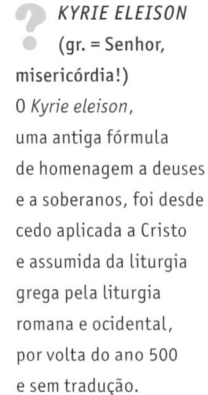

→ Glória:

Glória a Deus nas alturas
e paz na terra
aos homens por Ele amados.
Senhor Deus,
Rei dos céus,
Deus Pai todo-poderoso:
nós Vos louvamos,
nós Vos bendizemos,
nós Vos adoramos,

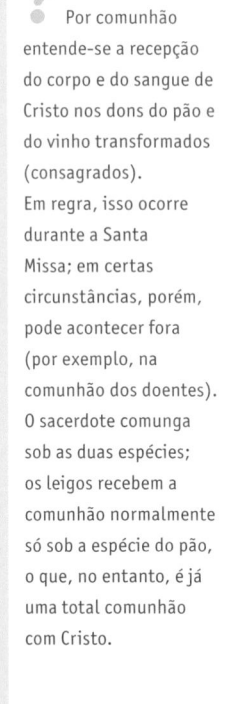

? COMUNHÃO
Por comunhão entende-se a recepção do corpo e do sangue de Cristo nos dons do pão e do vinho transformados (consagrados). Em regra, isso ocorre durante a Santa Missa; em certas circunstâncias, porém, pode acontecer fora (por exemplo, na comunhão dos doentes). O sacerdote comunga sob as duas espécies; os leigos recebem a comunhão normalmente só sob a espécie do pão, o que, no entanto, é já uma total comunhão com Cristo.

? KYRIE ELEISON
(gr. = Senhor, misericórdia!)
O *Kyrie eleison*, uma antiga fórmula de homenagem a deuses e a soberanos, foi desde cedo aplicada a Cristo e assumida da liturgia grega pela liturgia romana e ocidental, por volta do ano 500 e sem tradução.

GLÓRIA

O júbilo dos anjos perante os pastores na noite de Natal (Lc 2,14) constitui a introdução a um hino protocristão, cuja forma definitiva remonta ao século IX, e no qual o louvor a Deus é solenemente anunciado.

ALELUIA

(hebr. *halal* = "louvai!" com a abreviatura do nome de Deus *Iah[weh]*) A aclamação, que aparece 24 vezes nos Salmos, tornou-se a saudação do Senhor antes da Sua Palavra no Evangelho.

HOMILIA

(gr. *homilein* = falar a alguém, abordá-lo num mesmo nível, falar-lhe com humanidade) A homilia é outra palavra para pregação. O pregador tem a missão, dentro da celebração eucarística, de anunciar a Boa-Nova (gr. *euangelion*), estimulando os crentes a conhecer e a assumir as consequências →

---

nós Vos glorificamos,
nós Vos damos graças
por Vossa imensa glória.

Senhor Jesus Cristo,
Filho Unigénito,
Senhor Deus,
Cordeiro de Deus,
Filho de Deus Pai:
Vós que tirais o pecado do mundo,
tende piedade de nós!
Vós que tirais o pecado do mundo,
acolhei a nossa súplica!
Vós que estais à direita do Pai,
tende piedade de nós!
Só Vós sois o santo;
só Vós, o Senhor;
só Vós, o Altíssimo,
Jesus Cristo, com o Espírito Santo,
na glória de Deus Pai. Amém.

*Gloria in excelsis Deo
et in terra pax hominibus bonae voluntatis.
Laudamus te,
benedicimus te,
adoramus te,
glorificamus te,
gratias agimus tibi propter
magnam gloriam tuam,
Domine Deus, Rex caelestis,
Deus Pater omnipotens,
Domine Fili unigenite, Iesu Christe,
Domine Deus, Agnus Dei,
Filius Patris,
qui tollis peccata mundi,
miserere nobis;
qui tollis peccata mundi,
suscipe deprecationem nostram.
Qui sedes ad dexteram Patris,
miserere nobis.
Quoniam tu solus Sanctus,
tu solus Dominus,
tu solus Altissimus, Iesu Christe,
cum Sancto Spiritu:
in gloria Dei Patris. Amém.*

→ Santo:
Santo, Santo, Santo,
Senhor Deus do universo.
O Céu e a Terra proclamam a Vossa glória.
Hosana nas alturas!
Bendito O que vem em nome do Senhor!
Hosana nas alturas!

Sanctus, Sanctus, Sanctus Dominus Deus Sabaoth.
Pleni sunt caeli et terra gloria tua.
Hosanna in excelsis.
Benedictus qui venit in nomine Domini.
Hosanna in excelsis.

→ Agnus Dei:
Cordeiro de Deus, que tirais o pecado do mundo,
tende piedade de nós!
Cordeiro de Deus, que tirais o pecado do mundo,
tende piedade de nós!
Cordeiro de Deus, que tirais o pecado do mundo,
dai-nos a paz!

Agnus Dei, qui tollis peccata mundi, miserere nobis.
Agnus Dei, qui tollis peccata mundi, miserere nobis.
Agnus Dei, qui tollis peccata mundi, dona nobis pacem.

215 *Quem dirige a celebração eucarística?*

Quem atua numa celebração eucarística é o próprio Cristo. Representam-n'O o → Bispo ou o → Presbítero (ambos sacerdotes). [1348]

A Igreja crê que o celebrante está no altar *in persona Christi capitis* (lat. = na pessoa de Cristo cabeça). Isto significa que os sacerdotes não apenas agem no lugar ou por missão de Cristo, mas que, por força da sua consagração, é Cristo que, como cabeça da Igreja, atua através deles. → 249-254

216 *De que modo está presente Cristo quando a Eucaristia é celebrada?*

Cristo está misteriosamente presente no → Sacramento da → Eucaristia, mas de um modo

→ existenciais da Palavra de Deus, ainda agora escutada. Na Santa Missa, a homilia está reservada ao sacerdote; de resto, qualquer leigo cristão pode ensinar.

? **SANTO**
(lat. *sanctus* = santo)
O Santo é uma das mais antigas partes da Santa Missa. Remonta ao século VIII a. C. (!) e nunca deve ser anulado. O cântico é uma composição da aclamação dos anjos em Is 6,3 com o grito de Sl 118,25 ss., que se refere à presença de Cristo.

? **TRANSUBSTAN-CIAÇÃO**
(lat. *trans* = além de, para o outro lado de; *substantia* = ser, essência)
Com este conceito, a Igreja explica como Jesus pode estar presente sob as espécies do pão e do vinho: quando as substâncias do pão e do vinho são mudadas no corpo e no sangue de Cristo, mediante →

→ a ação do Espírito Santo através das palavras da consagração, permanece inalterável o seu aspecto exterior. Jesus Cristo está realmente presente, ainda que de forma invisível e oculta, naquilo que parece ser pão e vinho, enquanto se conservarem as características dessas duas espécies.

real. Sempre que a Igreja cumpre o mandamento «Fazei isto em memória de Mim!» (1Cor 11,25), partindo o pão e oferecendo o cálice, sucede hoje o mesmo que então sucedera: Cristo entrega-Se por nós verdadeiramente e passamos a fazer verdadeiramente parte d'Ele. A única e irrepetível imolação de Cristo na cruz torna-se presente sobre o altar; realiza-se a obra da redenção. [1362-1367]

217 *O que acontece com a Igreja quando ela celebra a Eucaristia?*

Sempre que a Igreja celebra a → Eucaristia ela encontra-se diante da fonte de que brota renovadamente: na medida em que a Igreja "come"

AGNUS DEI (lat. *agnus dei* = cordeiro de Deus) João Batista comparou Jesus ao cordeiro de Deus de Ex 12, através de cuja imolação o Povo de Israel fora liberto da escravidão do Egito («Eis o cordeiro de Deus!» Jo 1,29). Por Jesus, que é levado ao matadouro como um cordeiro, somos libertados do pecado e encontramos a paz com Deus.

Na verdade, todas as vezes que comerdes deste pão e beberdes deste cálice, anunciareis a morte do Senhor, até que Ele venha.

1Cor 11,26

o corpo de Cristo, torna-se "corpo de Cristo", que é uma metáfora da Igreja. Na imolação de Cristo, que Se ofereceu a nós em corpo e alma, há espaço para toda a nossa vida. O nosso trabalho e o nosso sofrimento, as nossas alegrias... podemos unir tudo à imolação de Cristo. Quando nos apresentamos deste modo, somos transformados: agradamos a Deus e somos para os outros como pão bom e nutritivo. [1368-1372, 1414]

Ralhamos constantemente com a Igreja, como se fosse uma agremiação de pessoas mais ou menos boas. Na verdade, porém, a Igreja é o que de forma misteriosa surge no altar diariamente. Deus entrega-Se por cada um de nós e quer transformar-nos mediante a → COMUNHÃO com Ele. Sendo transformados, devemos transformar o mundo. O que a Igreja é para além disso é completamente secundário.
→ 126, 171, 208

218 *Como devemos venerar corretamente o Senhor presente no pão e no vinho?*

Porque Deus está realmente presente nas espécies consagradas do pão e do vinho, devemos guardar os dons sagrados com elevada veneração e adorar nosso Senhor e Redentor presente no Santíssimo Sacramento. [1378-1381, 1418]

Se ainda sobrarem hóstias após a celebração da Sagrada → EUCARISTIA, elas são conservadas no sacrário, em vasos sagrados. Visto que nele está presente o Santíssimo, o → SACRÁRIO é um dos lugares mais veneráveis em cada igreja. Diante do sacrário fazemos uma genuflexão (isto é, dobramos o joelho direito). Quem realmente segue Cristo reconhece-O certamente nos mais pobres e serve-O neles; além disso, ele encontrará também tempo para permanecer no silêncio da adoração diante do sacrário, oferecendo o seu amor ao Senhor eucarístico.

219 *Com que frequência deve um cristão católico participar na celebração eucarística?*

O compromisso de um cristão católico é ir à Santa Missa todos os domingos e festas de guarda. Quem realmente procura a amizade com Jesus aceita, sempre que pode, o convite pessoal de Jesus para a Ceia. [1389, 1417]

Na verdade, "obrigação de ir à Missa" é para um cristão autêntico uma expressão tão inadequada como "obrigação de dar um beijo" para quem está realmente apaixonado. Ninguém consegue ter uma relação viva com Cristo se não vai onde Ele espera por nós.

? SACRÁRIO
(lat. *sacrarium* = santuário, lugar secreto, refúgio) Paralelamente à arca da aliança do Antigo Testamento, o sacrário desenvolveu-se na Igreja como lugar precioso e distinto para a conservação do Santíssimo (Cristo na espécie do pão).

? CUSTÓDIA
(lat. *custodia* = guarda, vigilância) É a sagrada alfaia de exibição, na qual Cristo, sob a espécie do pão consagrado, é apresentado à adoração dos crentes em situações especiais.

? DOXOLOGIA
(gr. *doxa* = glória, *logía* = palavras) Uma doxologia é a conclusão solene e glorificante de uma oração, como é a conclusão da Oração Eucarística, que diz: «Por Cristo, com Cristo, em Cristo, a Vós, Deus Pai todo-poderoso, na unidade do Espírito Santo, toda a honra e toda a glória agora e para sempre.» →

→ Frequentemente, as doxologias dirigem-se a Deus trino, como no «Glória ao Pai e ao Filho e ao Espírito Santo, como era no princípio, agora e sempre», a fórmula com que normalmente se termina uma oração cristã.

99 Temos muito trabalho. Por todo o lado, estão cheios os nossos hospitais e as nossas casas mortuárias. Quando começamos com a adoração diária, o nosso amor a Cristo tornou-se mais íntimo, o nosso amor uns aos outros mais compreensivo, o nosso amor aos pobres mais compassivo e o número das vocações duplicou.
SANTA TERESA DE CALCUTÁ

99 A pessoa crente que se ajoelha apenas diante de Deus aprende a passar este mundo corretamente.
KURT KOCH (*1950, bispo de Basileia)

Portanto, desde muito cedo a celebração da Missa é, para os cristãos, o "coração do domingo" e o encontro mais importante da semana.

220 Como me posso preparar para receber a Sagrada Eucaristia?

Quem deseja receber a Sagrada →EUCARISTIA tem de ser católico. Se estiver consciente de algum pecado grave, deve previamente confessar-se. Antes de se aproximar do altar, deve reconciliar-se com o próximo. [1389, 1417]

Até há poucos anos era habitual não comer nada pelo menos três horas antes da celebração eucarística; assim se preparava para o encontro com Cristo na →COMUNHÃO. Hoje, a Igreja recomenda pelo menos uma hora de jejum. Outro sinal de reverência é um vestuário seleto e belo, pois temos um *rendez-vous* com o Senhor do Universo.

221 De que modo me transforma a Sagrada Comunhão?

Cada →COMUNHÃO sagrada liga-me mais profundamente a Cristo, faz de mim um membro vivo no "corpo de Cristo", renova os dons que obtive no Batismo e na →CONFIRMAÇÃO, e fortalece-me no combate contra o pecado. [1391-1397, 1416]

222 Será que a Eucaristia pode também ser dada a cristãos não-católicos?

A Sagrada →COMUNHÃO é expressão da unidade do "corpo de Cristo". À Igreja Católica pertence quem está batizado nela, partilha da sua fé e vive em união com ela. Seria uma contradição se a Igreja convidasse à Comunhão pessoas que (ainda) não partilham da fé e da vida da Igreja. A credibilidade do sinal eucarístico, nesse caso, seria abalada. [1398-1401]

Os cristãos ortodoxos podem pedir individualmente para receber a Sagrada → COMUNHÃO numa celebração católica, porque eles partilham da fé eucarística da Igreja Católica, ainda que a sua comunhão ainda não esteja em plena unidade com a Igreja Católica. Quanto aos membros de outras confissões cristãs, a Sagrada Comunhão pode ser dada em circunstâncias pontuais, nomeadamente em caso de necessidade grave ou se existe a fé integral na presença eucarística. Celebrações comuns da Ceia do Senhor entre cristãos católicos e evangélicos são uma meta e um desejo de todos os esforços ecuménicos; antecipá-las, porém, sem se ter construído a realidade do "corpo de Cristo" numa fé e numa Igreja únicas, constitui uma falsidade e não é, portanto, permitido. Outro tipo de celebrações ecuménicas, em que os cristãos de diversas confissões oram juntos, são boas e inclusivamente desejadas pela Igreja Católica.

> Senhor, eu não sou digno de que entres em minha casa; mas diz uma só palavra e o meu servo ficará curado.
>
> Mt 8,8
>
> (Uma variante desta frase, que o centurião disse a Jesus, é dita por cada cristão católico antes de receber a Sagrada Comunhão: «Senhor, eu não sou digno de que entreis em minha morada, mas dizei uma palavra e serei salvo!»)

223 *Em que medida a Sagrada Eucaristia é a antecipação da Vida eterna?*

Jesus prometeu aos Seus discípulos – e por eles também a nós – sentarem-se à mesa com Ele. Por isso, cada Santa Missa é «memorial da Paixão, plenitude da graça, penhor da futura glória» (→Oração Eucarística Romana). [1402-1405]

> O Filho do Homem veio para procurar e salvar o que estava perdido.
>
> Lc 19,10

◇ SEGUNDO CAPÍTULO ◇
Sacramentos da cura

Sacramento da Penitência e Reconciliação

224 *Como se designa o sacramento da Penitência?*

O amor de Cristo revela-se no fato de Ele procurar quem está perdido e curar quem está doente. Por isso, são-nos concedidos os →Sacramentos da cura e da regeneração, nos quais somos libertos do pecado e fortalecidos nas debilidades do corpo e da alma. [1420-1421] → 67

> Não são os saudáveis que precisam de médico, mas os doentes. Eu vim para chamar os pecadores, não os justos.
>
> Mc 2,17

225 *Que nomes dar ao sacramento da Penitência?*

O →Sacramento da Penitência também é designado por sacramento da Reconciliação, do Perdão, da Conversão ou da Confissão. [1422-1424, 1486]

Se dissermos que não temos pecado, enganamo-nos a nós mesmos, e não há verdade em nós.

1Jo 1,8

Disse-lhe o filho: «Pai, pequei contra o Céu e contra ti. Já não mereço ser chamado teu filho.» Mas o pai disse aos servos: «Trazei depressa a melhor túnica e vesti-lha! Ponde-lhe um anel no dedo e sandálias nos pés!»

Lc 15,21-22

Àqueles a quem perdoardes os pecados ser-lhes-ão perdoados; e àqueles a quem os retiverdes ser-lhes-ão retidos.

Jo 20,23

Alguns santos chamaram-se "grandes criminosos", porque contemplaram Deus, contemplaram-se a si mesmos – e viram a diferença.

SANTA TERESA DE CALCUTÁ

226 *Se temos o Batismo que nos reconcilia com Deus, para que precisamos ainda de um sacramento específico para a reconciliação?*

O Batismo retirou-nos do poder do pecado e da morte, colocando-nos na Vida nova dos filhos de Deus; todavia, ele não nos liberta da fraqueza humana nem da inclinação para o pecado, daí que precisemos de um espaço onde nos possamos reconciliar de novo com Deus e que é precisamente a Confissão. [1425-1426]

Não é moderno confessar-se; é difícil e exige sacrifício no início. Mas é uma das maiores graças podermos recomeçar a vida várias vezes, assumindo-a realmente sempre de um novo modo, totalmente sem pesos e sem as hipotecas do ontem, acolhidos com amor e guarnecidos de nova força. Deus é misericordioso e nada deseja com maior ardor do que nós aproveitarmos ao máximo a Sua misericórdia. Quem se confessou abriu, no livro da sua vida, uma página nova, branca. → 67-70

227 *Quem instituiu o sacramento da Reconciliação?*

Foi o próprio Jesus quem instituiu o sacramento da Reconciliação, quando Se mostrou aos Seus Apóstolos no dia de Páscoa, exortando-os: «Recebei o Espírito Santo. Àqueles a quem perdoardes os pecados ser-lhes-ão perdoados; e àqueles a quem os retiverdes ser-lhes-ão retidos.» (Jo 20,22-23) [1439, 1485]

Em nenhuma parte Jesus falou de maneira tão bela do que acontece no sacramento da Reconciliação como na parábola do Pai misericordioso: nós desviamo-nos, perdemo-nos, não conseguimos mais. Porém, o nosso Pai espera por nós com grande e infinita saudade; Ele perdoa-nos quando regressamos, acolhe-nos novamente, perdoa o pecado. O próprio Jesus perdoou os pecados a muitas pessoas; era-Lhe mais importante que fazer milagres. Ele via aí o maior sinal da irrupção do Reino de Deus, em que todas as feridas são curadas e todas as lágrimas enxugadas. Jesus transmitiu aos Seus → APÓSTOLOS a força do Espírito Santo, na qual Ele perdoava os pecados. Caímos nos braços do nosso Pai celeste, quando nos dirigimos a um → SACERDOTE e nos confessamos. → 314, 524

228 Quem pode perdoar os pecados?

Só Deus pode perdoar os pecados. «Os teus pecados estão perdoados!» (Mc 2,5) disse Jesus, porque é o Filho de Deus. E apenas porque Jesus lhes deu poder, os →SACERDOTES podem perdoar no lugar de Jesus. [1441-1442]

Alguns dizem: Entendo-me diretamente com Deus, e por isso não preciso de →PADRES! No entanto, Deus quer fazê-lo de outra maneira. Ele conhece-nos. Naquilo que diz respeito ao pecado, costumamos fazer trapaça, varrendo o assunto para debaixo do tapete. Por isso, Deus quer que expressemos os nossos pecados e os confessemos face a face. E para isso servem os sacerdotes: «Àqueles a quem perdoardes os pecados ser-lhes-ão perdoados; e àqueles a quem os retiverdes ser-lhes-ão retidos.» (Jo 20,23)

229 O que faz uma pessoa arrependida?

Do exame da culpa pessoal surge o desejo de melhorar; a isto se chama "arrependimento". A ele chegamos quando reparamos na contradição entre o amor de Deus e o nosso pecado. Então, enchemo-nos de dor pelo nosso pecado, propomo-nos a mudar a nossa vida e depositamos toda a nossa esperança na ajuda de Deus. [1430-1433, 1490]

A realidade do pecado é frequentemente suplantada. Alguns acreditam até que o sentimento de culpa deve ser tratado apenas psicologicamente. No entanto, os autênticos sentimentos de culpa são importantes. É como num automóvel: quando o velocímetro mostra que a velocidade foi excedida, não é o velocímetro que tem a culpa, mas o condutor. Quanto mais perto estivermos de Deus, que é todo Luz, tanto mais nítidos se revelam os nossos lados sombrios. Deus, contudo, não é uma luz que queima, mas uma luz que cura, daí que o arrependimento nos impele a caminhar para a Luz em que nos tornamos totalmente saudáveis.

→ 312

Converte-nos a Ti, Senhor, e nos converteremos.

LM 5,21

> O arrependimento transborda do reconhecimento da verdade.
>
> THOMAS STEARNS ELIOT (1888-1965, poeta estadunidense e inglês)

> Depois de cada pecado reconhecido, ressuscitemos! Pecados, nem um instante os deixemos no coração.
>
> SANTO CURA D'ARS

> O que é o arrependimento? Uma grande tristeza de sermos o que somos.
>
> MARIE VON EBNER-ESCHENBACH (1830-1916, escritora austríaca)

> A Penitência é o segundo Batismo, o Batismo de lágrimas.
>
> SÃO GREGÓRIO DE NAZIANZO

> Estou convencido de que vamos continuar a cometer grandes pecados, tais como ter uma religião sem Espírito Santo, um cristianismo sem Cristo, um perdão sem arrependimento, um Salvador sem novo nascimento, uma política sem Deus e um Céu sem inferno.
>
> WILLIAM BOOTH (1829--1912, fundador do Exército Azul)

> Sinal de correto arrependimento é afastar a [má] ocasião.
>
> SÃO BERNARDO DE CLARAVAL

> Deus sabe tudo. Ele sabe que depois de vos confessardes, voltareis a pecar. No entanto, Ele perdoa-vos. Ele vê de longe o momento em que, nós caindo, nos tem de voltar a perdoar.
>
> SÃO JOÃO MARIA VIANNEY

> O amor cobre uma multidão de pecados.
>
> 1PD 4,8

230 O que é a penitência?

A penitência é a reparação de uma injustiça cometida. Ela não deve acontecer apenas na cabeça, mas tem de se exteriorizar em atos de amor e em compromisso a favor dos outros. Também se faz penitência rezando, jejuando e promovendo os pobres espiritual e materialmente. [1434-1439]

A penitência é com frequência entendida falsamente. Ela nada tem a ver com autoflagelação ou escrupulosidade. Não é a cisma de quem acha que é uma péssima pessoa. A penitência liberta-nos e encoraja-nos a recomeçar.

231 O que se pressupõe fundamentalmente para que um cristão obtenha o perdão dos pecados no sacramento da Reconciliação?

Pressupõe-se, para o perdão dos pecados, que haja um penitente, isto é, a pessoa que se converte, e o sacerdote, que lhe dá a absolvição dos pecados em nome de Deus. [1448]

232 Como se constitui a Confissão?

A cada Confissão pertencem o exame de consciência, o arrependimento, o propósito, a confissão e a penitência. [1450-1460, 1490-1492, 1494]

O *exame de consciência* deve existir fundamentalmente, mas não tem de ser exaustivo. Sem um real *arrependimento*, isto é, apenas com uma confissão de lábios, ninguém pode ser absolvido do seu pecado. Igualmente imprescindível é o *propósito* de, no futuro, não mais cometer esse pecado. O penitente tem de expressar o seu pecado diante do confessor incondicionalmente; portanto, tem de se *confessar* disso. Pertence à Confissão, finalmente, a *reparação* ou penitência, que o confessor ordena ao penitente, para reparar o dano causado.

233 Que pecados temos mesmo de confessar?

Os pecados graves que forem recordados num exame de consciência pormenorizado e que ainda não foram confessados só podem ser confessados, em circunstâncias normais, numa Confissão individual. [1457]

Certamente existem embaraços quanto à Confissão. Superá-los é já o primeiro passo para se tornar interiormente saudável. Frequentemente ajuda pensar que também o → PAPA tem de ter coragem para confessar os seus erros e fraquezas a outro sacerdote e, deste modo, a Deus. Só em circunstâncias existenciais graves (como na guerra, num ataque aéreo ou quando um grupo de pessoas se encontra em risco de vida) pode um sacerdote dar a absolvição a um grupo de pessoas, sem que antes tenha feito uma confissão pessoal dos pecados (é a chamada "absolvição geral").
→ 315-320

ABSOLVIÇÃO
(lat. *absolvere* = desligar, libertar)
A absolvição do sacerdote é o perdão sacramental de um ou mais pecados após a confissão dos pecados do penitente.
A fórmula de absolvição é a seguinte:

> Deus, Pai de misericórdia, que, pela Morte e Ressurreição de Seu Filho, reconciliou o mundo Consigo e enviou o Espírito Santo para remissão dos pecados, te conceda, pelo ministério da Igreja, o perdão e a paz. E eu te absolvo dos teus pecados, em nome do Pai e do Filho e do Espírito Santo.

> Quem melhor compreende a importância de ser confessor é provavelmente o empregado de bar.
>
> PETER SELLERS (1925-1980, ator britânico)

> Não é justo pensar que deveríamos viver de um modo em que o perdão não era necessário. Devemos aceitar a nossa fragilidade, mas permanecer a caminho, nunca se dar por vencido mas prosseguir e, mediante o sacramento da Reconciliação, converter-nos sempre de novo a um recomeçar e desta forma crescer, amadurecer para o Senhor, na nossa comunhão com Ele.
>
> BENTO XVI, 17.02.2007

234 *Quando e com que frequência se devem confessar os pecados graves?*

Os pecados graves devem ser confessados a partir da idade da razão. A Igreja recomenda vivamente fazê-lo uma vez em cada ano. Em todo o caso, devemos confessar-nos antes de receber a Sagrada →COMUNHÃO, se houvermos cometido algum pecado grave. [1457]

Por "idade da razão" a Igreja entende a idade na qual se atingiu o uso das faculdades racionais e o discernimento entre o bem e o mal. → 315-320

235 *Podemos confessar-nos mesmo sem termos cometido pecados graves?*

A Confissão é também o maior dom da cura e de uma crescente união com o Senhor, mesmo que, em sentido estrito, não tenhamos de nos confessar. [1458]

Em Taizé, nos acontecimentos católicos nacionais, nas Jornadas Mundiais da Juventude – por todo o lado se veem jovens a reconciliar-se com Deus. Os cristãos que levam a sério o seguimento de Jesus procuram a alegria que provém de um radical reinício com Deus.

Mesmo os santos confessavam-se regularmente, quando era possível. Eles precisavam disso para crescerem na humildade e no amor, e se deixarem tocar pela Luz de Deus, que cura até o último recanto da alma.

236 — Por que razão os sacerdotes podem perdoar os pecados?

Ninguém pode perdoar pecados se não tiver a missão de Deus para isso e a força proveniente d'Ele para que realmente ocorra o perdão concedido ao penitente. Para isso são designados, em primeiro lugar, os →Bispos e, depois, os seus assistentes, os →Presbíteros. [1461-1466, 1495]

→ 150, 228, 249-250

> Não se pode confundir a confissão com a abertura a um irmão. A confissão é prestada ao Senhor do Céu e da Terra, na presença de uma pessoa encarregada disso.
> Irmão Roger Schutz

237 — Há pecados tão graves que nem sequer um presbítero pode absolver?

Há pecados em que o ser humano se afasta totalmente de Deus provocando a excomunhão devido à gravidade do ato. Na circunstância dos pecados que implicam →Excomunhão, a absolvição só pode ser concedida pelo →Bispo ou até, em certos casos, pelo →Papa. Em caso de morte, qualquer →Sacerdote pode absolver de todos os pecados e da excomunhão. [1463]

Um bispo que, sem autorização do Papa, consagra um padre a bispo, exclui-se automaticamente da comunhão sacramental; a Igreja apenas atesta este estado. A →Excomunhão tem a intenção de melhorar o pecador e reconduzi-lo ao caminho reto.

? EXCOMUNHÃO (lat. *ex* = fora; *communicatio* = comunhão) Trata-se da exclusão de um cristão católico dos sacramentos.

238 — Pode um sacerdote divulgar algo que soube na Confissão?

Não, de maneira alguma. O segredo de Confissão é absoluto. Um →Sacerdote seria excomungado se revelasse a outras pessoas algo que tivesse ouvido na Confissão. Nem à polícia o sacerdote pode dizer ou insinuar algo. [1467]

> Por mais que a Confissão pareça desajeitada, ela é o lugar decisivo em que se experimenta novamente o frescor do Evangelho, em que se nasce de novo. Aí aprendemos inclusivamente a soprar fora os remorsos, como uma criança sopra uma folha caída no Outono. Aí encontramos a felicidade de Deus, a madrugada da alegria completa.
> Irmão Roger Schutz

> Não temas! Mesmo que tenhas cometido todos os pecados deste mundo, Jesus repetir-te-ia as palavras: «Os teus muitos pecados estão perdoados, porque muito amaste.»
>
> SÃO PADRE PIO (1887-1968, um dos santos mais populares de Itália)

Assim se cumpria o que o profeta Isaías anunciara, dizendo: «Tomou sobre Si as nossas enfermidades e suportou as nossas doenças.»
MT 8,17

> Os doentes conseguem sentir e pressentir mais que as outras pessoas.
>
> REINHOLD SCHNEIDER (1903-1958, escritor)

Jesus ouviu-o e disse-lhes: «Não são os saudáveis que precisam de médico, mas os doentes. Eu vim para chamar os pecadores, não os justos.»
MC 2,17

Dificilmente um →SACERDOTE leva algo mais a sério que o segredo de Confissão. Há sacerdotes que por isso foram torturados e mortos. Portanto, pode falar-se sem reservas e confiar com grande tranquilidade num sacerdote, cuja única missão nesse momento é ser totalmente o "ouvido de Deus".

239 Que efeitos positivos tem a Confissão?

A Confissão reconcilia o pecador com Deus e com a Igreja. [1468-1470, 1496]

O momento após a absolvição é como um banho após o treino desportivo, como o ar fresco após uma tempestade de Verão, como o despertar numa brilhante manhã de Verão, como a leveza do mergulhador... Assim como o filho pródigo foi novamente acolhido por seu pai, restabelecendo a relação dos dois, assim é a Reconciliação: a nossa relação com Deus fica novamente limpa.

Sacramento da Unção dos Enfermos

240 Que significado tinha a doença no Antigo Testamento?

No Antigo Testamento, a doença foi frequentemente experienciada como uma dura prova, contra a qual se podia rebelar, mas em que se podia reconhecer a mão de Deus. Já com os profetas emergiu a ideia de que o sofrimento não é apenas uma maldição e nem sempre uma consequência de um pecado pessoal, e que uma pessoa também pode ser para os outros num sofrimento assumido com paciência. [1502]

241 Por que revelou Jesus tanto interesse pelos doentes?

Jesus veio para revelar o amor de Deus. Frequentemente o fez onde nos sentimos especialmente ameaçados: na fragilidade da nossa vida, através da doença. Deus quer que nos tornemos saudáveis no corpo e na alma, reconhecendo nisso a vinda do Reino de Deus. [1503-1505]

Por vezes, só com a experiência da doença percebemos que, saudáveis ou doentes, precisamos de Deus, mais do que tudo. Não temos vida, a não ser n'Ele. Por isso é que os doentes e os pecadores têm um especial instinto para perceber o que é essencial. Já no →Novo Testamento eram os doentes que procuravam a proximidade de Jesus; eles procuravam «tocá-l'O, pois d'Ele saía uma força que a todos curava» (Lc 6,19). → 91

242 Por que se deve a Igreja interessar especialmente pelos doentes?

Jesus mostra-nos que o Céu sofre quando sofremos. Deus até quer ser reconhecido no «menor dos irmãos» (Mt 25,40). Por isso, Jesus determinou o cuidado pelos doentes como tarefa central dos Seus discípulos. Ele exortou «Curai os doentes!» (Mt 10,8) e prometeu-lhes poder divino: «Em Meu nome, expulsarão demônios... Imporão as mãos aos doentes e os doentes ficarão curados.» (Mc 16,17 ss.) [1506, 1510]

Sempre foi uma característica decisiva do Cristianismo estarem no centro os idosos, os doentes e os portadores de deficiência. Madre Teresa, que acolheu os moribundos das valetas de Calcutá, é apenas uma na longa cadeia de cristãs e cristãos que efetivamente descobriram Cristo nos que foram excluídos e evitados. Se os cristãos fossem realmente cristãos, sairia deles uma força que cura. A alguns é mesmo dada a possibilidade de curar outras pessoas corporalmente, na força do Espírito Santo (→ Carisma da cura).

243 Para quem foi pensado o sacramento da Unção dos Enfermos?

Qualquer crente pode receber o →Sacramento da Unção dos Enfermos, desde que se encontre numa situação de doença crítica. [1514-1515, 1528-1529]

A Unção dos Enfermos pode ser recebida várias vezes na vida. Tem igualmente sentido que os jovens peçam este → Sacramento quando se submetem a uma operação difícil. Nessas alturas, muitos cristãos doentes

> Mesmo o pior dos mundos cristãos preferiria eu ao melhor dos pagãos, porque num mundo cristão há lugar para aqueles a quem nenhum mundo pagão deu lugar: para desfigurados e doentes, idosos e fracos; e para eles há algo mais que lugar: amor para os que pareciam e parecem inúteis aos olhos do mundo pagão e irreligioso.
> Heinrich Böll (1917-1985, escritor alemão)

> O cuidado pelos pobres deve estar antes de tudo e acima de tudo. Devemos servi-los como se realmente fossem Cristo.
> São Bento de Núrsia

> E ainda prestamos outro juramento: Prometemos ser servos e escravos dos nossos senhores doentes.
> Regra da Ordem dos Joanitas ou de Malta

> Está doente alguém entre vós? Mande chamar os presbíteros da Igreja para que orem por ele, ungindo-o com óleo em nome do Senhor.
>
> Tg 5,14

> Ainda que tenha de andar por vales tenebrosos, não temerei nenhum mal, porque Vós estais comigo.
>
> Sl 23,4

> Quem come a Minha carne e bebe o Meu sangue tem a vida eterna; e Eu o ressuscitarei no último dia.
>
> Jo 6,54

> " Por esta Santa Unção e pela Sua infinita misericórdia, o Senhor venha em teu auxílio com a graça do Espírito Santo, para que, liberto dos teus pecados, Ele te salve e, na Sua misericórdia, alivie os teus sofrimentos.
>
> Do Ritual da Unção dos Enfermos

associam a unção a uma confissão (de vida); em caso de morte, eles querem encontrar Deus com uma consciência pura.

244 Como é celebrada a Unção dos Enfermos?

O rito essencial na celebração da Unção dos Enfermos consiste numa unção da testa e das mãos com o Santo Óleo, acompanhada de orações. [1517-1519, 1531]

245 De que forma atua a Unção dos Enfermos?

A Unção dos Enfermos concede consolação, paz e força, e une profundamente a Cristo o doente que se encontra em situação precária e em sofrimento. Na verdade, o Senhor passou pelas nossas angústias e tomou sobre o Seu corpo as nossas dores. Em alguns, a Unção dos Enfermos provoca a cura corporal. Se Deus chamar alguém à Sua Casa, Ele concede-lhe, na Unção dos Enfermos, a força para todas as lutas corporais e espirituais no seu último caminho. A Unção dos Enfermos também tem como efeito o perdão dos pecados caso o doente não pôde obtê-lo pelo sacramento da Penitência. [1520-1523, 1532]

Muitos doentes têm medo deste → Sacramento e adiam-no para o fim, porque pensam tratar-se de uma espécie de "sentença de morte". O contrário é que está certo: a Unção dos Enfermos é uma espécie de "seguro de vida". Quem, como cristão, acompanha um doente deve libertá-lo deste falso temor. A maior parte das pessoas que estão em risco tem a intuição de que nada mais é importante nesse momento que se apertarem imediata e incondicionalmente Àquele que superou a morte e é a própria Vida: Jesus, o Salvador.

246 Quem pode ser ministro da Unção dos Enfermos?

A presidência da celebração da Unção dos Enfermos está reservada aos bispos e aos → Presbíteros. É Cristo que, por força da sua ordenação, age através deles. [1516-1530]

247 *O que se entende por Viático?*

Entende-se por Viático a última Sagrada →Comunhão que uma pessoa recebe antes de falecer. [1524-1525]

Raramente uma →Comunhão é tão vitalmente necessária como no momento em que uma pessoa se faz ao caminho no termo da sua vida terrena: no futuro, ela terá tanta Vida como a que tem na Comunhão com Deus.

❧ TERCEIRO CAPÍTULO ❧
Sacramentos da comunhão e do envio

Sacramento da Ordem

248 *Quais são os sacramentos de serviço à comunhão?*

Quem é batizado e confirmado pode também assumir um envio especial, pondo-se ao serviço de Deus. Isso acontece mediante dois sacramentos próprios: a Ordem e o Matrimônio. [1533-1535]

Ambos os sacramentos têm algo comum: são instituídos *para os outros*. Ninguém é simplesmente ordenado para si mesmo, como ninguém entra no estado matrimonial apenas para proveito próprio. Os sacramentos da Ordem e do Matrimônio visam a construção do Povo de Deus, isto é, eles são um canal através do qual Deus faz o amor fluir para o mundo.

249 *O que acontece na ordenação?*

Quem é ordenado recebe o dom do Espírito Santo, que lhe é concedido por Cristo através do bispo e que lhe dá uma autoridade sagrada. [1538]

Ser →Sacerdote não implica apenas assumir uma função ou um ministério. Pela ordenação, o ministro ordenado obtém gratuitamente certa força e um envio aos seus irmãos na fé.
→ 150, 215, 228, 236

> Tu és sacerdote para sempre, segundo a ordem de Melquisedec.
>
> Sl 110,4

> Serás uma bênção.
>
> Gn 12,2

> " A ordenação não é celebrada para a salvação de um indivíduo, mas de toda a Igreja.
>
> São Tomás de Aquino

> " Só Cristo é verdadeiro sacerdote, os outros são Seus servos.
>
> São Tomás de Aquino

> " O sacerdote continua sobre a Terra a obra redentora [de Cristo].
>
> São João Maria Vianney

> Quando me atemorizo por ser para vós, consola-me o que sou convosco. Para vós sou bispo, convosco sou cristão. Aquilo designa o ministério; isto, a graça. Aquilo, o perigo; isto, a salvação.
> SANTO AGOSTINHO

> Segui o vosso bispo como Jesus Cristo ao Pai, e o vosso presbitério como aos Apóstolos! Estimai, porém, o serviço como um mandamento de Deus! Sem o bispo, ninguém faça nada que diga respeito à Igreja!
> SANTO INÁCIO DE ANTIOQUIA

250 *O que entende a Igreja por sacramento da Ordem?*

Os →SACERDOTES da Antiga Aliança encararam a sua missão como uma mediação entre o celeste e o terreno, entre Deus e o Seu Povo. Sendo Cristo o único «mediador entre Deus e a humanidade» (1TM 2,5), Ele aperfeiçoou e *concluiu* este sacerdócio. Depois de Cristo, o sacerdócio só pode existir *em* Cristo, na imolação de Cristo na cruz e *através* do chamamento e do envio apostólico de Cristo. [1539-1553, 1592]

Um ministro católico ordenado não celebra os sacramentos por força própria ou por perfeição moral (que ele, frequente e infelizmente, não tem), mas *in persona Christi*. Pela sua ordenação, cresce nele a força de Cristo, que transforma, cura e salva. Porque um ministro ordenado de si nada tem, é acima de tudo um servo. Por isso, o sinal de reconhecimento de um autêntico ministro ordenado é o humilde assombro pela sua própria vocação. → 215

251 *Quais são os graus da Ordem?*

O sacramento da Ordem compreende três graus: →BISPO (episcopado), →PRESBÍTERO (presbiterado) e →DIÁCONO (diaconado). [1554, 1593] → 140

252 *O que acontece na ordenação episcopal?*

Na ordenação episcopal é transmitida a um →PRESBÍTERO a plenitude do sacramento da Ordem. Ele é ordenado sucessor dos →APÓSTOLOS e entra no colégio dos bispos. Juntamente com os outros bispos e o →PAPA, é responsável, a partir de então, pela totalidade da Igreja. A Igreja encarrega-o especialmente dos serviços do ensino, da santificação e da direção. [1555-1559]

O ministério do bispo é, no fundo, o ministério pastoral da Igreja, porque remonta às testemunhas de Jesus, os →APÓSTOLOS, continuando o ministério pastoral deles, que foi instituído por Cristo. Até o →PAPA é um bispo, embora seja o primeiro entre os →BISPOS e o guia do seu colégio. → 92, 137

253 *Em que medida é importante, para um cristão católico, o seu bispo?*

Um cristão católico assume o seu compromisso perante o seu →Bispo, que é para ele o representante de Cristo. Para mais, o bispo, que exerce o ministério pastoral com os seus →Presbíteros e →Diáconos, como seus assistentes ordenados, é o princípio visível e o fundamento da Igreja local (chamada também diocese). [1560-1561]

254 *O que acontece na ordenação presbiteral?*

Na ordenação presbiteral, o →Bispo invoca a força de Deus sobre o ordinando. Ela impregna esta pessoa com um selo indelével, para nunca mais o abandonar. Como colaborador do seu bispo, o →Presbítero anunciará a Palavra de Deus, celebrará os sacramentos e presidirá sobretudo à Sagrada →Eucaristia. [1562-1568]

Durante a Santa Missa, a ordenação presbiteral começa com a chamada nominal dos candidatos. Após a homilia, o futuro presbítero promete obediência ao →Bispo e seus sucessores. A ordenação propriamente dita acontece com a imposição das mãos e a oração. → 215, 236, 259

255 *O que acontece na ordenação diaconal?*

Na ordenação diaconal, o candidato é orientado para um serviço próprio dentro do sacramento da Ordem. Ele representa Cristo como Aquele que não veio «para ser servido, mas para servir e dar a Sua vida em resgate de muitos» (Mt 20,28). Na Liturgia da ordenação diz-se: «No serviço da Palavra, do altar e da caridade, o →Diácono está disponível para todos.»

O arquétipo do →Diácono é o mártir Santo Estêvão. Quando os →Apóstolos, na primitiva comunidade de Jerusalém, se viram sobrecarregados com muitas tarefas caritativas, encarregaram sete pessoas "para o serviço das mesas", que viriam a ser consagrados por eles. Santo Estêvão, o primeiro a ser nomeado, agia "cheio de graça e de força" pela nova fé e pelos pobres

DIÁCONO
(gr. *diakonos* = servo)
O diácono é o primeiro grau do sacramento da Ordem da Igreja Católica. Como o próprio nome indica, o diácono ocupa-se sobretudo do âmbito caritativo (diaconia), embora possa também ensinar, fazer catequese, anunciar o Evangelho, pregar na Missa e assistir às celebrações litúrgicas.

Os diáconos devem igualmente ser dignos, homens de palavra, não propensos ao excesso de bebidas nem a lucros desonestos. [...] Não se casem os diáconos mais que uma vez; governem bem os filhos e a própria casa.

1Tm 3,8.12

> Ninguém teria sido melhor sacerdote do que ela [Maria] foi. Ela podia ter dito sem hesitar: «Isto é o Meu corpo», porque ela realmente ofereceu a Jesus o seu próprio corpo. E, no entanto, Maria permaneceu a despretensiosa serva do Senhor, para que pudéssemos recorrer sempre a ela como nossa mãe. Ela é uma de nós e estamos sempre unidos a ela. Depois da morte do seu Filho, ela continuou a viver na Terra, para fortalecer os Apóstolos no seu serviço, sendo sua mãe, até que a jovem Igreja adquirisse forma.
>
> Santa Teresa de Calcutá

da comunidade. Depois de o diaconado se ter convertido, ao longo de séculos, num mero grau da Ordem, como passagem para o ministério presbiteral, tornou-se hoje novamente uma vocação independente para celibatários e casados. Assim, por um lado, o caráter serviçal da Igreja fica de novo acentuado; por outro, pretende-se, tal como na Igreja primitiva, que haja, ao lado dos → Presbíteros, pessoas que assumam sobretudo tarefas eclesiais de teor sociopastoral. A ordenação diaconal também marca o ordenado irrevogavelmente para toda a vida. → 140

256 *Quem pode receber o sacramento da Ordem?*

É admitido à Ordem do → Diaconado, do → Presbiterado e do → Episcopado qualquer homem batizado e católico que a Igreja chamar a esse ministério. [1577-1578]

257 *Porventura as mulheres são desvalorizadas, por serem admissíveis apenas os homens ao sacramento da Ordem?*

A decisão de admitir apenas homens às ordens sacras não constitui uma desvalorização da mulher. Diante de Deus, o homem e a mulher têm a mesma dignidade, mas têm missões e → Carismas diferentes. A Igreja vê-se induzida por Jesus ter eleito exclusivamente *homens* quando, na Última Ceia, instituiu o sacerdócio. O Papa João Paulo II definiu em 1994 que «a Igreja não tem absolutamente a faculdade de conferir a ordenação sacerdotal às mulheres, e que esta sentença deve ser considerada como definitiva por todos os fiéis da Igreja».

Como ninguém na Antiguidade, Jesus revalorizou as mulheres de uma forma provocante, fez amizade com elas e protegeu-as. Havia mulheres entre os Seus discípulos e Jesus apreciou a sua fé. Foi inclusivamente uma mulher a primeira testemunha da ressurreição, pelo que Maria Madalena é chamada "apóstola dos Apóstolos". Não obstante, o sacerdócio ordenado e o ministério pastoral foram sempre transmitidos a homens. No → Sacerdócio masculino a comunidade podia encontrar representado Jesus Cristo. O sacercódio é um serviço especial que o homem também exerce na sua dimensão masculina e paternal. Isto não é, porém, uma forma de submissão masculina das mulheres. As mulheres desempenham na Igreja, como vemos em Maria, um papel que não é menos central que o masculino, mas é um papel feminino. Eva tornou-se a mãe de todos os viventes (GN 3,20); como "mãe de todos os viventes", as mulheres têm dons e capacidades especiais. Sem o seu ensino, o seu anúncio, a sua caridade, a sua → ESPIRITUALIDADE e o seu cuidado pastoral especial, a Igreja seria "meia paralítica". Sempre que os homens na Igreja usam o seu serviço sacerdotal como instrumento de poder, ou não permitem que as mulheres exerçam os seus → CARISMAS, eles repudiam o amor e o Espírito Santo de Jesus. → 64

258 *Por que motivo a Igreja exige uma vida celibatária aos bispos e aos presbíteros?*

Jesus viveu celibatariamente e quis exprimir assim o Seu amor indiviso por Deus Pai. Assumir o estilo de vida de Jesus, vivendo uma castidade celibatária «por causa do Reino dos Céus» (Mt 19,12), tornou-se, desde o tempo de Jesus, um sinal de amor, de indivisa entrega ao Senhor e de total disponibilidade para o serviço. A Igreja Católica romana exige esta forma de vida dos seus bispos e presbíteros; as Igrejas católicas orientais, apenas dos seus bispos.
[1579-1580, 1599]

O celibato, diz o Papa Bento XVI, não pode significar «permanecer vazio no amor, mas deve significar deixar-se apaixonar por Deus». Um → SACERDOTE, vivendo o celibato, deve ser fecundo ao representar a paternidade de Deus e de Jesus. O Papa diz mais: «Cristo necessita de sacerdotes que sejam maduros e viris, capazes de exercer uma verdadeira paternidade espiritual.»

CELIBATO
(lat. *caelebs* = solteiro)
O celibato é a obrigação, voluntariamente aceite, de viver solteiro «por causa do Reino dos Céus». Na Igreja Católica, essa promessa é vivida sobretudo por pessoas das ordens e congregações religiosas (voto de castidade) e por clérigos (lei do celibato).

>> Sabe a Igreja Católica que radical inversão de valores introduziria com a supressão do celibato? O celibato dos sacerdotes, loucura do Evangelho, conservou nela uma realidade oculta.
A Igreja orientou-se, nesta matéria, para o invisível, o mistério de Cristo.
IRMÃO ROGER SCHUTZ

E vós mesmos, como pedras vivas, entrai na construção deste templo espiritual, para constituirdes um sacerdócio santo, destinado a oferecer sacrifícios espirituais, agradáveis a Deus por Jesus Cristo.
1Pd 2,5

> Vós sois raça eleita, sacerdócio régio, nação santa, povo adquirido por Deus, para proclamar as obras maravilhosas d'Aquele que vos chamou das trevas para a Sua luz maravilhosa.
>
> 1Pd 2,9

259 Como se distingue o sacerdócio comum dos fiéis do sacerdócio ministerial?

Pelo Batismo, Cristo fez de nós um Reino de «sacerdotes para Deus Seu Pai» (Ap 1,6). Pelo sacerdócio comum, cada qual é chamado por Cristo a agir no mundo em nome de Deus, servindo-Lhe de mediador da → Bênção e da graça. Na Última Ceia e no envio dos → Apóstolos, porém, Cristo dotou alguns com um poder sagrado para o serviço dos crentes; estes → Ministros ordenados representam Cristo como pastores do Seu Povo e cabeça do Seu "corpo", a Igreja. [1546-1553, 1592]

> Uma gota de amor é mais que um oceano de inteligência.
>
> Blaise Pascal

A mesma palavra → Sacerdote, aplicada a duas coisas análogas, mas distintas «no ser e não simplesmente no grau» (*Lumen gentium*, n.º 10), tem provocado ambiguidades. Por um lado, temos de compreender com grande alegria que nós, batizados, somos "sacerdotes", porque vivemos em Cristo e participamos em tudo do que Ele é e faz; por que motivo, portanto, não invocamos permanentemente a bênção sobre este mundo? Por outro lado, temos de redescobrir o dom de Deus à Sua Igreja, os sacerdotes, que representam o próprio Senhor.

→ 138

Sacramento do Matrimônio

> Como posso descrever a felicidade do Matrimônio estabelecido pela Igreja? [...] É uma união de dois crentes com uma esperança, um desejo, um estilo de vida, um serviço [...] sem divisão no espírito ou na carne. Onde a carne é uma, também aí o espírito é um.
>
> Tertuliano (ca. 160-220, autor eclesiástico latino)

260 Por que dispôs Deus o homem e a mulher um para o outro?

Deus dispôs o homem e a mulher um para o outro para que «não fossem mais dois, mas um» (Mt 19,5). Desta forma, devem viver no amor, ser fecundos e assim tornar-se sinal de Deus, que nada mais é que amor transbordante. [1601-1605]

→ 64, 400, 417

261 Como se realiza o sacramento do Matrimônio?

O → Sacramento do Matrimônio realiza-se mediante uma promessa entre um homem e uma mulher, prestada diante de Deus e da Igreja, aceite e selada

por Deus e concluída pela união corporal do casal. Porque é o próprio Deus que dá o laço do Matrimônio sacramental, Ele mantém-no unido até à morte de um dos consortes. [1625-1631]

No sacramento do Matrimônio, os ministros são, um para o outro, o homem e a mulher. O → SACERDOTE ou o → DIÁCONO invoca a → BENÇÃO de Deus para o casal, sendo, de resto, apenas uma testemunha de que o Matrimônio foi celebrado nas condições corretas e que as promessas foram prestadas completa e publicamente. O Matrimônio só acontece se houver um consenso matrimonial, isto é, quando o homem e a mulher desejam o Matrimônio livremente e sem medo ou obrigação, e quando não estão impedidos do Matrimônio por outras uniões naturais ou eclesiais (se já estavam casados ou eram celibatários).

262 *O que é necessário para um Matrimônio cristão sacramental?*

A um Matrimônio sacramental pertencem necessariamente três elementos: a) o consentimento livre, b) a concordância com uma união para toda a vida e apenas com o consorte, e c) a abertura aos filhos. O mais profundo num Matrimônio cristão é, todavia, a

> Maridos, amai as vossas mulheres, como Cristo amou a Igreja e Se entregou por ela. Ele quis santificá--la, purificando-a no Batismo da água pela Palavra da Vida... Assim devem os maridos amar as suas mulheres, como os seus corpos.
>
> Ef 5,25 ss.

> Os cristãos não amam de um modo diferente das outras pessoas, mas têm mais ajuda.
>
> Anônimo

MONOGAMIA, POLIGAMIA

(gr. *monos* = um; *polys* = muitos; *gamos* = casamento)
O Cristianismo rejeita a poligamia, mesmo sendo apenas bigâmica (gr. *bi* = dois).

consciência do casal de que são uma imagem viva do amor entre Cristo e a Igreja. [1644-1654, 1664]

A exigência da *unidade e indissolubilidade* visa a rejeição da poligamia, na qual o Cristianismo vê um atentado básico ao amor e aos direitos humanos; implica também a rejeição daquilo a que se pode chamar → "POLIGAMIA sucessiva": uma consequência de relações amorosas sem um compromisso suficientemente grande para ser revivido. A exigência de uma *fidelidade matrimonial* contém a disposição para uma ligação de uma vida inteira, que exclui relacionamentos amorosos paralelos. A exigência da *disponibilidade*

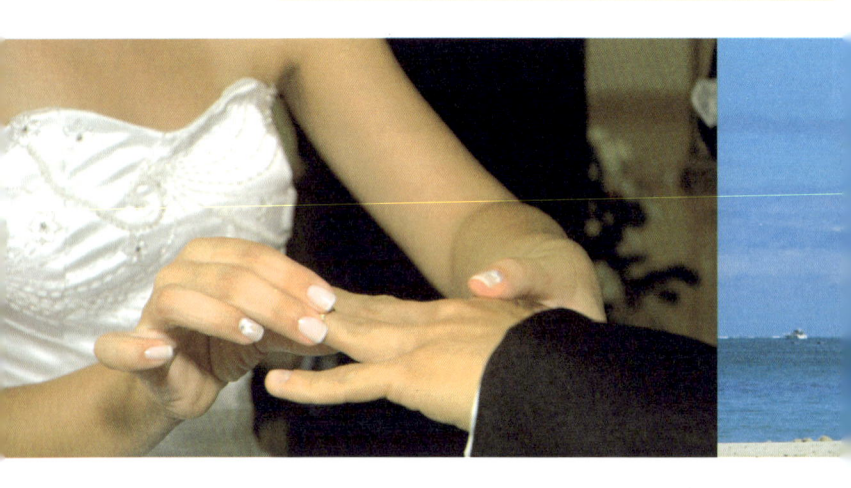

> Um casamento aberto é um casamento que não foi realizado.
> THEODOR WEISSENBORN (*1933, escritor alemão)

> O amor aperfeiçoa-se na fidelidade.
> SÖREN KIERKEGAARD

para a fecundidade significa que um casal cristão, no âmbito das suas possibilidades, está aberto aos filhos que Deus lhe quiser conceder; os casais que não conseguem ter filhos são chamados por Deus a tornarem-se "fecundos" de outra maneira. Um Matrimônio em que um destes elementos é excluído quando da sua celebração não chega a realizar-se verdadeiramente.

263 *Por que motivo o Matrimônio é indissolúvel?*

O Matrimônio é indissolúvel por três razões. Primeiro, porque corresponde à essência do amor entregar-se mutuamente sem reservas. Depois, porque ele é

imagem da incondicional fidelidade de Deus à Sua Criação. Finalmente, porque ele representa a entrega de Cristo à Sua Igreja até a morte na cruz. [1605, 1612-1617, 1661]

Num tempo em que, em muitos lugares, são dissolvidos 50% dos casamentos, o casamento que se mantém é, em última instância, um grande sinal de Deus. Neste mundo, em que tanta coisa é *relativa*, as pessoas precisam crer em Deus, o único que é *absoluto*. Assim, o que não é relativo torna-se tão importante: alguém que diz *absolutamente* a verdade ou é *absolutamente* fiel. A fidelidade absoluta no Matrimônio, mais do que ser um testemunho do esforço humano, remete para a fidelidade de Deus, que está sempre presente, mesmo quando nós, na questão da fidelidade, O traímos e esquecemos. Casar-se pela Igreja significa confiar mais na ajuda de Deus que nas próprias reservas de amor.

> Um homem enamorado revela que Deus o chama a ser uma comunidade.
>
> FIÓDOR DOSTOIÉVSKI

> Cada homem que ama revela-se ao outro como uma maravilha.
>
> FRANCOIS MAURIAC (1885--1979, romancista francês)

> Amar é dar-se.
>
> MICHEL QUOIST (1921--1997, padre e escritor francês)

> Se formos infiéis, Ele permanece fiel, porque não Se pode negar a Si mesmo.
>
> 2TM 2,13

264 *Como é ameaçado o Matrimônio?*

O que realmente ameaça o Matrimônio é o pecado; o que o renova é o perdão; o que o fortalece é a oração e a confiança na presença de Deus. [1606-1608]

O conflito entre os homens e as mulheres, que por vezes leva ao ódio mútuo especialmente no casamento, não é um sinal de incompatibilidade dos sexos; também não existe uma disposição genética para a infidelidade, nem um especial impedimento psíquico para uniões perpétuas. Muitos casamentos são danificados por uma carente cultura de diálogo e de atenção. A isso se acrescentam problemas financeiros e econômicos. Um papel decisivo, porém, tem a realidade do pecado: o ciúme, o despotismo, a polêmica, a avidez, a infidelidade e outras forças destruidoras.
Por isso, fazem essencialmente parte do casamento o perdão e a reconciliação, mesmo através da Confissão.

265 *Porventura todas as pessoas estão vocacionadas para o Matrimônio?*

Nem todas as pessoas são chamadas ao Matrimônio. Também as pessoas que vivem sós podem ter uma vida plena. A algumas delas Jesus revela um caminho especial; Ele convida-as a viverem solteiras «por causa do Reino dos Céus» (Mt 19,12). [1618-1620]

Muitas pessoas que vivem sós sofrem da sua solidão, entendem-na apenas como carência e desvantagem. Porém, uma pessoa que não tenha de se preocupar com o cônjuge ou com a família goza de liberdade e independência e tem tempo para coisas interessantes e importantes que uma pessoa casada não conseguiria fazer. Talvez seja da vontade de Deus que ela se preocupe com pessoas que não contam com o apoio de ninguém. Não raramente até, Deus chama tal pessoa a uma especial proximidade de Si; é o caso, portanto, do desejo de renunciar a um parceiro, «por causa do Reino dos Céus». No entanto, no Cristianismo não existe uma vocação ao desprezo do matrimônio ou da sexualidade. O celibato livre só pode ser vivido no amor e do amor, enquanto sinal poderoso de que Deus é o mais importante.
O celibatário renuncia à relação sexual, mas não ao amor; ele vai, cheio de desejo, ao encontro de Cristo, o esposo que vem (Mt 25,6).

> Cristo não tem mãos, só as nossas mãos, para realizar hoje a Sua obra.
>
> Reflexão do século XIV

266 Como é celebrado o casamento na Igreja?

A celebração do Matrimônio deve em regra acontecer publicamente. Os noivos são interrogados sobre a sua disposição em relação ao casamento, isto é, se estão decididos a amar-se e a respeitar-se ao longo de toda a sua vida. Depois, prometem fidelidade mútua «na alegria e na tristeza, na saúde e na doença, todos os dias» da sua vida. O → Sacerdote ou o → Diácono confirma o enlace e abençoa as alianças, que são trocadas pelos noivos. Finalmente, o presidente concede a bênção nupcial.
[1621-1624, 1663]

No rito do Matrimônio, a Igreja interroga o noivo e a noiva da seguinte maneira:

Presidente: [Nomes,] viestes aqui para celebrar o vosso Matrimônio. É de vossa livre vontade e de todo o coração que pretendeis fazê-lo?

Noivos: É, sim.

Presidente: Vós que seguis o caminho do Matrimônio, estais decididos a amar-vos e a respeitar-vos ao longo de toda a vossa vida?

Noivos: Estou, sim.

Presidente: Estais dispostos a receber amorosamente os filhos como dom de Deus e a educá-los segundo a lei de Cristo e da sua Igreja?

Noivos: Estou, sim.

267 O que se faz quando um cônjuge católico se quer casar com um não-católico?

Para este matrimônio é preciso apenas solicitar uma autorização eclesiástica. O chamado matrimônio interconfessional (ou «misto», entre um católico e um batizado não-católico) exige dos cônjuges uma fidelidade especial a Cristo, que conduza à vivência da fé, para não prolongar ainda mais o escândalo da separação dos cristãos. [1633-1637]

Irei para onde fores e viverei onde viveres. O teu povo será o meu povo e o teu Deus será o meu Deus. Onde morreres, morrerei eu, e ali serei sepultada. Faça-me assim o Senhor, e outro tanto, se me separar de ti outra coisa que não seja a morte.
Rt 1,16-17

A diferença de confissão religiosa entre os cônjuges não constitui um obstáculo insuperável para o Matrimônio, quando eles conseguem pôr em comum o que cada um recebeu na sua comunidade e aprender um do outro o modo como cada um vive a sua fidelidade a Cristo.
CCC, 1634

DISPENSA
Uma dispensa é, no Direito Canônico, uma libertação de uma lei eclesiástica. É ao bispo ou à Santa Sé que a compete emitir.

> Não se ponha o sol sobre o vosso ressentimento. Não deis lugar ao demônio.
>
> Ef 4,26 ss.

> Experimentai o amor com confiança, mas primeiro enchei-o de perdão.
>
> Werner Bergengruen

> Os divorciados recasados, não obstante a sua situação, continuam a pertencer à Igreja, que os acompanha com especial solicitude na esperança de que cultivem, quanto possível, um estilo cristão de vida, através da participação na Santa Missa, ainda que sem receber a comunhão, da escuta da Palavra de Deus, da adoração eucarística, da oração, da cooperação →

268 Pode um cristão católico casar com uma pessoa de outra religião?

Para a fé dos crentes católicos e a dos seus futuros filhos pode ser difícil celebrar e viver o casamento com uma pessoa de outra →Religião. Como responsável pelos crentes, a Igreja Católica estabeleceu o impedimento do casamento entre pessoas de religiões diferentes. Por isso, um tal casamento só pode ser validamente celebrado quando se liberta (→Dispensa) de tal impedimento; ele não é, todavia, sacramental.
[1633-1637]

269 Podem separar-se cônjuges em litígio?

A Igreja tem uma elevada consideração pela capacidade do ser humano em formular uma promessa e ligar-se em perpétua fidelidade. Ela leva muito a sério a sua palavra. Uma relação conjugal pode comprometer-se com uma crise. O diálogo, a oração (comum), por vezes também as ajudas psicológicas... podem abrir caminhos para sair da crise. Sobretudo a lembrança de que numa união sacramental existe sempre uma terceira pessoa, Cristo, pode reacender a esperança. Quem, no entanto, considera insuportável o seu casamento, ou foi exposto a uma violência psíquica ou corporal, pode optar pela separação. Designa-se esta situação por "separação da mesa e da cama", que deve ser participada à Igreja. Mesmo quando, nestes casos, a comunhão de vida é quebrada, permanece válido o casamento.
[1629, 1649]

Há, aliás, casos em que as crises de casamento remontam, em última análise, ao fato de um ou ambos os cônjuges não terem possuído as capacidades necessárias ou o desejo pleno do Matrimônio, no momento da sua celebração. Neste caso, o casamento é juridicamente inválido, podendo, assim, ser introduzido um processo de declaração de nulidade no Tribunal Eclesiástico diocesano.

→ 424

270 Como se comporta a Igreja perante os divorciados recasados?

Ela acolhe-os segundo o exemplo de Jesus. Quem, após um casamento católico, se divorcia e ainda durante a vida do seu consorte estabelece uma nova ligação encontra-se sem dúvida em contradição com a clara exigência de Jesus sobre a indissolubilidade matrimonial. A Igreja não pode abolir essa exigência. A revogação da fidelidade é oposta à → Eucaristia, na qual a Igreja celebra precisamente a irrevogabilidade do amor de Deus; por isso, quem vive em tal situação contraditória não pode aceder à Sagrada → Comunhão. [1665, 2384]

Longe de tratar por igual todos os casos concretos, o Papa Bento XVI fala de uma «situação dolorosa» e exorta os pastores «a discernirem bem as diferentes situações, para ajudarem espiritualmente e de modo adequado os fiéis implicados». (*Sacramentum caritatis*, n.º 29) → 424

271 O que significa dizer que a família é uma pequena Igreja?

A família é em ponto pequeno o que a Igreja é em ponto grande: a imagem do amor de Deus na comunhão de pessoas. Cada Matrimônio aperfeiçoa-se na abertura e na disponibilidade para os outros (sobretudo para os filhos que Deus concede), na aceitação recíproca e na hospitalidade. [1655-1657]

Nada fascinou mais as pessoas na Igreja primitiva, no "novo caminho" dos cristãos, que as "Igrejas domésticas". Acontecia frequentemente alguém acreditar «no Senhor, ele e a sua família; e muitos [...] abraçavam também a fé e recebiam o Batismo» (At 18,8). Num mundo não crente, surgiram ilhas de fé viva, locais de oração, de partilha e de efusiva hospitalidade. Roma, Corinto, Antioquia, grandes cidades da Antiguidade, eram impregnadas de Igrejas domésticas como pontos luminosos. Ainda hoje as famílias em cuja casa Cristo está presente poderiam tornar-se o grande fermento da renovação da nossa sociedade. → 368

→ na vida comunitária, do diálogo franco com um sacerdote ou um mestre de vida espiritual, da dedicação ao serviço da caridade, das obras de penitência, do empenho na educação dos filhos.
Bento XVI, *Sacramentum caritatis*, n.º 29

> Ninguém está privado da família neste mundo: a Igreja é casa e família para todos, especialmente para quantos estão «cansados e oprimidos» (Mt 11,28).
João Paulo II, *Familiaris consortio*, n.º 85

> Se quiseres que alguém se torne cristão, deixa-o viver um ano na tua casa.
São João Crisóstomo

EXORCISMO
(gr. *exorkismós*
= conjuração para fora)
O exorcismo é uma
oração, por força da
qual uma pessoa é
protegida do mal
ou libertada dele.

Sede sóbrios e vigiai! O vosso inimigo, o diabo, anda à vossa volta, como leão que ruge, procurando a quem devorar. Resisti-lhe, firmes na fé!
1Pd 5,8

99 A piedade popular é uma das nossas forças, porque se trata de orações muito arraigadas no coração das pessoas. Também pessoas que estão um pouco distantes da vida da Igreja e não têm uma grande compreensão da fé são tocadas no coração por estas orações. Devem apenas «iluminar-se» estes gestos, «purificar-se» esta tradição, a fim de que se torne em vida da Igreja, em ato.
Bento XVI, 22.02.2007

QUARTO CAPÍTULO
Outras celebrações litúrgicas

272 *O que são sacramentais?*

Sacramentais são sinais ou ações sagradas em que é concedida a bênção.
[1667-1672, 1677-1678]

Os sacramentais comuns são a água benta, a consagração dos sinos ou do órgão, a bênção da casa ou do automóvel, a imposição das cinzas, os ramos da Semana Santa e o círio pascal.

273 *Pratica a Igreja ainda hoje o exorcismo?*

Em cada celebração batismal é realizado o chamado "pequeno →Exorcismo", uma oração em que o batizando é libertado do mal e fortalecido contra as forças que Jesus venceu. O grande exorcismo é uma oração da plenipotência de Jesus, através da qual um cristão batizado é retirado, na força de Jesus, da influência e da violência do mal; só raramente, e após um exame rigoroso, é utilizado na Igreja. [1673]

O que é apresentado como "→Exorcismo" nos filmes de Hollywood não corresponde geralmente à Verdade de Jesus e da Igreja. Jesus expulsou demônios, pois tinha poder sobre as forças e os poderes maus, e podia libertar as pessoas deles; Ele deu aos Apóstolos «poder de expulsar espíritos impuros e de curar todas as doenças e sofrimentos» (Mt 10,1). Isto é o que faz a Igreja, quando hoje em dia um →Sacerdote encarregado diz sobre uma pessoa a oração de exorcismo; antes, porém, deve excluir-se que se trata de um fenômeno psíquico (este assunto pertence à especialidade do psiquiatra). No exorcismo está em questão a defesa contra a tentação e a opressão, e a libertação do poder do mal.
→ 90-91

274 *Em que medida é importante a chamada "piedade popular"?*

A piedade popular, que se expressa na veneração de relíquias, assim como em procissões, peregrinações e devoções, é uma importante forma de inculturação da fé, que é boa enquanto for eclesial, isto é, enquanto conduz a Cristo e não quer merecer o Céu através das obras, passando ao lado da graça de Deus. [1673]

RELÍQUIA
(lat. *relictum* = resto)
As relíquias são restos dos corpos dos santos, assim como objetos que eles utilizaram durante a sua vida.

275 *Podem as relíquias ser veneradas?*

A veneração de →RELÍQUIAS é uma necessidade natural do ser humano, para testemunhar o respeito e a devoção por pessoas veneráveis. As relíquias dos santos são corretamente veneradas quando é louvada a ação de Deus nessas pessoas que se entregaram totalmente a Ele. [1674]

276 *Qual é o sentido das peregrinações?*

Quem faz peregrinações "reza" com os pés e experimenta com todos os sentidos que a sua vida é um grande caminho para Deus. [1674]

Que alegria quando me disseram: «Vamos para a casa do Senhor!» Os nossos passos se detêm às tuas portas, Jerusalém.

SL 122,1-2

> Os caminhos de Deus são os caminhos que Ele próprio percorreu e que nós agora temos de percorrer com Ele.
> DIETRICH BONHOEFFER

> A Igreja avança na sua peregrinação até o termo das coisas, entre a perseguição do mundo e o consolo de Deus.
> SANTO AGOSTINHO

Frequentes vezes se lê que no Antigo Testamento o povo peregrinava para Jerusalém. Trata-se de um sinal cristão a ter em conta. Na Idade Média, esta antiga tradição concretizou-se em vastas e famosas peregrinações às cidades santas de Jerusalém, Roma e Santiago de Compostela. As peregrinações são sinal de penitência, e são também um modo de libertação de maus pensamentos, dispondo-se deste modo o homem a aproximar-se de Deus. Hoje em dia, assistimos a um renascimento deste costume de peregrinar. Os cristãos querem dizer através deste sinal que procuram a paz e que o poder da graça de Deus os seduz.

277 O que é a Via-Sacra?

Seguir as 14 estações da Via-Sacra de Jesus, contemplando e orando, é um exercício muito antigo de piedade da Igreja, especialmente realizado no tempo da Quaresma e na Semana Santa. [1674-1675]

As 14 estações da Via-Sacra são:

1. Jesus é condenado à morte.
2. Jesus toma a cruz sobre os Seus ombros. 
3. Jesus cai pela primeira vez. 
4. Jesus encontra a Sua mãe. 
5. Simão de Cirene ajuda Jesus. 
6. A Verônica enxuga o rosto de Jesus.

7. Jesus cai pela segunda vez.

8. Jesus encontra as mulheres de Jerusalém.

9. Jesus cai pela terceira vez.

10. Jesus é despido das Suas vestes.

11. Jesus é pregado na cruz.

12. Jesus morre na cruz.

13. Jesus é retirado da cruz.

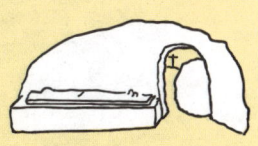

14. O corpo de Jesus é colocado no sepulcro.

> **99** De modo nenhum somos separados uns dos outros pela morte, pois todos percorremos o mesmo caminho e nos reencontraremos no mesmo lugar.
>
> SÃO SIMEÃO DE TESSALÓNICA († 1429, teólogo e místico)

278 *Que caráter tem um funeral cristão?*

As exéquias cristãs são um serviço da comunidade aos seus mortos. Elas assimilam de um modo pascal a tristeza dos que ficaram para trás. No fundo, morremos em Cristo, para com Ele celebrarmos a festa da ressurreição. [1686-1690]

TERCEIRA PARTE

3 A vida em Cristo

PERGUNTAS 279–468

Para que estamos na Terra, o que devemos fazer
e como nos ajuda o Espírito Santo de Deus 162

A dignidade do ser humano 162

A comunhão humana 180

Os Dez Mandamentos 193

Ama o Senhor, teu Deus, com todo o coração,
com toda a alma e com todos os teus pensamentos 194

Ama o teu próximo como a ti mesmo 202

> Sem Mim, nada podeis fazer.
>
> Jo 15,5

> Nada te perturbe,
> nada te espante.
> Tudo passa.
> Deus não muda.
> A paciência tudo alcança.
> Quem a Deus tem, nada lhe falta.
> Só Deus basta!
>
> SANTA TERESA DE ÁVILA

> Deus criou o ser humano à Sua imagem, criou-o à imagem de Deus. Ele o criou homem e mulher.
>
> GN 1,27

> Onde desaparece Deus, o ser humano não se torna grande; ao contrário, perde a dignidade divina, perde o esplendor de Deus no seu rosto. No fim resulta somente o produto de uma evolução cega e, como tal, pode ser usado e abusado. Foi precisamente quanto a experiência desta nossa época confirmou.
>
> BENTO XVI, 15.08.2005

PRIMEIRA SEÇÃO
Para que estamos na Terra, o que devemos fazer e como nos ajuda o Espírito Santo de Deus

279 *Por que precisamos da fé e dos sacramentos para viver bem e autenticamente?*

Se fôssemos abandonados a nós e às nossas forças, não conseguiríamos ir longe nas nossas tentativas de sermos bons. Pela fé descobrimo-nos como filhos de Deus, que Ele fortalece. A "graça" acontece precisamente quando Deus nos dá a Sua força. Especialmente nos sinais sagrados, que designamos por → SACRAMENTOS, Deus concede-nos a capacidade de querer e realmente praticar o bem. [1691-1695]

Porque Deus viu a nossa necessidade, retirou-nos, pelo Seu Filho Jesus Cristo, «do poder das trevas» (CL 1,13). Ele deu-nos a possibilidade de um novo começo em comunhão com Ele, percorrendo o caminho do amor.
→ 172-178

PRIMEIRO CAPÍTULO
A dignidade do ser humano

280 *Como fundamentam os cristãos a dignidade humana?*

Cada ser humano tem, desde o primeiro instante, no seio materno, uma dignidade intocável, porque desde toda a eternidade Deus o desejou, amou, criou, remiu e destinou para a eterna felicidade e salvação. [1699-1715]

Se a importância de um ser humano proviesse apenas dos seus sucessos e prestações que ele individualmente realiza, não teriam qualquer importância os que são fracos, doentes e débeis. Os cristãos creem que a importância do ser humano provém, primeiramente, da importância de Deus. Ele repara em cada pessoa

TERCEIRA PARTE – A VIDA EM CRISTO

162 | 163

[I] 1. CAPÍTULO: A DIGNIDADE DO SER HUMANO

> Deus quer que sejamos felizes. Mas onde está a nascente desta esperança? Está na comunhão com Deus, que vive no fundo da alma de cada pessoa.
>
> IRMÃO ROGER SCHUTZ

> A felicidade não está em nós, assim como a felicidade não está fora de nós. A felicidade está só em Deus. E quando O tivermos encontrado, ela estará por todo lado.
>
> BLAISE PASCAL

e ama-a como se fosse a única criatura no mundo. Porque Deus tem o Seu olhar sobre o menor dos seres humanos, este possui uma dignidade infinita que não pode ser destruída por ninguém. → 56-65

281 *Por que desejamos a felicidade?*

Deus colocou no nosso coração uma ânsia tão infinita de felicidade, que só Ele a consegue satisfazer. As realizações terrenas apenas nos dão um antegozo da felicidade eterna. Superando-as, temos de nos virar para Deus. [1718-1719, 1725] → 1-3

282 *Conhece a Sagrada Escritura algum caminho para a felicidade?*

Seremos felizes à medida que confiarmos nas palavras de Jesus contidas nas "bem-aventuranças". [1716-1717]

O Evangelho é uma promessa de felicidade para todas as pessoas que desejam percorrer os caminhos de Deus. Jesus disse concretamente, sobretudo nas bem-aventuranças (MT 5,3-12), que a → BÊNÇÃO infinita se baseia em seguirmos o Seu estilo de vida e procurarmos a paz com o coração puro.

283 Quais são as bem-aventuranças?

Bem-aventurados os pobres em espírito, porque deles é o Reino dos Céus!

Bem-aventurados os humildes, porque possuirão a terra!

Bem-aventurados os que choram, porque serão consolados!

Bem-aventurados os que têm fome e sede de justiça, porque serão saciados!

Bem-aventurados os misericordiosos, porque alcançarão misericórdia!

Bem-aventurados os puros de coração, porque verão a Deus!

Bem-aventurados os que promovem a paz, porque serão chamados filhos de Deus!

Bem-aventurados os que sofrem perseguição por amor da justiça, porque deles é o Reino dos Céus!

Bem-aventurados sereis quando, por Minha causa, vos insultarem, vos perseguirem e, mentindo, disserem todo o mal contra vós! Alegrai-vos e exultai, porque é grande nos Céus a vossa recompensa! (Mt 5,3-12)

284 Por que são tão importantes as bem-aventuranças?

Quem anseia pelo Reino de Deus olha para a lista das prioridades de Jesus: as bem-aventuranças.
[1716-1717, 1725-1726]

Deus fez promessas ao Seu Povo desde Abraão. Jesus retoma-as, dilata ao Céu a sua validade e faz delas o Seu próprio programa de vida: o Filho de Deus torna-Se pobre, para tomar parte na nossa pobreza; Ele alegra-Se com os alegres e chora com os que choram (Rm 12,15); não recorre à violência, mas dá a outra face (Mt 5,39); teve misericórdia, promoveu a paz e mostrou assim o caminho seguro para o Céu.

> Pois só Ele é o Caminho, que vale a pena seguir, a Luz, que vale a pena acender, a Vida que merece ser vivida e o Amor que vale a pena amar.
>
> Santa Teresa de Calcutá

> Querer tudo o que Deus quer e querê-lo sempre, em todas as ocasiões e sem restrições: isto é o Reino de Deus, que é totalmente interior.
>
> François Fénelon

> O ser humano é tão grande que nada sobre a Terra o pode contentar. Só quando se volta para Deus ele fica satisfeito. Tira um peixe da água, que ele não conseguirá viver. Isso é o ser humano sem Deus.
>
> São João Maria Vianney

Porque O veremos tal como Ele é.

1Jo 3,2

> Ser livre significa possuir-se a si mesmo.
>
> Dominique Lacordaire (1802-1861, famoso pregador dominicano)

> Quem se abandona totalmente nas mãos de Deus não se torna um fantoche de Deus, alguém conscientemente aborrecido; ele não perde a sua liberdade. Somente quem confia em Deus totalmente encontra a verdadeira liberdade, a grande e criativa vastidão da liberdade do bem. Quem recorre a Deus não se torna menor, mas maior, porque graças a Deus e juntamente com Ele se torna grande, divino, verdadeiramente ele mesmo.
>
> Bento XVI, 08.12.2005

285 O que é a eterna bem-aventurança?

A eterna bem-aventurança é ver Deus e ser inserido na bem-aventurança de Deus. [1720-1724, 1729]

Em Deus Pai, Filho e Espírito Santo encontram-se Vida, alegria e comunhão sem fim. Ser acolhido n'Ele será para nós uma felicidade inexplicável e ilimitada. Esta felicidade é um puro dom da graça de Deus, pois não a conseguimos produzir nem apreender na sua grandeza. Deus deseja que nós nos decidamos pela nossa felicidade, aqui já na Terra, optando livremente por Deus, amando-O acima de tudo, fazendo o bem e evitando o mal com todas as forças. → 52, 156-158

286 O que é a liberdade e para que existe?

A liberdade é a possibilidade, concedida por Deus, de poder agir totalmente por si próprio; quem é livre não age por determinação alheia. [1730-1733, 1743-1744]

Deus criou-nos como pessoas livres e quer a nossa liberdade para podermos optar, de todo o coração, pelo bem, pelo mais alto Bem, ou seja, por Deus. Quanto mais praticarmos o bem, mais livres nos tornamos. → 51

287 Mas a liberdade não consiste precisamente em poder escolher o mal?

O mal só aparentemente é vantajoso, pelo que optar pelo mal só liberta aparentemente. O mal não dá felicidade; ele furta-nos do verdadeiro bem; liga-nos ao nada e, por fim, destrói toda a nossa felicidade. [1730-1733, 1743-1744]

Conseguimos ver essa realidade no vício: nele o ser humano vende a sua liberdade a algo que lhe parece bom. Na verdade, porém, ele torna-se um escravo. Uma pessoa é livre quando diz "sim" ao bem, quando nenhum vício, pressão ou hábito a impede de escolher e praticar o que é correto e bom. A opção pelo bem é sempre uma opção por Deus. → 51

288 *O ser humano é responsável por tudo o que faz?*

O ser humano é responsável por tudo o que faz conscientemente e de livre vontade.
[1734-1737, 1745-1746]

Ninguém pode ser (totalmente) julgado por algo que fez sob pressão, medo, desconhecimento, influência de drogas ou poder de maus hábitos. Quanto mais uma pessoa conhece o bem e atua no bem, tanto mais se afasta da escravidão do pecado (Rm 6,17; 1Cor 7,22). Deus sonha com tais pessoas livres, que assumem ou podem assumir a responsabilidade por si mesmas, pelo seu meio e por todo o planeta. No entanto, também ao que não é livre se dedica o amor misericordioso de Deus, que lhe oferece a cada dia a oportunidade de se deixar libertar.

289 *Deve abandonar-se uma pessoa à sua vontade livre, mesmo que ela opte pelo mal?*

Um dos direitos mais fundamentais da dignidade humana é o exercício da liberdade. A liberdade do indivíduo só deve ser reduzida quando o exercício da sua liberdade afetar a dignidade da pessoa humana e a liberdade dos outros. [1738, 1740]

A liberdade não seria liberdade se não fosse liberdade de optar também por aquilo que está errado. Se a liberdade de uma pessoa não fosse respeitada, a sua dignidade ficaria ferida. Uma das tarefas centrais do Estado é proteger os direitos de liberdade de todos os seus cidadãos (liberdade de religião, de reunião, de associação, de pensamento, de profissão etc.). A liberdade de um é a fronteira para a liberdade de outro.

> Só quem criou o ser humano o pode fazer feliz.
> SANTO AGOSTINHO

> O caminho para a meta começa no dia em que assumes a total responsabilidade pelo teu agir.
> DANTE ALIGHIERI (1265--1321, filósofo e grande poeta italiano)

> Os mártires da Igreja primitiva morreram pela sua fé naquele Deus que Se revelou em Jesus Cristo, e, exatamente por isso, morreram também pela liberdade de consciência e pela liberdade de profissão da própria fé, uma profissão que não pode ser imposta por nenhum Estado; ela só pode ser realizada com a graça de Deus, na liberdade da consciência. Uma Igreja missionária que, como se sabe, insiste em anunciar a sua mensagem a todos os povos deve empenhar-se pela liberdade da fé.
> BENTO XVI, 22.12.2005

> Vós não recebestes um espírito de escravidão para recair no temor, mas o Espírito de adoção filial, pelo qual exclamamos: «Abbá, Pai!»
>
> Rm 8,15-16

290 *Como nos ajuda Deus a sermos pessoas livres?*

Cristo quer «libertar-nos para a liberdade» (Gl 5,1) e tornar-nos capazes do amor fraterno. Para isso, Ele concede-nos o Espírito Santo, que nos torna livres e independentes das forças mundanas, fortalecendo-nos para uma vida de amor e responsabilidade. [1739-1742, 1748]

Quanto mais pecamos, mais pensamos apenas em nós e mais dificilmente nos podemos desenvolver como pessoas livres. No pecado, tornamo-nos também inaptos para fazer o bem e viver o amor. O Espírito Santo, que mergulhou no nosso coração, concede-nos um coração cheio de amor a Deus e a todas as pessoas. Compreendemos o Espírito Santo como uma força que nos leva à liberdade interior, abrindo-nos ao amor e fazendo de nós instrumentos cada vez melhores do bem e do amor. → 120, 310-311

291 *Como pode uma pessoa distinguir se a sua ação é boa ou má?*

O ser humano tem capacidade para distinguir as ações boas das más, porque possui razão e consciência, que lhe permitem juízos claros.
[1749-1754, 1757-1758]

Existem algumas diretrizes que ajudam a distinguir as boas das más ações: 1. *Aquilo que faço* deve ser bom; não basta uma boa intenção. Roubar bancos é sempre mau, mesmo que o faça com boa intenção de ajudar as pessoas pobres. 2. Mesmo que aquilo que eu faço seja realmente bom, a *má intenção* com que o faço torna má toda a ação. Acompanhar uma senhora idosa até a casa e ajudá-la a entrar em casa são ações boas; se o fizer para preparar um futuro assalto, torno má essa ação. 3. As circunstâncias em que uma pessoa atua podem diminuir a responsabilidade, embora não mudem em nada o bom ou mau caráter dessa ação.
Bater na mãe é sempre mau, mesmo que antes a mãe tenha dado pouco amor ao filho. → 295-297

292 *Pode uma pessoa fazer o mal para que daí surja um bem?*

Não, não se deve fazer ou aceitar algo mau para que daí surja algo bom. Muitas vezes, porém, temos de aceitar um mal menor, para impedir um maior.
[1755-1756, 1759-1761]

Os fins não justificam os meios. Não é correto praticar adultério para estabilizar o casamento. Também é incorreto utilizar embriões para a investigação em células estaminais, mesmo que daí advenham resultados decisivos para a Medicina. É errado ajudar a vítima de uma violação com o aborto do filho.

> Neste mundo, tão repleto de liberdades simuladas, que aniquilam o meio ambiente e o ser humano, queremos com a força do Espírito Santo aprender em conjunto a liberdade autêntica, construir escolas de liberdade, demonstrar aos outros, com a vida, que somos livres e como é belo sermos verdadeiramente livres na autêntica liberdade dos filhos de Deus.
> BENTO XVI, 03.06.2006

> A consciência é o centro mais secreto e o santuário do ser humano, no qual ele se encontra a sós com Deus, cuja voz se faz ouvir na intimidade do seu ser.
> CONCÍLIO VATICANO II, *Gaudium et spes*, n.º 16

> Se uma pessoa desejar verdadeiramente o bem, tem de querer fazer ou sofrer tudo pelo bem.
> SÖREN KIERKEGAARD

> Há coisas boas que não têm nada mau, mas não há coisas más sem algo bom.
>
> São Tomás de Aquino

293 *Para que fim Deus nos deu as paixões?*

As paixões existem para sermos atraídos para o bem, mediante emoções fortes e sensibilidade clara para o que é correto, e para sermos repelidos do que é mau e perverso. [1762-1766, 1771-1772]

Deus fez o ser humano com capacidade para amar e odiar, desejar ou desprezar, ser atraído por certas coisas e ter medo de outras, estar cheio de alegria, de tristeza ou de cólera. No fundo do seu coração, o ser humano ama sempre o bem e odeia sempre o mal – ou aquilo que o considera ser.

> A virtude é o que uma pessoa faz com paixão; o vício é o que uma pessoa, por paixão, não consegue deixar.
>
> São Tomás de Aquino

294 *Uma pessoa é pecadora se sentir em si paixões fortes?*

Não, as paixões podem ser muito valiosas. Só por causa de uma má orientação é que servem o mal as paixões que foram pensadas para uma poderosa realização do bem. [1767-1770, 1773-1775]

As paixões que foram orientadas para o bem tornam-se *virtudes*. Elas tornam-se, então, carburante para uma vida de luta pelo bem e pela justiça. As paixões que dominam o ser humano, lhe roubam a liberdade e o desencaminham para o mal chamam-se *vícios*.

295 O que é a consciência?

A consciência é a voz interior do ser humano que incondicionalmente o move a procurar o bem e a evitar o mal. É também a capacidade de distinguir uma coisa da outra. Deus fala ao ser humano pela consciência. [1776-1779]

A consciência é comparada a uma voz interior em que o próprio Deus Se revela ao ser humano. É Deus que Se faz notar na consciência. Dizer: «Isso é incompatível com a minha consciência!», significa, para um cristão, dizer: «De acordo com o meu Criador, não posso fazer isso!» Por causa da fidelidade à própria consciência, já muitas pessoas foram presas ou executadas.

→ 120, 290-292, 312, 333

296 Podemos forçar alguém contra a sua consciência?

Ninguém deve ser forçado a agir contra a própria consciência, enquanto a sua ação se desenrolar dentro dos limites do → BEM COMUM. [1780-1782, 1798]

Quem passa por cima da consciência de uma pessoa, ignorando-a e exercendo pressão sobre ela, fere a sua dignidade. De fato, quase nada faz uma pessoa mais humana que o dom de poder sozinha distinguir e escolher o bem e o mal. Isso vale até quando a decisão é claramente má. Quando uma consciência está bem formada, a voz interior fala em uníssono com aquilo que, perante Deus, é razoável, justo e bom.

297 Pode uma pessoa formar a sua consciência?

Sim, deve inclusivamente fazê-lo. A consciência, inata a todo o ser humano, dotado de razão, pode ser mal orientada e anestesiada. Deve ser por isso formada, a fim de se tornar um instrumento cada vez mais fino de comportamento reto. [1783-1788, 1799-1800]

---

99 Tudo o que acontece contra a consciência é pecado.
SÃO TOMÁS DE AQUINO

99 É tempo de se fazer algo. Mas quem se atrever a fazer algo tem de estar consciente de que certamente entrará para a História como um traidor. Se, todavia, não se atrever a isso, será um traidor perante a própria consciência.
CONDE CLAUS SCHENK VON STAUFFENBERG (1907-1944), pouco antes do atentado a Hitler em 20 de Julho de 1944, que mais tarde lhe custou a vida.

99 Quando nos sentimos responsáveis, envergonhados e assustados por um delito contra a voz da consciência, isso implica que há Alguém perante o qual somos responsáveis e estamos envergonhados, e por cujas pretensões acerca de nós temos respeito.
BEATO JOHN HENRY NEWMAN

> Violentar a consciência humana significa feri-la profundamente, desferir o mais doloroso golpe à sua dignidade. Em certa medida é mais grave que matá-la.
>
> BEATO JOÃO XXIII (1881--1963, o Papa do Concílio Vaticano II)

A primeira escola da consciência é a autocrítica; nós, seres humanos, temos de fato a tendência para julgar de acordo com o nosso interesse. A segunda escola da consciência é a orientação para agir bem com os outros. A correta formação da consciência conduz o ser humano à liberdade de fazer o bem, corretamente discernido. A Igreja, ao longo da sua longa história e com a ajuda do Espírito Santo, colecionou muita sabedoria sobre comportamento correto; pertence à sua missão educar a humanidade e dar-lhe também orientações. → 344

298 É culpado, perante Deus, alguém que age de consciência errônea?

Não. Quem faz um profundo exame de si e formula um juízo seguro deve seguir a sua voz interior em qualquer circunstância, mesmo que corra o risco de fazer algo errado.
[1790-1794, 1801-1802]

> Tudo o que esteja relacionado com moral remete, logicamente e em última análise, para a teologia, nunca para fundamentos seculares.
>
> MAX HORKHEIMER (1895--1973, filósofo e sociólogo alemão)

Deus não nos culpa pela desgraça que trazemos ao mundo se a nossa consciência estiver invencivelmente errônea. Embora, em última análise, se deva seguir sempre a própria consciência, deve ter-se, todavia, bem claro diante dos olhos que, apelando abusivamente à suposta consciência errônea, já se cometeram falsificações, assassinatos, torturas e fraudes.

299 O que se entende por "virtude"?

Uma virtude é uma atitude interior, um hábito positivo, uma paixão por servir o bem.
[1803, 1833]

> Não temas que a tua vida termine um dia! Teme mais que te descuides de a começar bem.
>
> BEATO JOHN HENRY NEWMAN

«Sede perfeitos como o vosso Pai do Céu é perfeito!» (MT 5,48) Isto significa que temos de mudar no nosso caminho para Deus. Com as nossas forças humanas só o conseguimos às prestações. Deus apoia as *virtudes humanas* com a Sua graça e também nos concede, para além disso, as chamadas *virtudes teologais*, com cuja ajuda atingimos seguramente a Luz e a proximidade de Deus. → 293-294

300 *Por que temos de trabalhar na construção da nossa personalidade?*

Temos de trabalhar em nós para podermos realizar o bem livre, alegre e agilmente. Contribuem para isso a fé firme em Deus e a nossa vivência das virtudes. Isso significa que devemos, com a ajuda de Deus, criar em nós atitudes seguras, que não nos devemos entregar a paixões desordenadas e que devemos dirigir as forças da razão e da vontade para o bem, sempre e sem equívocos. [1804-1805, 1810-1811, 1834, 1839]

As virtudes mais importantes são a prudência, a justiça, a fortaleza e a temperança. São também designadas "virtudes cardeais" (lat. *cardo* = gonzo, eixo; *cardinalis* = importante).

301 *Como nos tornamos prudentes?*

Tornamo-nos prudentes quando aprendemos a distinguir o essencial do secundário, a definir metas acertadas e a escolher os melhores meios para as atingir. [1806, 1835]

A virtude da prudência dirige todas as outras virtudes, porque a prudência é a capacidade de conhecer o que está correto. Quem deseja levar uma vida boa deve saber o que é o "bem" e conhecer os seus valores. Como o negociante do Evangelho: «Quando ele encontrou uma pérola especialmente valiosa, vendeu tudo o que possuía e comprou-a.» (Mt 13,46) Só quando uma pessoa é prudente consegue empregar a justiça, a fortaleza e a temperança para fazer o bem.

302 *Como se age com justiça?*

Age-se com justiça quando se dá a Deus e ao próximo aquilo que lhes pertence. [1807, 1836]

O lema da justiça é "a cada um o que é seu". Uma criança portadora de deficiência deve ser apoiada de forma diferente de uma criança sobredotada, para que ambas vejam o seu direito respeitado. A justiça esforça-se pelo equilíbrio e anseia por que as pessoas obtenham o que lhes pertence. Também perante Deus temos de exercer a justiça, dando-Lhe o que é Seu: o nosso amor e o nosso respeito.

> 99 Levar uma vida boa não é mais que amar Deus de todo o coração, com toda a alma e com todo o espírito. Reservamos-Lhe (através da temperança) um grande amor, que nenhuma infelicidade pode sacudir (fato que está relacionado com a fortaleza), que só Lhe obedece (isto é a justiça) e está disposto a observar tudo com medo de ser surpreendido pela astúcia e a mentira (e isto é a prudência).
> Santo Agostinho

> 99 A prudência tem dois olhos: um que prevê o que tem de ser feito, o outro que examina depois o que se fez.
> Santo Inácio de Loyola

> 99 A justiça sem a misericórdia é insensível, a misericórdia sem a justiça é desonrosa.
> Friedrich von Bodelschwingh (1831--1910, teólogo evangélico e fundador da Casa de Saúde de Betel)

> Proclama a Palavra, insiste a propósito e fora de propósito!
> 2Tm 4,2

> A graça e a desgraça estão para uma pessoa forte como a sua mão direita e a sua mão esquerda; ela serve-se de ambas.
> Santa Catarina de Sena

> Na verdade, manifestou-se a graça de Deus, fonte de salvação para todos. Ela ensina-nos a renunciar à impiedade e aos desejos mundanos, para vivermos, no tempo presente, com temperança, justiça e piedade.
> Tt 2,11-12

> Agora permanecem estas três coisas: a fé, a esperança e a caridade; mas a maior de todas é a caridade.
> 1Cor 13,13

> Deus é amor, e quem permanecer no amor permanece em Deus e Deus nele.
> 1Jo 4,16

303 O que significa ter fortaleza?

Quem tem fortaleza responsabiliza-se pelo bem que é conhecido, mesmo que tenha, em caso extremo, de sacrificar a própria vida. [1809, 1837]
→ 295

304 Por que motivo a temperança é uma virtude?

A temperança é uma virtude porque a intemperança revela-se, em todos os âmbitos, uma força destruidora. [1809, 1838]

Quem é imoderado abandona-se ao domínio dos próprios impulsos, fere os outros com a sua avidez e prejudica-se a si mesmo. No → Novo Testamento, a temperança também aparece sob a forma de "sobriedade" e de "discrição".

305 Quais são as três virtudes teologais?

As virtudes teologais são a fé, a esperança e a caridade. Chamam-se "teologais" porque têm o seu fundamento em Deus, referem-se imediatamente a Deus e são para nós o caminho pelo qual atingimos Deus diretamente. [1812-1813, 1840]

306 Por que são virtudes a fé, a esperança e a caridade?

Também a fé, a esperança e a caridade são forças autênticas, concedidas sem dúvida por Deus, que o ser humano pode desenvolver e aperfeiçoar, com a graça de Deus, para obter «Vida em abundância» (Jo 10,10). [1812-1813, 1840-1841]

307 *O que é a fé?*

A fé é a força pela qual concordamos com Deus, reconhecemos a Sua Verdade e nos ligamos a Ele pessoalmente. [1814-1816, 1842]

A fé é o caminho aberto por Deus para a Verdade, que é o próprio Deus. Porque Jesus é «o Caminho, a Verdade e a Vida» (Jo 14,6), esta fé não pode ser uma simples atitude, uma "crença" em algo. Por um lado, a fé tem conteúdos claros, que a Igreja confessa no → Credo (Símbolo da Fé) e que tem como missão proteger; quem acolhe o dom da fé, isto é, quem quer crer, confessa esta fé, preservada fielmente através dos tempos e das culturas. Por outro lado, a fé consiste numa relação de confiança com Deus, com o coração e com a inteligência, com todas as forças emocionais; de fato, a fé só se torna «ativa no amor» (Gl 5,6).
Crer realmente no Deus do amor não se manifesta nas afirmações, mas nas ações de amor.

> Aquele que diz conhecê-l'O, mas não guarda os Seus Mandamentos, é mentiroso e a verdade não está nele.
>
> 1Jo 2,4

> A todo aquele que se tiver declarado por Mim diante dos homens, também eu Me declararei por ele diante do Meu Pai que está nos Céus.
>
> Mt 10,32

> Esperar significa crer na aventura do amor, ter confiança nas pessoas, dar o salto no incerto e abandonar-se a Deus totalmente.
>
> Santo Agostinho

> O teu lugar no Céu parecerá como se ele tivesse sido feito para ti, só para ti, porque foste feito para ele.
>
> C. S. Lewis

> O amor é uma virtude maravilhosa. Ele é simultaneamente o meio e o fim, o movimento e a meta, o caminho que leva a si mesmo. Que devemos, pois, fazer para amar? Para isso, não precisamos de nenhum outro truque que não seja, simplesmente, amar, tal como aprendemos a tocar alaúde tocando alaúde, e a dançar dançando.
>
> São Francisco de Sales

> A todos os que amam Deus, Ele transforma tudo em bem; Deus até faz os caminhos errados e as faltas tornarem-se um bem.
>
> Santo Agostinho

308 O que é a esperança?

A esperança é a força com que queremos realizar forte e duradouramente o objetivo por que estamos na Terra: louvar Deus e servi-l'O. Ela consiste na nossa verdadeira felicidade: encontrar em Deus a nossa realização. Por ela sabemos que a nossa morada definitiva está em Deus. [1817-1821, 1843]

A esperança significa confiar naquilo que Deus nos prometeu pela Criação, pelos Profetas e em especial por Jesus Cristo, mesmo que ainda o não consigamos ver. Para que possamos esperar pacientemente o que é verdadeiro, foi-nos dado o Espírito Santo de Deus.
→ 1-3

309 O que é o amor?

O amor é a força com que nos entregamos a Deus, que nos amou primeiro, para nos unirmos a Ele e assim acolhermos os outros como a nós mesmos, por amor a Deus, sem reservas e com o coração. [1822-1829, 1844]

Jesus coloca o amor acima de todos os mandamentos, sem contudo os abolir. Santo Agostinho afirmava neste sentido: «Ama e faz o que quiseres!», o que não é tão fácil como parece… O amor é, portanto, a maior de todas as energias, aquela que anima e aperfeiçoa todas as outras forças com a vida divina.

310 Quais são os sete dons do Espírito Santo?

Os sete dons do Espírito Santo são a sabedoria, a inteligência, o conselho, a fortaleza, o conhecimento, a piedade e o temor de Deus. É assim que o Espírito Santo dota os cristãos, concedendo-lhes determinadas forças para além das suas aptidões naturais e dando-lhes a oportunidade de se tornarem instrumentos especiais de Deus neste mundo. [1830-1831, 1845]

São Paulo escreve: «A um o Espírito dá a mensagem da sabedoria, a outro a mensagem da ciência, segundo o mesmo Espírito. É um só e o mesmo Espírito que dá a um o dom da fé, a outro o poder de curar; a um dá o poder de fazer milagres, a outro o de falar em nome de Deus; a um dá o discernimento dos espíritos, a outro o de falar diversas línguas, a outro o dom de as discernir.» (1Cor 12,8-10) → 113-120

311 *Quais são os frutos do Espírito Santo?*

Os → Frutos do Espírito Santo são «a caridade, a alegria, a paz, a paciência, a amabilidade, a bondade, a longanimidade, a mansidão, a fidelidade, a modéstia, a sobriedade, a castidade» (cf. Gl 5,22 ss.). [1832]

Pelos → "Frutos do Espírito Santo" o mundo poderá ver em que se torna uma pessoa que se deixa totalmente assumir, guiar e formar por Deus. Os frutos do Espírito Santo mostram que Deus desempenha um papel real na vida dos cristãos.
→ 120

312 *De que modo uma pessoa sabe que pecou?*

Uma pessoa sabe que pecou pela consciência, que a acusa e a move a reconhecer os seus erros perante Deus. [1797, 1848]
→ 229, 295-298

313 *Por que deve um pecador voltar-se para Deus e pedir-Lhe perdão?*

O pecado destrói, ofusca ou nega o Bem. Deus, por Seu turno, que é totalmente bom, é também o autor de todo o Bem. Por isso, o pecado atenta (também) contra Deus, pelo que a ordem só em contato com Ele poderá ser restabelecida. [1847] → 224-239

314 *Como sabemos que Deus é misericordioso?*

Em muitas passagens da Sagrada Escritura, Deus mostra-Se misericordioso, especialmente na parábola do Pai misericordioso (Lc 15,11-32), que vai ao encontro do filho perdido e o acolhe incondicionalmente, para celebrar com ele a alegre festa do reencontro e da reconciliação. [1846, 1870]

Em verdade, em verdade vos digo: Quem crê em Mim fará também as obras que Eu faço, e fará ainda maiores, porque Eu vou para o Pai.

Jo 14,12

>> Como é fácil conquistar Deus! Damo-nos a Deus, Ele passa a pertencer-nos e já não pertencemos a mais ninguém a não ser a Deus. Pois quando nos entregamos a Deus sem condições ficamos a pertencer-Lhe, tal como Ele Se pertence a Si próprio. Isto significa que passamos a viver a Sua própria vida.

Santa Teresa de Calcutá

Se dissermos que não temos pecado, enganamo-nos a nós mesmos, e não há verdade em nós.

1Jo 1,8

Se confessarmos os nossos pecados, Ele é fiel e justo para nos perdoar e nos purificar de toda a maldade.

1Jo 1,9

>> Nunca deixemos de esperar a misericórdia de Deus!

São Bento de Núrsia

> Alguns dizem: «Fiz demasiado mal. O bom Deus não me pode perdoar.» Isso é, todavia, uma grande blasfêmia. Significa colocar um limite à misericórdia de Deus. Mas ela não tem nenhuma, é ilimitada. Nada ofende tanto o bom Deus como duvidar da Sua misericórdia.
>
> SÃO JOÃO MARIA VIANNEY

> Se o nosso coração nos acusar, Deus é maior que o nosso coração e conhece todas as coisas.
>
> 1Jo 3,20

> Fora da misericórdia de Deus não há para o ser humano mais nenhuma fonte de esperança.
>
> JOÃO PAULO II

> Só quem seriamente ponderou quão pesada é a cruz pode conceber quão pesado é o pecado.
>
> SANTO ANSELMO DE CANTUÁRIA

Já no → ANTIGO TESTAMENTO Deus fala pelo profeta Ezequiel: «Não tenho prazer na morte do culpado, mas em que ele se converta do seu caminho e viva.» (Ez 33,11) Jesus é enviado às «ovelhas perdidas da Casa de Israel» (MT 15,24), e Ele sabe que «não são os que têm saúde que precisam de médico, mas os que estão doentes» (MT 9,12). Por isso, Ele come com os publicanos e os pecadores, antes de interpretar a Sua morte, no fim da Sua vida terrena, como uma iniciativa do amor misericordioso de Deus: «Este é o Meu sangue, o sangue da aliança, derramado pela multidão, para remissão dos pecados.» (MT 26,28)
→ 227, 524

315 O que é um pecado?

Um pecado é uma palavra, um ato ou uma intenção com que uma pessoa atenta consciente e intencionalmente contra a verdadeira ordem das coisas tal como a projetou o amor de Deus. [1849-1851, 1871-1872]

Pecar significa mais que atentar contra regras instituídas pelas pessoas e pelas instituições. O pecador volve-se livre e conscientemente contra o amor de Deus, ignorando-O. O pecado é, no fim de contas, «o egoísmo elevado ao desprezo de Deus» (Santo Agostinho); em caso extremo, a criatura pecadora profere: «Quero ser como Deus!» (Cf. GN 3,5) Como o pecado me carrega com a respetiva culpa, ferindo-me e destruindo-me com as consequências, ele também envenena e prejudica o meu mundo. O pecado e o seu peso tornam-se reconhecíveis na proximidade com Deus. → 67, 224-239

316 Como se distinguem os pecados graves (mortais) dos pecados leves (veniais)?

O pecado grave destrói, no coração de uma pessoa, a força divina do amor sem a qual ela não pode ser eternamente feliz. Por isso, também é chamado "pecado mortal". O pecado grave rompe com Deus, enquanto os pecados veniais apenas agravam a relação com ele. [1852-1861, 1874]

Um pecado grave aparta o ser humano de Deus;
tal pecado está relacionado com um valor significativo,
por exemplo, é contra a *vida*, contra o *casamento*
ou contra Deus, e é cometido com total conhecimento
e consentimento. Os pecados veniais estão relacionados
com valores subordinados, ou não ocorrem com
total conhecimento do seu alcance, ou com total
consentimento; estes pecados perturbam a relação
com Deus, mas não a cortam.

> Acabei de produzir uma cinza preciosa: queimei uma nota de 500 euros. Pois! Isso é menos mau que cometer um pecado venial.
> São João Maria Vianney

317 Como se livra uma pessoa de um pecado grave e como se religa ela a Deus?

**Para resolver um corte com Deus,
ocorrido por um pecado grave,
um cristão católico deve reconciliar-se com Deus
através da Confissão. [1856]**
→ 224-239

> Se não houvesse na Igreja o perdão dos pecados, não haveria fé na Vida eterna nem na libertação eterna. Agradeçamos a Deus, que deu à Igreja um tal dom!
> Santo Agostinho

318 O que são vícios?

**Os vícios são hábitos negativos
que anestesiam e obscurecem a consciência,
abrindo o ser humano ao mal
e dispondo-o para o pecado de forma habitual.
[1865-1867]**

Os vícios humanos encontram-se próximos dos pecados principais: o orgulho, a avidez, a inveja, a fúria, a impudicícia, a intemperança, a preguiça e o tédio.

319 Somos responsáveis pelos pecados das outras pessoas?

**Não, não somos responsáveis pelos pecados
das outras pessoas, a não ser que tenhamos culpa
aliciando alguém para o pecado,
sendo cúmplice dele, encorajando-o
no seu pecado ou omitindo um aviso
ou uma ajuda oportuna. [1868]**

> Em nosso poder, portanto, encontram-se tanto a virtude como o vício. De fato, onde estiver em nosso poder o "fazer", aí estará também o "deixar", e onde estiver o "não", aí estará também o "sim".
> Aristóteles (382-322 a. C., um dos maiores filósofos da Antiguidade, ao nível de Platão)

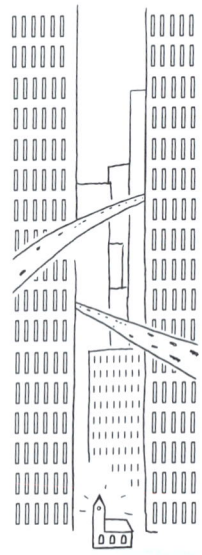

320 Existem estruturas de pecado?

As estruturas existem apenas em sentido figurado. Um pecado está sempre associado a um indivíduo que adere ao mal com conhecimento e com vontade. [1869]

Não obstante, existem estruturas e organizações sociais que estão em tal contradição com os Mandamentos de Deus que se pode falar em "estruturas de pecado". Elas são, evidentemente, consequências de pecados pessoais.

> O maior dom que o ser humano pode ter debaixo do céu é poder viver bem com aqueles com quem está.
>
> BEATO EGÍDIO DE ASSIS († 1262, um dos confidentes mais próximos de São Francisco de Assis)

◇ SEGUNDO CAPÍTULO ◇
A comunhão humana

321 Um cristão pode ser individualista?

Não, o cristão nunca deve ser individualista, porque o ser humano está por natureza orientado para a comunhão. [1877-1880, 1890-1891]

Cada pessoa tem um pai e uma mãe; recebe ajuda dos outros, está comprometida a ajudar outros e a desenvolver os seus talentos para proveito dos outros. Porque o ser humano é "imagem" de Deus, é em certo sentido o reflexo de Deus, que, na sua profundidade, não é solitário, mas trino (e, com isso, Vida, amor, diálogo e partilha). Em última análise, é fundamentalmente pelo amor, o Mandamento central de

todos os cristãos, que nos pertencemos
e nos relacionamos uns com os outros: «Ama o teu
próximo como a ti mesmo!» (Mt 22,39).

322 · O que é mais importante: a sociedade ou o indivíduo?

Para Deus, o ser humano conta primeiro como pessoa e só depois como ser em comunhão. [1881, 1892]

A sociedade nunca pode ser mais importante que o indivíduo humano. O ser humano nunca deve ser um meio para um fim social. No entanto, instituições sociais como o Estado ou a família são necessárias para o indivíduo; elas correspondem até à sua natureza.

323 · Como pode o indivíduo integrar-se na sociedade e desenvolver-se livremente?

O indivíduo pode desenvolver-se livremente na sociedade quando o "princípio da subsidiariedade" é respeitado. [1883-1885, 1894]

O princípio da subsidiariedade, desenvolvido pela → DOUTRINA SOCIAL DA IGREJA, diz: «O que o indivíduo consegue realizar por si e pelas suas próprias forças não lhe deve ser subtraído por uma instância superior.» Uma instituição superior da sociedade não deve assumir as tarefas de uma inferior, nem roubar-lhe a competência. Ela existe apenas para intervir subsidiariamente (isto é, sob a forma de assistência), quando o indivíduo ou as pequenas instituições estão sobrecarregados por alguma tarefa.

324 · Sobre que princípios se edifica uma sociedade?

Cada sociedade edifica-se sobre uma ordem de valores que são realizados pela justiça e pelo amor. [1886-1889, 1895-1896]

Nenhuma sociedade consegue ter estabilidade duradoura quando não se baseia numa clara orientação de valores que se espelham numa ordem justa de comportamentos e numa implementação ativa dessa justiça. Assim, o ser humano nunca se deve converter num meio para

> 99 Se não tens medo de cair sozinho, como tens a pretensão de te levantares sozinho? Repara: dois podem mais que um só.
> São João da Cruz

> 99 Cada um de nós é o fruto de um pensamento de Deus. Cada um de nós é querido, cada um de nós é amado, cada um é necessário.
> Bento XVI, 24.04.2005

DOUTRINA SOCIAL DA IGREJA
Trata-se da doutrina da Igreja sobre a ordem da convivência social e a obtenção da justiça individual e social. Os seus quatro princípios centrais são a personalidade, o bem comum, a solidariedade e a subsidiariedade.

> 99 A justiça de hoje é o amor de ontem; o amor de hoje é a justiça de amanhã.
> Beato Étienne-Michel Gillet (1758-1792, presbítero mártir)

> A Igreja encara com simpatia o sistema da democracia, desde que esta assegure a participação dos cidadãos nas opções políticas e garanta aos governados a possibilidade quer de escolher e controlar os próprios governantes, quer de os substituir pacificamente, quando tal se torne oportuno.
>
> João Paulo II, *Centesimus annus*, n.º 46

> Não há comunhão sem uma última instância.
>
> Aristóteles

BEM COMUM
O bem comum é aquele que é comum a todos. Compreende «o conjunto daquelas condições de vida social que permitem às pessoas, às famílias e aos grupos poderem alcançar mais plena e facilmente a sua própria perfeição».

Gaudium et spes, n.º 74

Deve-se antes obedecer a Deus que aos homens.

At 5,29

o objetivo de um procedimento social. Cada sociedade precisa da conversão constante das estruturas injustas. No fundo, isso só pode ser realizado pelo amor, o maior mandamento social: ele tem em consideração os outros, exige a justiça e torna possível a conversão dos maus comportamentos. → 449

325 *Em que se baseia a autoridade da sociedade?*

Cada sociedade está orientada para apoiar e ativar a sua ordem, a sua coesão e o seu desenvolvimento, através de uma autoridade legítima. Corresponde à natureza humana, criada por Deus, que o ser humano se deixe orientar por uma autoridade legítima. [1897-1902, 1918-1919, 1922]

Na sociedade, a autoridade não pode surgir de uma mera presunção, mas tem de ser legalmente legitimada. São deixadas à vontade dos cidadãos questões como "quem governa" e "qual é a constituição mais adequada". A Igreja não estipula nenhum tipo de constituição, diz apenas que esta não se deve opor ao → BEM COMUM.

326 *Quando atua uma autoridade com justiça?*

Uma autoridade atua com justiça quando trabalha para servir o → BEM COMUM e aplica os meios justos para atingir esse objetivo. [1903-1904, 1921]

Os cidadãos têm de contar com um Estado que seja um Estado de direito, no qual as regras são vinculativas para todos. Ninguém se deve servir de leis arbitrárias e injustas, ou que contradigam a ordem moral natural, pois, nesse caso, existe o direito e, em certas situações, até o dever da resistência.

327 *Como se pode desenvolver o bem comum?*

O → BEM COMUM surge quando os direitos fundamentais da pessoa humana são respeitados e quando ela se pode desenvolver espiritual e religiosamente. O bem comum implica que as pessoas possam viver em liberdade, paz e segurança social. No tempo da globalização, também o bem comum deve assumir uma

abrangência universal e considerar os direitos
e os deveres de toda a humanidade.
[1907-1912, 1925, 1927]

O → BEM COMUM é servido sobretudo quando ocupa
a posição central no bem do indivíduo e da menor
das células sociais (porventura a família).
O indivíduo e a menor das unidades sociais
necessitam de proteção e apoio por parte da força
superior das instituições do Estado.

328 Como pode o indivíduo contribuir para o bem comum?

**Trabalhar para o → BEM COMUM significa assumir
a responsabilidade pelos outros. [1913-1917, 1926]**

O → BEM COMUM deve ser uma causa comum. Isto
acontece, antes de mais, quando as pessoas, no seu
meio concreto – família, vizinhança, profissão –,
se comprometem e se responsabilizam. Também
é importante enveredar pela responsabilidade
social e política; quem, todavia, assume este tipo
de responsabilidade exerce poder e encontra-se
sempre no perigo de abusar dele; é por isso que cada
responsável é convidado a um constante processo
de conversão, de forma a que possa exercer o cuidado
pelos outros em amor constante e em justiça perene.

329 Como surge a justiça social numa sociedade?

**A justiça social surge quando é respeitada a dignidade
inalienável de cada indivíduo e quando os direitos dela
advindos são admitidos e adotados sem restrições.
A isso pertence também o direito a uma participação
ativa na vida política, económica e cultural da
sociedade. [1928-1933, 1943-1944]**

A base de toda a justiça é o respeito pela dignidade
inalienável do ser humano, «cuja defesa e promoção nos
foram confiadas pelo Criador, tarefa a que estão rigorosa
e responsavelmente obrigados os homens e as mulheres
em todas as conjunturas da história» (JOÃO PAULO II,
Sollicitudo rei socialis, n.º 47). Os direitos humanos,
que nenhum Estado pode abolir ou alterar, resultam

> A ordem das coisas deve estar subordinada à ordem das pessoas e não ao contrário.
> *Gaudium et spes*, n.º 26

> Com todos se deve proceder com justiça e bondade.
> *Dignitatis humanae*, n.º 7

> Ninguém deve pensar, como Caim, que não é responsável pela sorte do seu irmão.
> JOÃO PAULO II

> Respeitai a boa fama dos vossos inimigos!
> SÃO JOÃO MARIA VIANNEY

> Quantas vezes o fizestes a um dos meus irmãos mais pequeninos, a Mim o fizestes.
> MT 25,40

> Não pensem que Deus ajuda a miséria. Deus não aprova as injustiças. As injustiças são um problema nosso.
> D. HÉLDER CÂMARA

> Todas as ciências e artes têm um fim e o mais importante é a política. O bem maior desta é a justiça; mas esta consiste no bem-estar da sociedade.

ARISTÓTELES

diretamente da dignidade humana. Os Estados e as autoridades que espezinham tais direitos são regimes injustos e perdem a sua autoridade. Uma sociedade aperfeiçoa-se, porém, não pelas leis, mas pelo amor ao próximo, que cada um deve considerar, sem exceção, «como um "outro eu"» (*Gaudium et spes*, n.º 27). → 280

330 *Em que medida as pessoas são iguais perante Deus?*

Perante Deus, todas as pessoas são iguais, visto que têm todas o mesmo Criador, foram todas criadas, com uma alma dotada de razão, à imagem do mesmo Deus, e têm todas o mesmo Redentor. [1934-1935, 1945]

Porque, perante Deus, são todas iguais, as pessoas possuem a mesma dignidade e têm os mesmos direitos. Por isso, qualquer desprezo de ordem racial, sexista, cultural ou religiosa é uma injustiça inaceitável.

> Não há, não houve nem haverá pessoa alguma por quem Ele não tenha sofrido.

SÍNODO DE QUIERCY, 853

331 Por que existem, todavia, desigualdades entre as pessoas?

Todas as pessoas têm igual dignidade; porém, nem todas se acham nas mesmas condições de vida. A desigualdade entre as pessoas encontra-se em contradição com o Evangelho. Deus remete-nos uns para os outros ao munir-nos de dons e de talentos diferentes: no amor cada um deve compensar as carências do outro. [1936-1938, 1946-1947]

Existe uma desigualdade entre as pessoas que não provém de Deus, mas resulta dos comportamentos sociais, sobretudo da injusta distribuição internacional de matérias-primas, propriedades e capital. Deus exige que exterminemos tudo o que está em clara contradição com o Evangelho e que despreza a dignidade humana. Existe, porém, uma desigualdade entre as pessoas que corresponde inteiramente à vontade de Deus: desigualdade nas aptidões, nas condições de partida, nas possibilidades. Aqui encontra-se um alerta: ser humano significa existir em amor para o outro, enfim, partilhar e possibilitar a vida. → 61

332 Como se revela a solidariedade dos cristãos com outras pessoas?

Os cristãos lutam por estruturas sociais justas, de forma a que, por exemplo, todas as pessoas tenham acesso aos bens materiais e espirituais da Terra. Os cristãos observam se a dignidade do trabalho humano é respeitada; é o caso do salário, que deve ser justo. Transmitir a fé também é um ato de solidariedade. [1939-1942, 1948]

A solidariedade é o sinal prático por que é reconhecido um cristão. Ser solidário, de fato, não é apenas um mandamento racional. Jesus Cristo, Nosso Senhor, identificou-Se totalmente com os pobres e os mais pequenos (Mt 25,40); negar-lhes a solidariedade seria rejeitar Cristo.

> Deus diz: Eu queria que um estivesse em função do outro, e que todos os Meus servos partilhassem as graças e os dons que de Mim receberam.
> SANTA CATARINA DE SENA

> Nada é realmente nosso até o partilharmos.
> C. S. LEWIS

> Amai os pobres e não lhes vireis as costas, pois, quando virais as costas aos pobres, virais as costas a Cristo. Ele próprio Se fez faminto, nu, sem-teto, para que vós e eu tenhamos possibilidade de O amar.
> SANTA TERESA DE CALCUTÁ

> Quem tiver duas túnicas reparta com quem não tem nenhuma; e quem tiver mantimentos faça o mesmo.
> Lc 3,11

PRINCÍPIO DA SOLIDARIEDADE

(lat. *solidus* = firme, forte)
É o princípio da Doutrina Social da Igreja que visa a união entre as pessoas e se orienta para uma «civilização do amor» (João Paulo II).

LEI NATURAL
«Existem, em todas as culturas, singulares e variadas convergências éticas, expressão de uma mesma natureza humana querida pelo Criador e que a sabedoria ética da humanidade chama de Lei Natural.»
Bento XVI, *Caritas in veritate*, n.º 59

99 O Criador inscreveu no nosso próprio ser a Lei Natural, reflexo do Seu plano criador no nosso coração, como bússola e medida interior da nossa vida.
Bento XVI, 27.04.2006

333 Existe uma Lei Natural que possa ser conhecida por todos?

Se as pessoas fazem o bem e evitam o mal, deve estar inscrita, no seu íntimo, a sua consciência sobre aquilo que é bom ou mau. Com efeito, existe uma tal lei, por assim dizer "natural" ao ser humano, que em princípio pode ser descoberta por qualquer pessoa através da sua razão.
[1949-1960, 1975, 1978-1979]

A Lei Natural é válida para todos. Diz ao ser humano que direitos e deveres fundamentais ele tem, constituindo, assim, o fundamento intrínseco da convivência na família, na sociedade e no Estado. Porque o conhecimento natural está frequentemente ofuscado pelo pecado e pela fraqueza humana, o ser humano necessita da ajuda de Deus e da Sua → Revelação, para permanecer no bom caminho.

334 Que relação existe entre a Lei Natural e a Lei da Antiga Aliança?

A Lei da Antiga Aliança exprime verdades que por natureza são compreensíveis pela razão, e que foram posteriormente apresentadas e reconhecidas como Lei de Deus.
[1961-1963, 1981]

335 Que significado tem a Lei da Antiga Aliança?

Na Lei (a Torá) e no seu cerne, os Dez Mandamentos (ou → Decálogo), a vontade de Deus é revelada ao Povo de Israel; seguir a Torá é, para Israel, o principal caminho da salvação. Os cristãos sabem que, através da Lei, conhecem o que devem fazer; mas eles também sabem que não é a Lei que salva.
[1963-1964, 1981-1982]

Qualquer pessoa faz a experiência de encontrar algo bom "prescrito", sem ter contudo a força para o realizar, porque é demasiado difícil; ela sente-se «impotente» (Rm 8,3 e Rm 7,14-25). Olha-se para a Lei e sente-se como que entregue ao pecado. Pela Lei torna-se claro como é urgente estarmos orientados para a nossa força interior para cumprir a Lei. Portanto, a Lei, tão boa e importante que é, só nos prepara para a fé em Deus salvador. → 349

> A Lei era uma pedagogia e uma profecia dos bens futuros.
>
> SANTO IRENEU DE LIÃO

336 Como encara Jesus a Lei da Antiga Aliança?

«Não penseis», diz Jesus no Sermão da Montanha, «que vim revogar a Lei ou os Profetas; não vim revogar, mas completar.» (Mt 5,17) [1965-1972, 1977, 1983-1985]

Jesus viveu totalmente, como um judeu crente, as noções e exigências éticas do Seu tempo. Mas Ele afastou-Se de uma série de interpretações da Lei puramente literais e formais.

> Deus escreveu sobre as Tábuas da Lei o que a humanidade não leu no seu coração.
>
> SANTO AGOSTINHO

337 Como somos redimidos?

Nenhuma pessoa se pode redimir a si mesma. Os cristãos creem que são redimidos por Deus, que para tal enviou o Seu Filho, Jesus Cristo, ao mundo. A redenção significa, para nós, que somos libertados pelo Espírito Santo do poder do pecado e que, uma vez retirados do âmbito da morte, reencontramos uma Vida sem fim, uma Vida na presença de Deus. [1987-1995, 2017-2020]

São Paulo observa: «Todos pecaram e estão privados da glória de Deus.» (Rm 3,23) O pecado não pode ter existência perante Deus, que no fundo é justiça e bondade. Se o pecado para nada serve, que acontece com o pecador? No Seu amor, Deus encontrou um caminho no qual Ele extermina o pecado, mas salva o pecador. Ele torna-o novamente correto, isto é, justo. Por isso, a redenção foi designada, desde muito cedo, por justificação. De fato, não nos tornamos justos pela própria força; o ser humano não consegue perdoar a si mesmo o seu pecado, nem se consegue arrancar a si mesmo da morte. Portanto, Deus tem de agir em nós, e por misericórdia, não porque o merecemos. Deus concede-nos pelo Batismo «a justiça de Deus pela fé em Jesus Cristo» (Rm 3,22). Pelo Espírito Santo, que foi derramado nos nossos corações, somos assumidos no interior da morte e da ressurreição de Cristo – morremos para o pecado e nascemos para uma nova Vida em Deus.

> Se alguém transgredir um só destes Mandamentos, por mais pequenos que sejam, e ensinar assim aos homens, será o menor no Reino dos Céus. Mas aquele que os praticar e ensinar será grande no Reino dos Céus.
>
> Mt 5,19

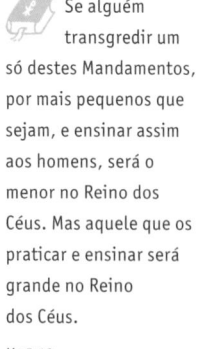

JUSTIFICAÇÃO
Trata-se do conceito central da "doutrina sobre a graça", que significa a reconstituição da correta relação entre Deus e o ser humano. Porque só Jesus Cristo reativou esta correta relação ("justiça"), apenas nos podemos apresentar diante de Deus quando somos "justificados" por Cristo e entramos na Sua relação intacta com Deus.

De fato, é pela graça que fostes salvos, por meio da fé. A salvação não vem de vós: é dom de Deus. Não se deve às obras: ninguém se pode gloriar.
EF 2,8 ss.

Deus nunca oferece menos que a Si mesmo.
SANTO AGOSTINHO

Tudo é graça.
SANTA TERESA DE LISIEUX

A fé, a esperança e a caridade atingem-nos a partir de Deus, fazendo-nos capazes de viver na Luz e de corresponder à vontade de Deus.

338 O que é a graça?

Por graça entende-se a dedicação livre e amorosa de Deus a nós, a Sua bondade em ajudar-nos, a força vital que d'Ele vem. Pela cruz e pela ressurreição, Deus dedica-Se totalmente a nós, comunicando-Se a nós na graça. A graça é tudo o que Deus nos concede, sem que minimamente o mereçamos.
[1996-1998, 2005, 2021]

«A graça», diz o Papa Bento XVI, «consiste em ser olhado por Deus, ser tocado pelo Seu amor.» A graça não é uma coisa, mas a autocomunicação de Deus ao ser humano. Deus nunca dá menos que a Si mesmo. Na graça, estamos em Deus.

339 O que faz a graça de Deus em nós?

A graça de Deus insere-nos na Vida interior do Deus trino, na permuta de amor entre Pai, Filho e Espírito Santo. Capacita-nos para viver no amor de Deus e atuar a partir desse amor.
[1999-2000, 2003-2004, 2023-2024]

A graça desce do alto sobre nós e não se pode explicar a partir de causas intramundanas (*graça sobrenatural*). Sobretudo no Batismo, ela faz de nós filhos de Deus e herdeiros do Céu (*graça santificante ou divinizante*). Ela concede-nos uma inclinação interior e perene para o bem (*graça habitual*). A graça ajuda-nos a conhecer, querer e fazer tudo o que nos leva ao bem, a Deus e ao Céu (*graça assistente*). A graça acontece especialmente nos sacramentos, que são, segundo a vontade do nosso Redentor, os lugares privilegiados do encontro com Deus (*graça sacramental*).
A graça revela-se também em dons especiais concedidos a alguns cristãos (→ CARISMAS) ou em forças especiais prometidas ao estado do Matrimônio, da Ordem e da vida consagrada (*graça de estado*).

340 *Como se comporta a graça de Deus relativamente à nossa liberdade?*

A graça de Deus vem ao encontro do ser humano na liberdade, procurando-o e apoiando-o em toda a sua liberdade. A graça não força. O amor de Deus quer o nosso livre consentimento.
[2001-2002, 2022]

A graça também pode ser recusada. A graça, porém, não é algo exterior ou estranho ao ser humano; ela é propriamente o que este deseja em profundíssima liberdade. À medida que Deus nos move pela Sua graça, antecipa-Se à livre resposta do ser humano.

Que tens que não tenhas recebido?
1Cor 4,7

„ O meu passado já não me preocupa; pertence à misericórdia divina. O meu futuro ainda não me preocupa; pertence à providência divina. O que me preocupa e me desafia é o hoje, que pertence à graça de Deus e à entrega do meu coração, da minha boa vontade.
São Francisco de Sales

> Eis a escrava do Senhor; faça-se em mim segundo a tua palavra!
>
> Lc 1,38

> Uma pessoa não escolhe sozinha uma vocação, mas recebe-a; e deve esforçar-se por conhecê-la. Deve entregar o seu ouvido à voz de Deus, para divisar os sinais da Sua vontade. E, uma vez conhecida a Sua vontade, deve realizá-la, tal como é, custe o que custar.
>
> BEATO CHARLES DE FOUCAULD

> O Senhor não exige de nós grandes feitos, mas apenas entrega e gratidão. Ele não necessita das nossas obras, mas apenas do nosso amor.
>
> SANTA TERESA DE LISIEUX

> A santidade não é o luxo de umas poucas pessoas, mas um simples dever para ti e para mim.
>
> SANTA TERESA DE CALCUTÁ

341 *Pode alguém merecer o Céu com boas obras?*

Não. Nenhuma pessoa pode alcançar o Céu simplesmente pela própria força. A nossa redenção é pura graça de Deus, que exige, no entanto, a livre colaboração do ser humano. [2006-2011, 2025-2027]

São tão importantes a graça e a fé, através das quais somos salvos, como o nosso dever de, nas boas obras, mostrar o amor que a ação de Deus produz em nós.

342 *Devemos ser todos "santos"?*

Sim. O sentido da nossa vida está em unirmo-nos a Deus em amor, em corresponder aos sonhos de Deus. Devemos permitir a Deus «viver a Sua vida em nós» (Santa Teresa). Isto significa ser "santo". [2012-2016, 2028-2029]

Qualquer pessoa pergunta: Quem sou eu e para que estou aqui, como me realizo? A fé responde: Só na → SANTIDADE o ser humano se torna aquilo para que Deus o criou. Só na santidade o ser humano chega à verdadeira harmonia consigo mesmo e com o Criador. A santidade não é, todavia, uma perfeição de "fabrico caseiro"; ela atinge-se por união com o Amor encarnado, que é Cristo. Quem, deste modo, atinge uma Vida nova, torna-se e descobre-se santo.

A Igreja

343 *Como nos ajuda a Igreja a ter uma vida boa e responsável?*

Somos batizados na Igreja. Recebemos na Igreja a fé que foi genuinamente guardada ao longo dos séculos. Na Igreja ouvimos a Palavra viva de Deus e aprendemos a viver como agrada a Deus. Pelos → SACRAMENTOS, que Jesus confiou aos Seus discípulos, a Igreja edifica-nos, fortalece-nos e consola-nos. Na Igreja arde o fogo dos santos, para nele nos incendiarmos. Na Igreja é celebrada a Sagrada → EUCARISTIA, na qual a entrega e a força de Cristo se renovam para nós

de tal forma que, a Ele unidos, nos tornamos o Seu corpo e vivemos pela Sua força. Apesar de todas as suas fraquezas humanas, fora da Igreja não se pode ser cristão. [2030-2031, 2047]

344 · Por que intervém a Igreja em questões éticas e assuntos da vida pessoal?

A fé é um caminho. Questões como "De que forma se deve estar nesse caminho?" ou "Como se age corretamente e se vive bem?" não se respondem apenas com as diretrizes do Evangelho. O → Magistério da Igreja também deve recordar às pessoas as exigências da Lei Natural. [2032-2040, 2049-2051]

Não existe uma dupla verdade. O que é humanamente justo não pode ser cristãmente falso. E o que é cristãmente justo não pode ser humanamente falso. Por isso, a Igreja deve intervir extensamente em questões de moral.

345 · Quais são os Cinco Preceitos da Igreja?

1) Participar na Eucaristia aos domingos e festas de guarda; renunciar a trabalhos e outras atividades que firam a natureza do dia santo. 2) Confessar-se ao menos uma vez no ano. 3) Comungar pelo menos na Páscoa. 4) Guardar abstinência e jejuar (na Quarta-Feira de Cinzas e na Sexta-Feira Santa). 5) Prover as necessidades materiais da Igreja. [2042-2043]

346 · Para que servem os Preceitos da Igreja e que obrigação implicam?

Os Cinco Preceitos da Igreja pretendem recordar, com as suas exigências mínimas, que não se pode ser cristão sem esforço moral, sem concreta participação na vida sacramental da Igreja e sem solidariedade. Eles são vinculativos para todo cristão católico. [2041, 2048]

> 99 Ainda hoje, a Igreja me dá Jesus. Isso diz tudo. Que saberia eu, pois, d'Ele, que ligação haveria entre Ele e eu sem a Igreja?
> Cardeal Henri de Lubac (1896-1991, teólogo francês)

> 99 Quereis alcançar a fé e não conheceis o caminho que leva a ela? Aprendei com aqueles que, assim como vós, foram atormentados pela dúvida. Imitai o seu modo de agir, fazei tudo o que a fé exige, como se já fosse crente. Ide à Missa, usai água benta, etc.! Isto, sem dúvida alguma, fará de vós pessoas simples e levar-vos-á à fé.
> Blaise Pascal

> Sede santos como é santo o vosso Pai que está no Céu.
> Mt 5,48

DUPLA MORAL
É uma moral publicamente exposta ou simplesmente vivida no quotidiano reservado, que consiste em "duas medidas": por um lado, a pessoa da dupla moral defende aberta ou privadamente metas e valores que ela, por outro lado, não pratica.

> O mundo está cheio de gente que anuncia água e bebe vinho.

GIOVANNI GUARESCHI (1908-1968, escritor italiano, autor de *Don Camillo e Peppone*)

Como é santo o Deus que vos chamou, também vós tornai-vos santos em todo comportamento, porque a Escritura diz: «Sede santos, porque Eu sou santo.»

1PD 1,15-16

> Cristo não quer admiradores, mas seguidores.

SÖREN KIERKEGAARD

347 Por que motivo a "dupla moral" é uma acusação tão pesada contra os cristãos?

A concordância entre a vida e o testemunho é o primeiro pressuposto para o anúncio do Evangelho. A → DUPLA MORAL significa, portanto, trair a missão dos cristãos, que é ser "sal da terra" e "luz do mundo". [2044-2046]

São Paulo recordou à comunidade de Corinto: «É manifesto que vós sois uma carta de Cristo... escrita não com tinta, mas com o Espírito de Deus vivo; não em tábuas de pedra, mas em tábuas de carne, que são os vossos corações.» (2COR 3,3) São os próprios cristãos, e não aquilo que eles dizem, as «cartas de recomendação» (2COR 3,1) de Cristo ao mundo. Ainda mais devastador é quando → SACERDOTES e consagrados abusam de crianças; eles não só cometem um indizível crime contra as vítimas, mas também retiram a muitos a esperança em Deus e apagam, não em poucos, a Luz da fé.

348 «Mestre, que hei-de fazer para ter a Vida eterna?» (MT 19,16)

Jesus diz: «Se quiseres entrar na Vida, guarda os Mandamentos!» (MT 19,17) E acrescenta: «Vem e segue-Me!» (MT 19,21) [2052-2054, 2075-2076]

Ser cristão é mais que ter uma vida correta, presa a Mandamentos. Ser cristão é ter uma relação viva com Jesus. Um cristão une-se profunda e pessoalmente com o seu Senhor e faz-se com Ele ao caminho que leva à verdadeira Vida.

SEGUNDA SEÇÃO
Os Dez Mandamentos

349 *Quais são os Dez Mandamentos?*

1. Eu sou o Senhor, teu Deus. Não terás outros deuses além de Mim!
2. Não profanarás o nome de Deus!
3. Santificarás o Dia do Senhor!
4. Honrarás pai e mãe!
5. Não matarás!
6. Não cometerás adultério!
7. Não roubarás!
8. Não darás falso testemunho contra o teu próximo!
9. Não cobiçarás a mulher do teu próximo!
10. Não cobiçarás os bens do teu próximo!

350 *Serão os Dez Mandamentos uma composição aleatória?*

Não. Os Dez Mandamentos contêm uma unidade. Cada Mandamento remete para o outro e não pode ser isolado e arbitrariamente considerado. Portanto, quem infringe um Mandamento, infringe toda a Lei. [2069, 2079]

O que torna os Dez Mandamentos tão especiais é o fato de neles poder ser compreendida toda a vida humana. Nós, pessoas humanas, estamos orientados, com efeito, para Deus (do primeiro ao terceiro mandamento) e para os outros (do quarto ao décimo mandamento). Somos seres religiosos *e* sociais.

> A maioria das pessoas não faz ideia do que Deus poderia fazer delas se somente elas se colocassem à Sua disposição.
>
> SANTO INÁCIO DE LOYOLA

Estes Dez Mandamentos não se encontram na Sagrada Escritura sob esta forma, mas provêm de duas fontes bíblicas: Ex 20,2-17 e Dt 5,6-21. Desde muito cedo, as duas fontes foram doutrinalmente sintetizadas e têm sido tradicionalmente apresentadas aos crentes como Dez Mandamentos na forma catequética acima exposta.

DECÁLOGO
(gr. *deka* = dez e *logos* = palavra: "dez palavras")
Os Dez Mandamentos são o resumo principal das regras fundamentais do comportamento humano no Antigo Testamento. Por esta série fundamental se orientam tanto os judeus como os cristãos.

> Os Dez Mandamentos não são a imposição arbitrária de um Senhor tirânico. [...] Hoje, como sempre, eles são o único futuro da família humana. Salvam o ser humano da força destruidora do egoísmo, do ódio e da mentira. Evidenciam todos os falsos deuses que o arrastam para a escravidão: o amor de si mesmo até à exclusão de Deus, a avidez do poder e do prazer que subverte a ordem da justiça e degrada a nossa dignidade humana e a do nosso próximo.
> João Paulo II, no monte Sinai, 26.02.2002

> Nós O amamos, porque Ele nos amou primeiro.
> 1Jo 14,9

351 *Não estão ultrapassados os Dez Mandamentos?*

Não, os Dez Mandamentos não estão condicionados pelo tempo. Neles estão expressos os deveres fundamentais do ser humano perante Deus e o próximo. São válidos para todos os tempos e lugares. [2070-2072]

Os Dez Mandamentos são Mandamentos da razão, mas também fazem parte da → Revelação de Deus. São tão fundamentais na sua obrigatoriedade que ninguém se pode dispensar de os cumprir.

◇ PRIMEIRO CAPÍTULO ◇
Ama o Senhor, teu Deus, com todo o coração, com toda a alma e com todos os teus pensamentos

PRIMEIRO MANDAMENTO:
Eu sou o Senhor, teu Deus.
Não terás outros deuses além de Mim!

352 *O que significa «Eu sou o Senhor, teu Deus» (Ex 20,2)?*

Se o Onipotente Se revelou como o nosso Deus e Senhor, não devemos colocar nada acima d'Ele, nem considerar nada mais importante ou ceder a Sua primazia a nenhuma coisa ou pessoa. Conhecer, servir e adorar a Deus tem absoluta prioridade na vida. [2083-2094, 2133-2134]

Deus espera que Lhe concedamos toda a nossa *fé*; devemos dirigir-Lhe toda a nossa *esperança* e orientar para Ele todas as forças do *amor*. O mandamento do amor a Deus é o mais importante de todos os mandamentos e a chave de todos os outros, pelo que se encontra à cabeça dos Dez Mandamentos.

353 *Por que adoramos a Deus?*

Adoramos a Deus porque Ele existe e porque o respeito e a adoração são a resposta apropriada à Sua

manifestação e à Sua presença. «Adorarás o Senhor, teu Deus, e só a Ele prestarás culto.» (Mt 4,10) [2095-2105, 2135-2136]

A adoração de Deus serve também o ser humano, pois liberta-o da escravidão dos poderes deste mundo. Onde Deus já não é adorado ou não é considerado o Senhor da vida e da morte, ocupam outros o Seu lugar e a dignidade humana é colocada em risco. → 485

354 Podemos forçar alguém a crer em Deus?

Não. Ninguém deve forçar os outros, mesmo os próprios filhos, a ter fé, como ninguém deve ser forçado a não crer. O ser humano só pode optar pela fé em total liberdade. Não obstante, os cristãos são chamados, pela palavra e pelo exemplo, a ajudarem as outras pessoas a encontrar o caminho da fé. [2104-2109, 2137]

O Papa João Paulo II dizia: «O anúncio e o testemunho de Cristo, quando feitos no respeito pelas consciências, não violam a liberdade. A fé exige a livre adesão do ser humano, mas tem de ser proposta.» (*Redemptoris missio*, n.º 8)

355 O que significa «Não terás outros deuses além de Mim»?

Este Mandamento proíbe-nos de:
* venerar outros deuses ou divindades falsas, adorar um ídolo terreno ou vender a alma a um bem terreno (dinheiro, influência, sucesso, beleza, juventude etc.);
* ser supersticioso, isto é, ao invés de crer no poder, na orientação e na →Bênção de Deus, aderir a práticas esotéricas, mágicas ou ocultas, incluindo a adivinhação e o espiritismo;
* provocar Deus com palavras e atos;
* cometer →Sacrilégio;
* adquirir poder sagrado de um modo corrupto e profanar o sagrado comercialmente (simonia). [2110-2128, 2138-2140]

> Onde Deus é grande, o ser humano não é pequeno, mas torna-se também grande e o mundo amanhece.
>
> Bento XVI, 11.09.2006

> O ser humano não consegue subsistir sem adorar algo.
>
> Fiódor Dostoiévski

> Não impomos a ninguém a nossa fé. Um semelhante gênero de proselitismo é contrário ao Cristianismo. A fé pode desenvolver-se unicamente na liberdade. Mas é à liberdade do ser humano que apelamos para que se abra a Deus, O procure, O ouça.
>
> Bento XVI, 10.09.2006

PROSELITISMO (gr. *proserchomai* = aproximar-se, acrescentar-se) Trata-se da exploração da pobreza intelectual ou psíquica dos outros, para os atrair à própria fé.

SUPERSTIÇÃO

É a admissão irracional de que determinadas palavras, ações, acontecimentos e objetos contêm em si forças mágicas ou as desenvolvem a partir de si mesmos.

SACRILÉGIO

(lat. *sacrilegium* = roubo num templo) É o roubo, a violação ou a profanação de algo sagrado.

> Louvado seja o Senhor, que me redimiu de mim mesma!
> Santa Teresa de Ávila

ESOTERISMO

(gr. *esoterikos* = do interior, da intimidade, aquilo que necessita de uma iniciação para ser entendido) É a designação comum, em uso desde o século XIX, para doutrinas e práticas espirituais em que o ser humano é conduzido a um pretenso "conhecimento verdadeiro", que todavia sempre existiu dentro dele. É estranha ao pensamento esotérico uma Revelação em que Deus, de fora, Se manifesta ao ser humano.

---

356 *Será o esoterismo compatível com a fé cristã?*

Não. O → Esoterismo passa ao lado da realidade de Deus. Ele é um ser pessoal, é o amor e a origem da vida, não uma energia cósmica fria. O ser humano é desejado e criado por Deus; não é divino, mas uma criatura ferida pelo pecado, ameaçada pela morte e necessitada de redenção. Enquanto os adeptos do esoterismo aceitam geralmente que o ser humano se pode redimir a si mesmo, os cristãos creem que só Jesus Cristo e a graça de Deus os salvam. De igual modo, nem a Natureza nem o Cosmos são Deus (como afirma o → Panteísmo); antes, o Criador, que nos ama com todo o amor, é infinitamente maior e distinto de tudo o que Ele criou. [2110-2128]

Hoje, muitos praticam ioga por motivos de saúde, participam em cursos de → Meditação para adquirirem tranquilidade e concentração, ou em workshops de dança para fazerem uma nova experiência corporal. Nem sempre, porém, estas técnicas são inofensivas. Por vezes, são veículos para uma doutrina estranha ao Cristianismo: o → Esoterismo. Nenhuma pessoa racional deveria concordar com esta mundivisão irracional, em que formigam espíritos, duendes e anjos (esotéricos), em que se crê em magia e os "iniciados" têm um conhecimento misterioso, ocultado ao "povo estúpido". Já no antigo Israel se alertava para o perigo da crença em deuses e espíritos, proveniente dos povos circunvizinhos. Só Deus é o Senhor; não existe outro Deus além d'Ele. Também não existe uma técnica (mágica) para encantar o "divino", impor os próprios desejos ao universo

ou atingir a redenção. Muitas coisas do esoterismo são, na perspetiva cristã, →SUPERSTIÇÃO ou →OCULTISMO.
→ 5

357 O ateísmo é sempre um pecado contra o primeiro Mandamento?

Quem nega a Deus consciente e intencionalmente peca contra o primeiro mandamento. Mas esta responsabilidade pode ser fortemente restringida caso a pessoa não tenha vivido nenhuma experiência de Deus ou, questionando sobre Deus e procurando resposta com a sua consciência, não consegue crer n'Ele. [2127-2128]

Não é nítida a fronteira entre o não conseguir crer e o não querer crer. A atitude que simplesmente despreza a fé como algo não importante, sem a ter examinado de perto, é frequentemente pior que um →ATEÍSMO prudente.

358 Por que motivo o Antigo Testamento proíbe as imagens de Deus e por que razão os cristãos já não cumprem essa proibição?

Para proteger o mistério de Deus e se demarcar de imagens cultuais pagãs, o primeiro Mandamento determina: «Não farás para ti nenhuma imagem de Deus.» (Ex 20,4) Porque, todavia, Deus tomou um rosto humano em Jesus Cristo, foi abolida a proibição das imagens no Cristianismo; nas Igrejas Orientais, até os →ÍCONES são considerados santos. [2129-2132, 2141]

A sabedoria dos antepassados de Israel de que Deus excede tudo (é → TRANSCENDENTE) e é muito maior do que tudo o que há no mundo continua ainda viva no Judaísmo e no Islão, em que foram sempre proibidas as imagens de Deus. No Cristianismo, a proibição das imagens relativamente a Cristo foi-se afrouxando e foi abolida no II Concílio de Niceia (no ano 787). Pela Sua encarnação, Deus deixou de fato de ser absolutamente inimaginável; desde Jesus, podemos ter uma imagem do Seu ser: «Quem Me vê vê o Pai.» (Jo 14,9) → 9

? PANTEÍSMO
(gr. *pan* = tudo e *theos* = Deus)
É uma concepção do mundo segundo a qual nada existe a não ser Deus. Segundo ela, tudo quanto existe é Deus e Deus é tudo quanto existe. Esta doutrina é incompatível com a fé cristã.

? OCULTISMO
(lat. *occultus* = escondido, secreto)
Significando doutrina secreta, este termo é hoje utilizado frequentemente como sinónimo do esoterismo. Trata-se de uma designação comum para doutrinas e práticas mediante as quais o ser humano obtém um suposto poder sobre o seu destino, sobre a matéria e sobre o seu meio. Práticas ocultas são, por exemplo, pêndulos, copos de vidro, astrologia e clarividência.

? ATEÍSMO
(gr. *a* = não e *theos* = Deus)
É a ideia da inexistência de Deus. Trata-se de um conceito comum a variadas formas de negação teórica ou prática da existência de Deus.

AGNOSTICISMO
(gr. *a* = não e *gnosis* = conhecimento) É a ideia da incompreensibilidade de Deus. Trata-se de uma posição que deixa a questão de Deus em aberto, por ela não ser determinável ou por Deus não poder ser compreendido com precisão. Ninguém nega Deus se não tiver interesse em que Ele não exista.

ÍCONE
(gr. *eikon* = imagem) Um ícone é uma pintura cultual das Igrejas Orientais que é pintada em oração e jejum, segundo um venerável modelo, e que deve produzir uma ligação mística entre o contemplador e o apresentado (Cristo, anjo, santo).

99 Deus conferiu-Se um rosto humano, o de Jesus; por conseguinte, se de agora em diante queremos conhecer verdadeiramente o rosto de Deus, devemos contemplar o rosto de Jesus! No Seu semblante vemos realmente quem é e como é Deus!
BENTO XVI, 18.09.2006

SEGUNDO MANDAMENTO:
Não profanarás o nome de Deus!

359 *Por que motivo Deus quer que santifiquemos o Seu nome?*

Dizer a alguém o seu nome é um sinal de confiança. Se Deus nos disse o Seu nome, é porque Ele Se dá a conhecer e porque nos permite o acesso a Ele mediante esse mesmo nome. Deus é todo Verdade; por isso, peca gravemente quem invoca a verdade e o nome de Deus para testemunhar uma mentira. [2142-2155, 2160-2164]

O nome de Deus não deve ser invocado sem respeito, porque só o conhecemos por Ele no-lo ter confiado. O Seu nome é, de fato, a chave do coração do Onipotente. Por isso, é uma falta grave blasfemar contra Deus, amaldiçoar em nome de Deus ou fazer

> DANIELA

promessas falsas em Seu nome. Por isso, o segundo Mandamento é também um Mandamento que protege o "sagrado" em geral. Os lugares, as coisas, os nomes e as pessoas que foram tocados por Deus são "sagrados". A sensibilidade para o sagrado designa-se por "temor".
→ 31

TRANSCEN-DÊNCIA
(lat. *transcendere* = exceder, ir além) Refere-se ao que está além dos limites do mundo; que não está limitado ao espaço e ao tempo.

360 O que significa o "sinal da cruz"?

> MÓNICA

Pelo "sinal da cruz" colocamo-nos sob a proteção do Deus trino. [2157, 2166]

No começo do dia, de uma oração e também de tarefas importantes, o cristão coloca-se sob o "sinal da cruz" e inicia a sua ação em "nome do Pai e do Filho e do Espírito Santo". A invocação nominal do Deus trino, por quem estamos cercados de todos os lados, santifica as coisas que empreendemos; ela concede-nos a → BÊNÇÃO e fortalece-nos nas dificuldades e nas tentações.

> Bendito seja o nome do Senhor, desde agora e para sempre.
>
> SL 113,2

361 O que significa para os cristãos ser batizado num determinado nome?

Somos batizados num *nome*, isto é, «em *nome* do Pai e do Filho e do Espírito Santo». O nome e o rosto são o que faz uma pessoa única, também e sobretudo diante de Deus. «Não temas, porque te redimi; chamei-te pelo teu nome, tu és Meu!» (Is 43,1) [2158]

Os cristãos lidam respeitosamente com o nome de uma pessoa, porque o nome está profundamente ligado à sua identidade e à sua dignidade. Desde muito cedo os cristãos procuraram, para os seus filhos, os nomes da lista dos santos; eles fazem-no na fé de que o santo do seu nome seja um modelo e interceda por eles junto de Deus. → 201

> Não nos envergonhemos de professar o Crucificado, selemos confiadamente a testa com os dedos, façamos o sinal da cruz sobretudo sobre o pão, a comida e os copos de que bebemos! Façamo-lo quando vamos e quando vimos, antes de dormir, ao deitarmo-nos e ao levantarmo-nos, quando andamos e descansamos!
>
> SÃO CIRILO DE JERUSALÉM (313-386, doutor da Igreja)

> HELENA

ROGÉRIO · JOANA · FERNANDO · JÚLIO · BENJAMIN · LAURA · FELICIDADE · ANA · MARIA · PEDRO · LEONARDO · NUNO · TIAGO · JOSÉ · MARTIM · CARLOS · ROSÁRIO · BELA · PAULO · GABRIEL · BERNARDO · BRUNO · JEREMIAS · SOFIA · EMÍLIA · ESTÊVÃO · JORGE · JOÃO · TÂNIA · JÉSSICA · GERTRUDES · CLARA · DOROTEIA

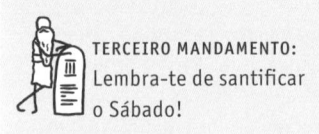

> Não apagarei o seu nome do livro da vida, mas reconhecê-lo-ei diante de Meu Pai e dos Seus anjos.
>
> Ap 3,5

> Lembrar-te-ás do dia de sábado, para o santificares! [...] Não farás nenhum trabalho, nem tu, nem o teu filho, nem a tua filha, nem o teu servo, nem a tua serva, nem os teus animais domésticos, nem o estrangeiro que vive na tua cidade!
>
> Ex 20,8.10

? SÁBADO
(hebr. *shabbáth* = "pausa para o descanso")
É o dia de descanso dos judeus, em memória do sétimo dia da Criação e do Êxodo do Egito. Começa na sexta-feira à tarde e termina na tarde de sábado. No Judaísmo ortodoxo, é organizado com uma abundância de regras, com vista à defesa do descanso sabático.

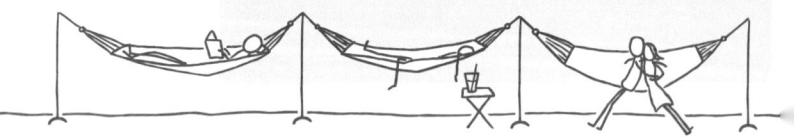

TERCEIRO MANDAMENTO:
Lembra-te de santificar o Sábado!

362 *Por que razão Israel celebra o Sábado?*

O → SÁBADO é, para o Povo de Israel, a grande memória de Deus, Criador e libertador. [2168-2172, 2189]

O → SÁBADO recorda, por um lado, o sétimo dia da Criação; diz-se que nesse dia Deus «parou para respirar» (Ex 31,17), autorizando de certa forma todas as pessoas a interromperem o trabalho e a tomarem novo fôlego; até os escravos deviam poder guardar o Sábado. Isso remete para a outra grande recordação, a libertação de Israel da escravidão do Egito: «Lembra-te de que foste escravo no Egito!» (Dt 5,15) O Sábado é, portanto, a festa da liberdade humana; no Sábado pode tomar-se alento, nele é superada a divisão mundana entre senhores e servos. No Judaísmo tradicional, este dia de liberdade e descanso vale como uma espécie de antegozo do mundo vindouro. → 47

363 *Como lidou Jesus com o Sábado?*

Jesus respeitou o preceito do → SÁBADO, mas ao mesmo tempo posicionou-se em relação a ele de uma forma altamente livre e soberana: «O Sábado foi feito para o homem e não o homem para o Sábado.» (Mc 2,27) [2173]

O fato de Jesus ter curado no → SÁBADO e ter interpretado o Mandamento do Sábado de uma forma misericordiosa colocou os judeus, Seus contemporâneos, perante duas hipóteses: ou Jesus é o Messias enviado por Deus e, portanto, o «Senhor do Sábado» (Mc 2,28) – ou Ele é apenas um homem simples, cujo trato com o Sábado constitui um pecado contra a Lei.

364 *Por que motivo os cristãos substituíram o sábado pelo domingo?*

Os cristãos trocam a celebração do sábado pela celebração do domingo porque Jesus Cristo ressuscitou dos mortos num domingo. O "dia do Senhor" assume, porém, alguns elementos do Sábado. [2174-2176, 2190-2191]

O domingo cristão tem, assim, três elementos:
1. Recorda a Criação do mundo e remete para o solene esplendor da bondade de Deus dentro do tempo.
2. Recorda o "oitavo dia da Criação", em que o mundo se renovou em Cristo (isto é dito numa oração na Vigília Pascal: «De modo admirável criastes o Homem e de modo mais admirável o redimistes.») 3. Aproveita o motivo do descanso não apenas para santificar a interrupção do trabalho, mas também para aludir já ao descanso eterno do ser humano em Deus.

365 *De que modo os cristãos tornam o domingo no "dia do Senhor"?*

Um cristão católico participa na Santa Missa ao domingo ou na sua véspera. Nesse dia, Ele deixa de lado todos os trabalhos que o impedem de adorar a Deus e de viver este dia nas suas dimensões de festa, alegria, descanso e restabelecimento. [2177-2186, 2192-2193]

Sendo o domingo uma festa pascal de frequência semanal, os cristãos, desde os primeiros tempos, juntam-se nesse dia para celebrarem o seu Redentor, agradecer-Lhe e reunir-se com Ele e com os outros redimidos. Portanto, é de interesse central para cada cristão católico "santificar" o domingo e outras festas de guarda. Deste preceito estão livres todos os que têm deveres familiares prementes ou tarefas sociais importantes. Porque a participação na → EUCARISTIA dominical é fundamental para a vida cristã, a Igreja considera expressamente um pecado grave afastar-se da Missa dominical sem necessidade.

→ 219, 345

> Se os pagãos o designam por "o dia do sol", de bom grado nós também o professamos, pois hoje nasceu a Luz do mundo, hoje apareceu o Sol da justiça, cujos raios trazem a salvação.
>
> SÃO JERÔNIMO

> Sem domingo, não conseguimos viver.
>
> OS MÁRTIRES CRISTÃOS DE ABITENE, antes de serem executados, em 304, pelo imperador Diocleciano, por se terem oposto à proibição da celebração dominical.

> Antes, dizia-se: «Dai um domingo à alma!» Agora, diz-se: «Dai uma alma ao domingo!»
>
> PETER ROSEGGER (1843-1918, escritor austríaco)

> O que nos custa o domingo?
> A própria questão já é um atentado decisivo contra o domingo. Com efeito, o domingo é precisamente domingo na medida em que nada custa e nada traz economicamente.
> A questão sobre o custo da sua proteção como dia livre de trabalho pressupõe, na verdade, que já transformamos mentalmente o domingo num dia de trabalho.
> ROBERT SPAEMANN (*1927, filósofo alemão)

366 *Por que é importante que o Estado proteja o domingo?*

O domingo é um verdadeiro serviço ao bem da sociedade, porque é um sinal de resistência contra a liquidação do ser humano pelo mundo do trabalho. [2188, 2192-2193]

Por isso, os cristãos dos países marcados pelo Cristianismo não reclamam apenas a proteção estatal para o domingo, mas também não exigem aos outros o trabalho que eles não querem fazer ao domingo. Todos devem poder participar no "respirar fundo" da Criação.

❖ SEGUNDO CAPÍTULO ❖
Ama o teu próximo como a ti mesmo

QUARTO MANDAMENTO:
Honrarás
pai e mãe!

367 *A quem se refere o quarto Mandamento e que espera ele de nós?*

O quarto Mandamento refere-se, em primeiro lugar, aos pais biológicos, mas também às pessoas a quem devemos a nossa vida, a nossa prosperidade, a nossa segurança e a nossa fé. [2196-2200, 2247-2248]

Aquilo que devemos aos nossos pais, nomeadamente o amor, a gratidão e a atenção, também deve reger o nosso relacionamento com as pessoas que nos guiam e que estão disponíveis para nós. Há pessoas que detêm uma autoridade natural e boa, que nos foi concedida por Deus: pais adotivos e padrastos, familiares mais velhos (sobretudo avós), educadores, professores, patrões e chefes. De acordo com o quarto Mandamento, devemos dar-lhes satisfações. Este Mandamento remete-nos até, em sentido abrangente, para os nossos deveres de cidadãos perante o Estado. → 325

> Honra pai e mãe, a fim de prolongares os teus dias na terra que o Senhor, teu Deus, te vai dar!
> Ex 20,12

> A família é um bem necessário para os povos, um fundamento indispensável para a sociedade e um grande tesouro dos esposos durante toda a sua vida. É um bem insubstituível para os filhos, que hão de ser fruto do amor, da doação total e generosa dos pais.
>
> BENTO XVI, 08.07.2006

> A tuberculose e o câncer não são as piores doenças. Creio que a pior doença é não ser desejado nem amado.
>
> SANTA TERESA DE CALCUTÁ

368 *Que posição ocupa a família no plano da Criação de Deus?*

Um homem e uma mulher que se casam constituem uma família com os seus filhos. Deus quer que, tanto quanto possível, os filhos nasçam do amor dos pais. Os filhos, confiados à proteção e ao cuidado dos seus pais, têm a mesma dignidade deles.
[2201-2206, 2249]

O próprio Deus, na Sua profundidade, é comunhão. No âmbito humano, a família é o protótipo da comunhão. A família é uma singular escola de vida carregada de significado. Em mais nenhum lado os filhos crescem melhor que numa família intacta, na qual são vividas a simpatia afetuosa, a atenção recíproca e a responsabilidade mútua. Também a fé cresce na família; ela é, como diz a Igreja, uma Igreja em ponto pequeno, uma "Igreja doméstica", cuja força de irradiação convida outros à comunhão da fé, do amor e da esperança. → 271

> Somente a rocha do amor total e irrevocável entre o homem e a mulher é capaz de dar um fundamento para a construção de uma sociedade que se torne casa para todas as pessoas.
>
> BENTO XVI, 11.05.2006

> Uma família que reza unida permanece unida.
>
> SANTA TERESA DE CALCUTÁ

> Os mais novos devem, portanto, honrar os mais velhos; os mais velhos devem amar os mais novos.
>
> SÃO BENTO DE NÚRSIA

> Quando a família está bem, o país está bem; quando o país está bem, a grande comunhão humana vive em paz.
>
> LÜ BU WE (ca. 300-236 a. C., filósofo chinês)

> Honra o teu pai de todo o coração, não esqueças nunca as dores da tua mãe!... Como lhes podes retribuir por aquilo que fizeram por ti?
>
> ECLO 7,27-28

369 *Por que razão as famílias são insubstituíveis?*

Cada criança provém de um pai e de uma mãe e deseja o calor e a segurança de uma família para crescer segura e feliz. [2207-2208]

A família é a célula original da sociedade humana. Os valores e os princípios que são vividos no pequeno âmbito da família possibilitarão aos filhos uma vida social solidária quando eles crescerem. → 516

370 *Por que deve o Estado proteger e apoiar as famílias?*

O bem e o futuro de uma nação dependem da vida e do desenvolvimento da sua menor unidade, a família. [2209-2213, 2250]

Nenhum Estado tem o direito de controlar, por dentro, a célula original da sociedade, a família, ou de lhe negar o direito à existência. Nenhum Estado tem o direito de definir a família de um modo distinto do que foi estabelecido na Criação. Nenhum Estado tem o direito de se apoderar das funções básicas da família, especialmente no âmbito da educação. Pelo contrário, cada Estado tem o dever de ajudar as famílias, favorecendo-as e assegurando-lhes as necessidades materiais. → 323

371 *De que forma um filho honra os seus pais?*

Um filho estima e honra os seus pais na medida em que lhes manifesta amor e gratidão. [2214-2220, 2251]

Os filhos deviam ser gratos para com os pais apenas pela simples razão de terem recebido a sua vida do amor deles. Esta gratidão funda uma perpétua relação de amor, de atenção, de responsabilidade e de uma obediência retamente entendida. Especialmente na necessidade, na doença e na idade avançada, os filhos devem estar disponíveis para cuidar dos seus pais, de uma forma carinhosa e fiel.

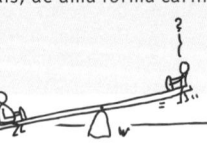

Apresentaram a Jesus umas crianças para que Ele as tocasse, mas os discípulos afastavam-nas. Jesus, ao ver isto, indignou-Se e disse-lhes: «Deixai vir a Mim as criancinhas, não as estorveis! Dos que são como elas é o Reino de Deus.»

Mc 10,13-14

> As crianças dão-nos felicidade porque em cada uma delas são recriadas todas as coisas e o universo é novamente posto à prova.

G. K. Chesterton

> Duas coisas devem os filhos obter dos seus pais: raízes e asas.

Johann Wolfgang von Goethe

372 *De que modo os pais honram os seus filhos?*

Deus confiou os filhos aos pais para que estes fossem para os filhos modelos estáveis e justos, os amassem e estimassem, enfim, para que tudo fizessem no sentido de os filhos se poderem desenvolver corporal e espiritualmente. [2221-2231]

Os filhos são um dom de Deus e não uma propriedade dos pais. Antes de serem filhos dos seus pais, eles são filhos de Deus. O dever mais nobre dos pais é dar aos seus filhos a Boa-Nova e ser para eles mediadores da fé cristã. → 374

Pais, não exaspereis os vossos filhos, para que não caiam em desânimo!

Sl 3,21

Amai-vos uns aos outros com amor fraterno! Rivalizai uns com os outros na estima recíproca! Não sejais indolentes no zelo, mas fervorosos no espírito! Dedicai-vos ao serviço do Senhor!

RM 12,10-11

> Que o Senhor vos faça crescer e aumentar no amor mútuo e para com todos, assim como é o nosso amor para convosco, a fim de que o vosso coração permaneça firme e irrepreensível na santidade diante de Deus, nosso Pai, por ocasião da vinda de nosso Senhor Jesus com todos os Seus santos.

1TS 3,12-13

373 *Como deve uma família viver a fé no seu seio?*

Uma família cristã deve ser uma Igreja em ponto pequeno. Todos os membros de uma família cristã são convidados a fortalecer-se reciprocamente na fé e a superar-se mutuamente no zelo por Deus. Devem rezar uns pelos outros e uns com os outros, e realizar ações comuns de amor ao próximo. [2226-2227]

Os pais responsabilizam-se pela transmissão da fé aos seus filhos, pedem o seu Batismo e servem-nos, sendo para eles exemplos de fé. Isto significa que os pais devem fazer com que os seus filhos saibam como é valioso e agradável viver na presença e na proximidade do Deus que ama. A determinada altura, porém, os pais também aprenderão com a fé dos seus filhos e ouvirão como Deus fala por eles, porque a fé dos mais novos frequentemente está cunhada de maior entrega e «porque habitualmente o Senhor revela o melhor a uma pessoa mais nova» (SÃO BENTO DE NÚRSIA, Regra 3,3).

374 *Por que razão Deus é mais importante que a família?*

O ser humano não consegue viver sem relação. A mais importante relação do ser humano é a que tem com Deus. Ela tem a primazia sobre todas as relações humanas, mesmo as familiares. [2232-2233]

Os filhos não "pertencem" aos seus pais nem os pais aos seus filhos. Cada pessoa pertence diretamente a Deus. Só a Deus o ser humano está absoluta e perenemente ligado. Assim se compreende a frase de Jesus aos vocacionados: «Quem ama o pai ou a mãe mais do que a Mim não é digno de Mim; e quem ama o filho ou a filha mais do que a Mim não é digno de Mim.» (MT 10,37) Por isso, os pais devem entregar os seus filhos nas mãos de Deus com total confiança quando o Senhor os chama a uma vida de entrega como → SACERDOTES ou como consagrados. → 145

375 *De que modo a autoridade é corretamente exercida?*

A autoridade é corretamente exercida quando é entendida, a exemplo de Jesus, como um serviço. Ela não deve nunca ser arbitrária. [2234-2237, 2254]

Jesus mostrou-nos, de uma vez por todas, como se deve exercer a autoridade. Ele, a maior autoridade, serviu e colocou-Se no último lugar. Jesus até lavou os pés dos Seus discípulos (Jo 13,1-20). A autoridade dos pais, professores, educadores e chefes é dada por Deus, não para dominar os que lhes foram confiados, mas para entenderem e exercerem a sua tarefa de guiar e educar como um serviço. → 325

376 Que deveres têm os cidadãos perante o Estado?

Cada cidadão tem o direito de colaborar lealmente com os órgãos do Estado e contribuir para o →BEM COMUM com verdade, justiça, liberdade e solidariedade.
[2238-2246]

Também um cristão deve amar a sua pátria, defendê-la em caso de necessidade e colocar-se de bom grado a serviço das instituições estatais. Deve exercer ativa e passivamente o direito de voto, e não se furtar ao dever dos impostos. No entanto, o cidadão permanece, como indivíduo, um ser livre e dotado de direitos fundamentais e elementares; tem direito a criticar construtivamente o Estado e os seus órgãos. O Estado existe para as pessoas, não as pessoas para o Estado.

377 Quando se deve desobedecer ao Estado?

Ninguém deve seguir orientações estatais que estejam contra as leis de Deus.
[2242-2246, 2256-2257]

Jesus exortou apenas a uma relativa obediência ao Estado. São Pedro e os Apóstolos disseram: «Deve obedecer-se antes a Deus que aos homens!» (At 5,29) Se um Estado promulgar leis e adotar medidas raciais, sexistas ou destruidoras da vida, os cristãos, por consciência, não podem obedecer ou colaborar; devem mesmo opor resistência.
→ 379

> Quem entre vós quiser tornar-se grande seja vosso servo, e quem entre vós quiser ser o primeiro seja vosso escravo! Será como o filho do homem, que não veio para ser servido, mas para servir e dar a vida pela redenção dos homens.
>
> Mt 20,27-28

> Pelo nascimento, sou albanesa; pela nacionalidade, sou indiana; sou uma freira católica. Pela minha missão, pertenço a todo o mundo, mas o meu coração pertence a Jesus.
>
> SANTA TERESA DE CALCUTÁ

> Então, dai a César o que é de César e a Deus o que é de Deus!
>
> Mt 22,21

> A princípio havia pequenas mudanças na atitude fundamental. Isto começou com a opinião, elementar para o movimento da eutanásia, de que há situações consideradas como sem maior importância para a vida. No seu estágio inicial esta atitude dizia respeito só aos doentes crônicos: pouco a pouco foi-se alargando o âmbito dos que faziam parte desta categoria e começou-se a incluir também os socialmente inúteis, os ideologicamente indesejados e os racialmente excluídos. Contudo, é preciso evidentemente reconhecer que a atitude perante os doentes incuráveis foi apenas o leve pretexto que veio a ter como consequência esta radical mudança de opinião.
> LEO ALEXANDER
> (1905-1985, médico judeo-americano acerca dos crimes da eutanásia)

QUINTO MANDAMENTO:
Não matarás!

378 Por que não se pode tirar a própria vida, nem a dos outros?

Só Deus é o Senhor da vida e da morte. Exceto em caso de legítima defesa, ninguém pode matar ninguém. [2258-2262, 2318-2320]

No Livro do Êxodo, diz-se claramente: «Não matarás!» (Ex 20,13) Atentar contra a vida é um delito contra Deus. A vida é *sagrada*; isso significa que pertence a Deus, é Sua propriedade. Até a nossa própria vida nos foi apenas confiada. Foi o próprio Deus que nos ofereceu a vida; só Ele no-la pode tomar.

379 Que atentados estão implícitos na proibição de matar?

Implícitos estão o homicídio e a cumplicidade no assassínio. Implícitos estão os crimes de guerra. Implícita está a interrupção voluntária da gravidez (aborto) de um ser humano, desde a sua concepção. Implícito está o suicídio, a automutilação e a autodestruição. Implícita está a eutanásia, ou seja, matar pessoas portadoras de deficiência, doentes e moribundos. [2268-2283, 2322-2325]

Hoje, a proibição de matar é frequentemente disfarçada com argumentos aparentemente humanos. Todavia, nem a eutanásia nem o aborto são soluções humanas. Por isso, a Igreja não tem qualquer dúvida relativamente a tais questões: quem participa num aborto, força alguém a praticá-lo ou o aconselha a fazer é automaticamente excomungado, como no caso de qualquer outro atentado contra a vida. Quando uma pessoa psiquicamente doente comete suicídio, a responsabilidade por isso não raramente é limitada; muito frequentemente é até reduzida. → 288

380 Por que podemos matar outra pessoa em caso de legítima defesa?

Quem atenta contra a vida dos outros pode e deve ser impedido; em caso de necessidade, pode mesmo ser morto. [2263-2265, 2321]

A legítima defesa não é apenas um direito; ela pode até ser um dever para quem é responsável por outras pessoas. A medida empregue para a legítima defesa não deve, porém, ser equívoca nos seus meios nem desapropriadamente dura.

381 Por que motivo a Igreja é contra a pena de morte?

"À luz do Evangelho", a Igreja defende "que a pena de morte é inadmissível, por ferir a integridade e a dignidade do ser humano". Além disso, a Igreja está "firmemente comprometida com a abolição dessa prática no mundo inteiro" [2266-2267].

Todo Estado, em sua legitimidade, tem fundamentalmente o direito de punir do modo que achar mais adequado. Mesmo assim, a Igreja, por um longo tempo, luta contra a aplicação da pena de morte. E o Papa Francisco fortaleceu esse compromisso por meio de uma mudança no texto do *Catecismo da Igreja Católica*, de modo a não se perder a dignidade do ser humano, "mesmo que se tenha cometido um crime muito grave. Cada vez mais, entre as diferentes nações, difunde-se uma nova compreensão do sentido das sanções penais. Como resultado disso, desenvolveram-se sistemas mais eficazes de punição que, além de assegurarem a defesa dos cidadãos, proporcionam ao réu a possibilidade de redimir-se do crime cometido".

382 É permitida a eutanásia?

Provocar a morte diretamente atenta sempre contra o mandamento «Não matarás!» (Ex 20,13) Pelo contrário, assistir a uma pessoa no processo de morte constitui mesmo um mandamento humano. [2278-2279]

Aqui, o que está em questão é se matamos uma pessoa que está a morrer ou se deixamos que ela morra, dando-lhe

> Ouvistes o que foi dito aos antigos: «Não matarás; quem matar será submetido ao julgamento.» Eu, porém, vos digo: todo aquele que apenas se irar contra o seu irmão será submetido a julgamento.
>
> Mt 5,21-22

Para ser adequada e justa, uma pena infligida pelo Estado deve respeitar quatro condições:
1. O delito deve ser reparado.
2. O Estado deseja, com ela, restaurar a ordem pública e garantir a segurança dos seus cidadãos.
3. A pena deve melhorar o culpado.
4. A pena deve corresponder à gravidade do delito.

> Ninguém, em circunstância alguma, pode reivindicar para si o direito de destruir diretamente um ser humano inocente.
>
> Congregação para a Doutrina da Fé, *Donum Vitae*

> A oferta de assistência, e não o movimento de eutanásia, é a resposta humanamente aceitável à nossa situação. O poder da imaginação e da solidariedade em face aos problemas gigantescos que temos pela frente só podem ser mobilizados se o recurso negativo for bloqueado de forma inexorável. Onde a morte é cultivada e considerada parte da vida, aí desponta a civilização da morte.
>
> Robert Spaemann
> (filósofo alemão)

> Se uma pessoa já não está segura no seio da sua mãe, onde estará, então, ela ainda segura neste mundo?
>
> Phil Bosmans (* 1922, sacerdote e escritor belga)

> Os cristãos [...] casam-se e têm filhos como os outros, mas não abandonam os recém--nascidos.
>
> Carta a Diogneto, século II

> O aborto e o infanticídio são crimes abomináveis.
>
> *Gaudium et spes*, n.º 51

assistência. Quem intencionalmente provoca a morte de uma pessoa gravemente doente (eutanásia), atenta contra o Quinto Mandamento. Quem assiste a uma pessoa no leito da morte obedece ao Mandamento do amor ao próximo. É legítimo que, diante da morte iminente de um paciente, se renuncie aos tratamentos médicos extraordinários, dispendiosos e desproporcionais aos resultados esperados. A decisão aqui pertence ao próprio paciente, que o pode determinar antecipadamente por testamento vital; caso não o tenha feito nem esteja agora em condições de o fazer, um legítimo representante terá de tomar a decisão em conformidade com a vontade declarada ou provável do paciente. O cuidado da pessoa que está a morrer nunca deve ser interrompido; é um mandamento do amor ao próximo e da misericórdia.
Neste âmbito, é legítimo, e corresponde à dignidade humana, administrar medicamentos paliativos, mesmo que daí decorra o perigo de abreviar a vida do paciente; é decisivo que a morte não seja desejada, nem como fim nem como meio. → 393

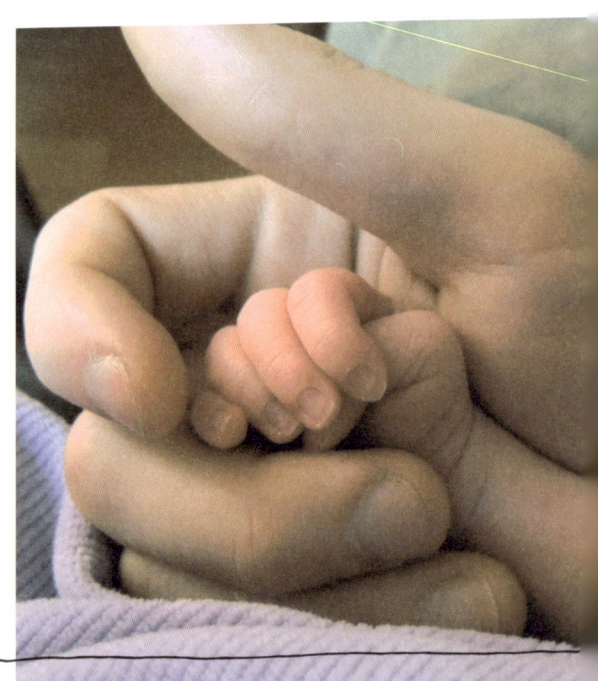

383 Por que não é aceitável o aborto em nenhuma fase do desenvolvimento embrionário?

A vida humana, concedida por Deus, é uma posse direta; é *sagrada* desde o primeiro instante e deve ser preservada de qualquer atentado humano. «Antes de te formar no ventre materno, Eu te escolhi; antes que saísses do seio de tua mãe, Eu te consagrei.» (Jr 1,5) [2270-2274, 2322]

Só Deus é o Senhor da vida e da morte. Nem sequer a "minha" vida me pertence. Cada criança tem direito à vida desde a sua conceção. Desde o início, o nascituro é uma pessoa própria, cujo círculo de direitos ninguém deve violentar, nem o Estado, nem o médico, nem mesmo a mãe, nem o pai. A posição da Igreja não é carente de misericórdia; aliás, ela pretende alertar para os danos que são causados à criança morta, aos pais e a toda a sociedade, e que nunca mais poderão ser reparados. Proteger a vida inocente pertence às mais nobres tarefas do Estado; se ele se furtar a esta missão, destrói ele próprio os alicerces do Estado de direito. → 323

384 Pode uma criança portadora de deficiência ser abortada?

Não. Abortar uma criança portadora de deficiência é sempre um crime grave, mesmo quando o motivo é poupá-la de um sofrimento futuro. → 280

385 Podem realizar-se investigações em embriões vivos e em células estaminais embrionárias?

Não. Os embriões são seres humanos, porque a vida humana começa com a fusão de um espermatozoide com um óvulo. [2275, 2323]

Considerar os embriões um material biológico, "produzi-los" e "utilizar" as suas células estaminais na investigação é absolutamente imoral e rejeitado pela proibição de matar. Algo diferente são as investigações em células estaminais adultas, que não têm a capacidade de se transformarem em pessoas. As intervenções médicas realizadas num embrião só se justificam se a sua intenção for a cura, se a vida e o desenvolvimento

> Tudo o que se tem a saber sobre o aborto encontra-se no V Mandamento.
>
> CARDEAL CHRISTOPH SCHÖNBORN

> Não deves [...] abortar nem matar um recém-nascido.
>
> DOUTRINA DOS DOZE APÓSTOLOS (2,2), século III

> Deus, dá-nos coragem para proteger a vida que está por nascer, pois uma criança é o maior dom de Deus a uma família, a um povo e ao mundo.
>
> SANTA TERESA DE CALCUTÁ, quando recebeu o Prêmio Nobel da Paz, 1979

> A deficiência diagnosticada da criança não pode ser motivo para abortar, porque também a vida com deficiência é querida e apreciada por Deus, e porque nesta terra ninguém pode ter a certeza de viver sem limites físicos ou espirituais.
>
> BENTO XVI, 28.09.2006

> Quem escandalizar um destes pequeninos que creem em Mim, seria melhor que lhe fosse pendurada uma mó de azenha ao pescoço, e se submergisse na profundeza do mar.
>
> Mt 18,6

> Se gostares de ti próprio, gostarás de todas as pessoas como de ti mesmo. Se gostas menos de alguma pessoa do que de ti mesmo é porque nunca conseguiste gostar de ti verdadeiramente.
>
> Mestre Eckhart

> Deus ama-nos muito mais do que nós a nós mesmos.
>
> Santa Teresa de Ávila

> Não sabeis que o vosso corpo é templo do Espírito Santo, que habita em vós e vos foi dado por Deus? Não pertenceis a vós mesmos.
>
> 1Cor 6,19

incólume da criança estiverem garantidos e se o risco da intervenção não for altamente desproporcionado.
→ 292

386 Por que protege o quinto Mandamento a integridade corporal e espiritual do ser humano?

O direito à vida e a dignidade de um ser humano constituem uma unidade; estão inseparavelmente ligados. Também é possível matar uma pessoa espiritualmente. [2284-2287, 2326]

O mandamento «Não matarás!» (Ex 20,13) refere-se tanto à integridade física como à espiritual. Qualquer aliciação e indução ao mal, qualquer utilização da violência é um grave pecado, especialmente quando ocorre numa relação de dependência. Particularmente grave é um crime quando as crianças são dependentes de adultos; isto aplica-se não apenas a abusos sexuais, mas também a "seduções espirituais" provocadas por pais, → SACERDOTES, professores ou educadores, como o desvio dos valores etc.

387 Como devemos lidar com o nosso corpo?

O quinto Mandamento também rejeita o uso de violência contra o próprio corpo. Jesus exortou-nos expressamente a aceitarmo-nos e amarmo-nos a nós mesmos: «Ama o teu próximo como a ti mesmo!» (Mt 22,39)

Os atos de destruição contra o próprio corpo (como os arranhões) são, na maioria dos casos, reações psíquicas a experiências de abandono e de falta de amor; isso desafia, em primeiro lugar, o nosso amor integral por essas pessoas. No contexto desta dedicação, deve contudo ficar claro que não existe um direito humano de destruir o próprio corpo, que é dom de Deus.
→ 379

388 Em que medida a saúde é importante?

A adequada preocupação com a saúde pertence aos deveres essenciais do Estado, o qual deve criar as condições fundamentais para a existência, como alimentação suficiente, habitações asseadas e um sistema de saúde adequado. [2288-2291]

A preocupação razoável pela saúde é uma das obrigações básicas do Estado, que deve criar as condições de existência, em que o alimento suficiente, casas limpas e cuidados de saúde primários sejam garantidos.

389 Por que é pecado consumir drogas?

O prazer das drogas é um pecado, porque se trata de um ato que implica a autodestruição e constitui, portanto, um atentado contra a vida que Deus nos concedeu por amor. [2290-2291]

Qualquer dependência humana de drogas legais (álcool, medicamentos, tabaco) e, ainda mais grave, de drogas ilegais é uma troca da liberdade pela escravidão; elas danificam a saúde e a vida do consumidor e prejudicam ainda os que o rodeiam. Quando o ser humano se perde e se esquece na embriaguez (e também no excesso de comida e bebida), quando se entrega à sua sexualidade ou conduz o automóvel com toda a velocidade, perde a sua dignidade e a sua liberdade humana e peca, deste modo, contra Deus. É uma virtude saber lidar com as fontes de prazer de uma forma razoável, consciente e moderada. → 286

390 É permitido fazer-se experimento numa pessoa viva?

As experiências científicas, psicológicas ou médicas em pessoas vivas são apenas permitidas se os resultados esperados forem importantes para o bem da humanidade e se não puderem ser realizadas de outro modo. Tudo deve, contudo, acontecer com o consentimento livre da pessoa a experimentar. [2292-2295]

> Têm por deus o ventre, orgulham-se da sua vergonha e só apreciam as coisas terrenas.
>
> FL 3,19

Além disso, as experiências não devem ser excessivamente arriscadas. É um crime fazer das pessoas objetos de investigação contra a sua vontade. A vida de Wanda Poltawska, uma resistente polaca, confidente do Papa João Paulo II, recorda o que ontem, como hoje, esteve em jogo. Durante o tempo do nazismo, Wanda Poltawska, no campo de concentração de Ravensbrück, tornou-se vítima das experiências criminosas em seres humanos. Mais tarde, esta psiquiatra empenhou-se numa renovação da ética médica e pertenceu aos membros fundadores da Pontifícia Academia para a Vida.

391 Por que é importante a doação de órgãos?

A doação de órgãos pode prolongar a vida do receptor ou elevar a sua qualidade de vida. Por isso, desde que o dador não seja forçado, ela é um autêntico serviço ao próximo. [2296]

É preciso assegurar-se da vontade livre e consciente do dador durante o seu tempo de vida e de que ele não é morto com o propósito de lhe serem retirados os órgãos. Existe a doação em vida, por exemplo, de sangue, de medula óssea ou de um rim. A doação de órgãos de um cadáver pressupõe uma segura declaração da morte e o consentimento (ativo ou presumido, conforme a legislação nacional) do dador ou do seu representante.

392 Como é ferido o direito de uma pessoa à integridade corporal?

O direito de uma pessoa à integridade corporal é ferido com o recurso à violência, ao rapto, aos maus-tratos, ao terrorismo, à tortura, à violação, à esterilização forçada, assim como à amputação e mutilação sem fins médicos. [2297-2298]

Estes atentados fundamentais contra a justiça, o amor e a dignidade humana também não se justificam quando são cobertos pela autoridade do Estado. Consciente da culpa histórica dos cristãos, a Igreja luta hoje contra todo o recurso à violência física e psíquica, especialmente a tortura.

> 99 Por ordem, fomos conduzidos para fora, fracos, impotentes. Diante da porta da sala das operações, no corredor, fomos anestesiados pelo Dr. Schidlausky com uma injeção intravenosa. Antes de adormecer, relampejou um pensamento, que porém não consegui mais exprimir: «Mas não somos cobaias!» Não, não éramos mesmo cobaias. Éramos pessoas!
>
> WANDA POLTAWSKA

> 99 Muitas vezes, porém, os cristãos renegaram o Evangelho e, cedendo à lógica da força, violaram os direitos de raças e povos, desprezando as suas culturas e tradições religiosas: Sede paciente e misericordioso conosco, e perdoai-nos!
>
> JOÃO PAULO II, *Confissão das culpas da Igreja*, 2000

393 *De que modo devem os cristãos assistir uma pessoa que está morrendo?*

Os cristãos não abandonam uma pessoa que está morrendo. Eles ajudam-na de maneira a que ela possa morrer com confiança em Deus, em dignidade e em paz. Rezam ao seu lado e garantem que os →Sacramentos sejam atempadamente celebrados com ela. [2299]

> Amar uma pessoa significa dizer: Não morrerás!
>
> Gabriel Marcel (1889-1973, filósofo francês)

> Desenvolvimento, o novo nome da paz.
>
> Paulo VI, *Populorum Progressio*

> O dia do nascimento do Senhor é o dia do nascimento da paz.
>
> São Leão Magno

394 *O que fazem os cristãos com o corpo de uma pessoa falecida?*

Os cristãos tratam com respeito e carinho o corpo de uma pessoa falecida, conscientes de que Deus o chamou à ressurreição do corpo. [2300-2301]

Relativamente à morte, faz parte da cultura cristã que o corpo de uma pessoa falecida seja sepultado dignamente na terra e que a sepultura seja adornada e cuidada. Hoje, a Igreja também aceita outras formas de inumação (como a cremação), desde que não sejam interpretadas como sinais contra a fé na ressurreição dos mortos.

> Eu sei que, sempre que as pessoas se esforçam por viver o Evangelho como Jesus o ensinou, tudo começa a mudar: toda a agressividade, toda a angústia e tristeza dão lugar à paz e à alegria.
>
> Baudouin (1930-1993, rei belga)

395 *O que é a paz?*

A paz é a consequência da justiça e o sinal do amor realizado. Onde existe paz, pode «cada criatura descansar numa boa ordem» (São Tomás de Aquino). A paz terrena é a imagem da paz de Cristo, que reconciliou o Céu com a Terra. [2304-2305]

> Bem-aventurados os que promovem a paz!
>
> Mt 5,9

> Cristo é a nossa paz.
>
> Ef 2,14

A paz é mais do que a ausência de guerra, e também mais que um equilíbrio de forças obtido com zelo ("equilíbrio do medo"). Num Estado de paz, as pessoas podem viver seguras com a sua riqueza adquirida com justiça e realizar permutas umas com as outras. Na paz, são

O fruto da justiça será a paz, e o produto da justiça será repouso e segurança para sempre.

Is 32,17

Ouvistes o que foi dito: «Amarás o teu próximo e odiarás o teu inimigo.» Eu, porém, vos digo: amai os vossos inimigos e orai por aqueles que vos perseguem!

Mt 5,43-44

> Não há caminho para a paz. A paz é o caminho.
> MAHATMA GANDHI

respeitadas a dignidade e o direito à autodeterminação do indivíduo e dos povos. Na paz, a comum existência humana é marcada pela solidariedade fraternal.
→ 66, 283-284, 327

396 *Como lida um cristão com a ira?*

São Paulo diz: «Não vos deixeis levar pela ira para o pecado! Não se ponha o sol sobre a vossa ira!» (Ef 4,26) [2302-2304]

A ira é, primeiramente, uma emoção natural, como reação a uma injustiça sentida. Quando da ira, porém, surge ódio e se deseja mal ao próximo, aquele sentimento normal torna-se uma grave falta contra o amor. Qualquer ira descontrolada, sobretudo o pensamento vingativo, está orientada contra a paz e destrói a "tranquilidade da ordem".

397 *O que pensa Jesus sobre a não-violência?*

O comportamento não violento tem para Jesus um valor elevado; Ele exorta os Seus discípulos: «Não resistais ao homem mau! Mas se alguém te bater na face direita, oferece-lhe também a esquerda.» (Mt 5,39) [2311]

Jesus desaprova São Pedro, que O queria defender com violência: «Mete a tua espada na bainha!» (Jo 18,11) Jesus não apela às armas. Ele cala-Se diante de Pilatos. O Seu caminho é estar ao lado das vítimas, ir até a cruz, redimir o mundo pelo amor e chamar felizes os pacíficos. Por isso, a Igreja respeita as pessoas que, por motivos de consciência, rejeitam o serviço das armas, mas se colocam ao serviço da comunidade.
→ 283-284

398 *Devem os cristãos ser pacifistas?*

A Igreja luta pela paz, embora não defenda um pacifismo radical. Não se pode, de fato, negar a um indivíduo ou a um Estado o direito fundamental à legítima defesa armada. Moralmente, a guerra só é justificável como último recurso. [2308]

A Igreja diz inequivocamente não à guerra. Os cristãos devem empreender todos os esforços para, até o fim, evitarem a guerra: eles viram-se contra a acumulação e o comércio de armas, lutam contra a discriminação racial, étnica e religiosa, contribuem para o fim da injustiça financeira e social, fortalecendo, assim, a paz. → 283-284

> Das espadas farão relhas de arado e das suas lanças, foices. Uma nação não levantará mais a espada contra outra nação, nem aprenderão mais a guerra.
>
> Mq 4,3

> 99 Penso que a melhoria das condições de vida das pessoas pobres é uma estratégia melhor que despender dinheiro para armas. A batalha contra o terrorismo não pode ser ganha com ações militares.
>
> Muhammad Yunus, ao receber o Prêmio Nobel da Paz, 2006

Estatísticas exatas das vítimas de guerra...
... não há.
Segundo estimativas de diversos historiadores, morreram na guerra, no século XVI, cerca de 1,5 milhões de pessoas em todo o mundo. No século XVII, podem ter sido cerca de 6 milhões e, no século XVIII, cerca de 6,5 milhões as pessoas vítimas da guerra. No século XIX, perderam →

→ a vida em guerras perto de 40 milhões de pessoas. No século xx, morreram perto de 180 milhões de pessoas na guerra e como consequência de guerra.

> Não é bom que o homem esteja só: vou dar-lhe uma auxiliar semelhante a ele. [...] Por isso, o homem deixa pai e mãe e une-se à sua mulher, e os dois tornam-se uma só carne.
>
> Gn 2,18.24

> Não há judeu nem grego, não há escravo nem livre, não há homem nem mulher; todos vós sois um só em Cristo Jesus.
>
> Gl 3,28

> 99 O Cristianismo tirou as mulheres de um estado que era semelhante à escravatura.
>
> Madame de Stael (1766--1817, escritora francesa)

399 Quando é permitido o uso de força militar?

O uso de força militar só se justifica em casos de extrema necessidade. São válidos os seguintes critérios para uma "guerra justa": 1. Tem de haver autorização da legítima autoridade. 2. Tem de haver um motivo justo. 3. Tem de haver uma intenção justa. 4. Uma guerra tem de ser a última possibilidade. 5. Os meios utilizados têm de ser proporcionais. 6. Tem de haver probabilidade de êxito. [2307-2309]

SEXTO MANDAMENTO:
Não cometerás
adultério!

400 O que significa dizer que o ser humano é um ser sexual?

Deus criou o ser humano como homem e mulher. Ele os fez um para o outro e para o amor. Ele concebeu-os com desejos eróticos e com a capacidade de ter prazer. Ele criou-os para transmitirem a vida. [2331-2333, 2335, 2392]

Ser homem ou ser mulher marca o ser humano muito profundamente; são duas formas de sentir, duas formas de amar, duas formas de se relacionarem com os filhos, duas formas de crer. Porque Ele quis que fossem um para o outro e se complementassem no amor, Deus fez o homem e a mulher diferentes. Por isso, o homem e a mulher atraem-se sexual e espiritualmente. O seu amor encontra a expressão sensual mais profunda quando eles dormem juntos. Tal como Deus, no Seu amor, é Criador, também o ser humano pode ser criador no amor, gerando os filhos para a vida.

→ 64, 260, 416-417

401 Existe alguma precedência de um gênero em relação ao outro?

Não, Deus concedeu ao homem e à mulher a mesma dignidade. [2331, 2335]

Os homens e as mulheres são seres humanos criados à imagem de Deus e filhos de Deus redimidos por Jesus Cristo. É tão anticristão como desumano discriminar ou preterir alguém por ser homem ou mulher. Mesma dignidade e mesmos direitos não significam, porém, uniformidade. A mania da uniformização, que passa ao lado da especificidade do homem e da mulher, contradiz a ideia criadora de Deus. → 54, 260

> Todas as razões a favor da "submissão" da mulher ao homem no matrimônio devem ser interpretadas no sentido de uma "submissão recíproca" de ambos "no temor de Cristo".
>
> João Paulo II, *Mulieris dignitatem*, n.º 24

> O amor vem de Deus, e todo aquele que ama nasceu de Deus e conhece a Deus.
>
> 1Jo 4,7

402 *O que é o amor?*

O amor é a livre entrega do coração. [2346]

Quando alguém ama uma coisa a sério, tem tanta vontade dessa coisa que sai de si para se entregar a ela. Um músico pode entregar-se a uma obra-prima. Uma educadora de infância pode estar disponível de todo o coração para as suas crianças. Nessa amizade está o amor. A mais bela forma de amor neste mundo é, todavia, o amor entre um homem e uma mulher, no qual duas pessoas se entregam mutuamente para sempre. Esse amor humano é uma imagem do amor divino, o amor por excelência. O amor é o que Deus trino tem de mais íntimo. Em Deus, existe partilha constante e entrega perene. Quando o amor divino transborda, participamos no eterno amor de Deus. Quanto mais o ser humano ama, mais parecido fica com Deus. O amor deve cunhar toda a vida de uma pessoa, o que, no entanto, se realiza profundamente quando um homem e uma mulher se amam no matrimônio e se tornam «uma só carne» (Gn 2,24). → 309

> Não se pode viver só para prova, não se pode morrer só para prova. Não se pode amar só para prova, aceitar uma pessoa só para prova e por algum tempo.
>
> João Paulo II, 15.11.1980

> A sexualidade, mediante a qual o homem e a mulher se doam um ao outro com os atos próprios e exclusivos dos esposos, não é em absoluto algo puramente biológico, →

→ mas diz respeito ao núcleo íntimo da pessoa humana como tal. Esta realiza-se de maneira verdadeiramente humana somente se é parte integral do amor com o qual homem e mulher se empenham totalmente um para com o outro até a morte. A doação física total seria falsa se não fosse sinal e fruto da doação pessoal total.
João Paulo II, *Familiaris consortio*, n.º 11

> Tudo o que torna fácil o encontro sexual promove ao mesmo tempo a sua queda no precipício da insignificância.
Paul Ricoeur (1913-2005, filósofo francês)

CASTIDADE
(lat. *castitas* = pureza, integridade)
É uma virtude com que uma pessoa apta para a paixão reserva o seu desejo erótico para o amor consciente e decididamente, resistindo à tentação de se perder na satisfação voluptuosa dos elementos sexuais.

403 *Que relação tem a sexualidade com o amor?*

A sexualidade e o amor estão inseparavelmente unidos. O encontro sexual necessita de um contexto de amor fiel e sério. [2337]

Quando a sexualidade é separada do amor e se procura apenas para a satisfação física, é destruído o sentido da união sexual entre o homem e a mulher. A fusão sexual é a mais bela expressão corporal e sensual do amor. As pessoas que procuram sexo sem amar vivenciam uma mentira, pois a proximidade dos corpos não corresponde à proximidade dos seus corações. Quem não leva à letra a expressão corporal prejudica a longo prazo o corpo e o espírito. O sexo torna-se, então, desumano; ele degrada-se em puro meio de prazer e degenera em mercadoria. Só um amor unitivo e estável cria espaço para uma sexualidade que é vivida com humanidade e dá felicidade duradoura.

404 *O que é o amor casto? Por que deve um cristão viver castamente?*

Um amor casto é um amor que se defende contra todas as forças internas e externas que o procuram destruir. É casta aquela pessoa que assumiu conscientemente a sua sexualidade e a integrou bem na sua personalidade. → **Castidade e continência não são o mesmo. Até uma pessoa que tem uma vida sexual ativa no matrimônio deve ser casta; ela comporta-se castamente quando a sua atividade corporal é expressão de um amor sério e fiel. [2238]**

A castidade não deve ser confundida com beatice. Uma pessoa que vive castamente não é um joguete dos seus desejos, mas vive conscientemente a sua sexualidade pelo amor e como expressão desse amor. A falta de castidade enfraquece o amor e obscurece o seu sentido. A Igreja Católica defende o princípio "ecológico", isto é, totalizante, da sexualidade: primeiro, contém o desejo sexual, que é algo bom e belo; segundo, o amor pessoal; terceiro, a vitalidade, ou seja, abertura aos filhos. E tal como a cerveja é feita de lúpulo, malte e água, que sabem bastante mal separados e bastante bem juntos, a Igreja Católica defende que aqueles três aspectos são indissociáveis. Quando, na verdade, um homem tem uma mulher para o prazer sexual, uma segunda para o romantismo e uma terceira para ter filhos, ele instrumentaliza todas as três e não ama realmente nenhuma.

405 Como se pode viver um amor casto? Como se atinge essa meta?

Castamente vive quem é livre para o amor e não quem é escravo dos seus impulsos e paixões. Tudo o que faz com que uma pessoa ganhe significado, maturidade, liberdade e afeto contribui para um amor mais casto. [2338-2345]

Uma pessoa torna-se livre para o amor através da autodisciplina, que se deve adquirir, exercitar e conservar em cada etapa da vida. Para isso contribui, em qualquer situação, permanecer fiel aos Mandamentos de Deus, fugir ou guardar-se das tentações, evitar toda a forma de vida dupla ou → DUPLA MORAL e fortalecer-se no amor. Poder viver um amor puro e indiviso é, portanto, uma graça e um maravilhoso dom de Deus.

406 Devem ser todos castos, mesmo os casados?

Sim, cada cristão deve viver castamente o seu amor, seja jovem ou adulto, seja solteiro ou casado. [2348-2349, 2394]

Nem todas as pessoas estão vocacionadas para o casamento, mas todas estão vocacionadas para o amor. Somos chamados a doar a nossa vida, uns no casamento, outros no celibato voluntário por causa do Reino dos Céus, outros vivendo sós e estando disponíveis para os outros. Toda a vida encontra o seu sentido no amor. Ser casto significa *amar sem reservas*. Quem não é casto está dilacerado e não é livre. Quem ama verdadeiramente é livre, forte e bom; ele pode entregar-se no amor. Assim, Cristo, que Se entregou totalmente ao Pai do Céu por nós, é um exemplo de → CASTIDADE, porque é o arquétipo do amor forte.

> Ainda não sei com quem um dia casarei. Mas não quero trair já, neste momento, a minha futura mulher.
>
> Um estudante, quando lhe foi perguntado por que ainda não tinha estado na cama com uma jovem.

> Onde o amor emerge, ele segura todos os outros impulsos e sublima-os em amor.
>
> SÃO BERNARDO DE CLARAVAL

> A soberania sobre o momento implica a soberania sobre a vida.
>
> MARIE VON EBNER-ESCHENBACH (1830-1910, escritora austríaca)

> Esta é a vontade de Deus, a vossa santificação, ou seja, que vos abstenhais da luxúria; que cada um de vós saiba lidar com a sua mulher de um modo santo e respeitoso, e não na paixão da concupiscência, como os gentios, que não conhecem Deus!
>
> 1Ts 4,3-5

> A entrega do corpo a outra pessoa representa a total auto-entrega a essa pessoa.
>
> João Paulo II, encontro com os jovens em Kampala (Uganda), 06.02.1993

> A experiência também demonstra que as relações sexuais antes do matrimônio dificultam mais do que facilitam a escolha do parceiro certo para a vida. Pertence à preparação para um bom matrimônio que formeis e consolideis o vosso caráter. Deveis também cultivar as formas de amor e de afeto apropriadas à provisoriedade das vossas relações de amizade. A espera e a renúncia facilitar-vos-ão mais tarde o respeito afetuoso pelo parceiro.
>
> João Paulo II, aos jovens em Vaduz, 08.09.1985

> Os jovens [...] querem coisas grandes. [...] Cristo não nos prometeu uma vida confortável. Quem deseja comodidades com Ele errou na direção. Mas Ele mostra-nos o caminho rumo às coisas grandes, ao bem, rumo à vida humana autêntica.
>
> Bento XVI, 25.04.2005

407 Por que razão a Igreja é contra as relações sexuais antes do Matrimônio?

Porque ela quer proteger o amor. Uma pessoa não pode doar nada maior a outra do que a si mesma. "Eu amo-te" significa, para ambas, "eu quero-te somente a ti, quero-te totalmente e quero-te para sempre!" Porque assim é, não se pode dizer "eu amo-te" apenas por um período de tempo ou por uma prova, mesmo que seja apenas com o corpo. [2350, 2391]

Muitos pensam que vivem seriamente as suas relações pré-matrimoniais. E, no entanto, confrontam-se com dois elementos incompatíveis com o amor: o medo de ser deixado e o medo de engravidar. Porque o amor é tão grande, tão santo e tão único, a Igreja pede insistentemente aos jovens que esperem pelo casamento para assumirem totalmente o relacionamento sexual.
→ 425

408 Como pode alguém viver como jovem cristão, se já vive uma relação pré-matrimonial?

Deus ama-nos em cada momento, em cada estado obscuro, e até em estado de pecado. Deus ajuda-nos a procurar a verdade total do amor e a encontrar caminhos para o viver cada vez mais inequívoca e decididamente.

Em diálogo com um → Sacerdote ou com um cristão fidedigno e experiente, os jovens podem procurar um caminho para poderem viver o seu amor cada vez mais claramente. Eles compreenderão que cada vida é um processo e que, como sempre ocorreu, pode acontecer um novo início com a ajuda de Deus.

409 A masturbação é um atentado contra o amor?

A → Masturbação é um grave atentado contra o amor, porque torna a estimulação do prazer num fim em si mesmo e desvia a pessoa do desenvolvimento integral do amor entre o homem e a mulher. Por isso, o "sexo consigo mesmo" é, em si mesmo, uma contradição. [2352]

A Igreja não diaboliza a masturbação, mas avisa que ela não é inocente. Na verdade, muitos jovens e adultos são prejudicados por se isolarem no consumo de imagens, filmes e ofertas da Internet, em vez de procurarem o amor numa relação pessoal. A solidão pode levar a um beco sem saída, onde a masturbação se torna um vício. Ninguém, contudo, se torna feliz vivendo o lema "para sexo não preciso de ninguém; faço-o sozinho, como e quando preciso".

MASTURBAÇÃO
(lat. *manus* = mão e *turbare* = perturbar, agitar)
Por masturbação entende-se a excitação intencional dos (próprios) órgãos sexuais, com a finalidade de suscitar prazer sexual sem cópula.

410 O que se entende por "fornicação"?

A fornicação (gr. *porneia*) significava, originalmente, as práticas sexuais pagãs, como a prostituição sagrada. Posteriormente, o termo passou a referir-se a todos os tipos de ações sexuais fora da comunhão conjugal. Hoje é vulgarmente empregado em sentido penal (fornicação com menores ou dependentes etc.). [2353]

Frequentemente, a fornicação está ligada à aliciação, à mentira, à violência, à dependência e ao abuso. Ela é, portanto, uma grave falta contra o amor, porque fere a dignidade do ser humano e interpreta mal o sentido da sexualidade humana. Os Estados têm o dever de proteger sobretudo os menores de atitudes obscenas.

> Para formar um juízo justo sobre a responsabilidade moral dos sujeitos [refere-se aqui à masturbação], e para orientar a ação pastoral, deverá ter-se em conta a imaturidade afetiva, a força de hábitos contraídos, o estado de angústia e outros fatores psíquicos ou sociais que podem atenuar, ou até reduzir ao mínimo, a culpabilidade moral.
> CCC 2352

411 Por que motivo a prostituição é uma forma de fornicação?

Na prostituição, o "amor" degrada-se em mercadoria e o ser humano converte-se em objeto do prazer. Por isso, a prostituição é uma grave falta contra a dignidade humana e um pecado grave contra o amor. [2355]

Os beneficiados da prostituição (comerciantes de pessoas, proxenetas, clientes) carregam sem dúvida sobre si uma culpa maior que as mulheres, os homens, as crianças e os jovens que vendem o seu corpo, amiúde pela obrigação ou pela dependência.

> Como o amor não se compra, é infalivelmente morto pelo dinheiro.
>
> JEAN-JACQUES ROUSSEAU

> Engana-se quem acredita que, para os cristãos, o maior dos vícios é o impudor. Os pecados da carne são maus, mas não são os piores. [...]
> Na verdade, duas forças no ser humano procuram impedi-lo da sua autodeterminação: a animal e a diabólica. A diabólica é a pior das duas. Por isso, um hipócrita frio e vaidoso, que regularmente vai à igreja, pode estar mais próximo do inferno que uma prostituta. Naturalmente, é melhor, porém, não ceder a nenhuma.
>
> C. S. LEWIS

412 *Por que razão a produção e o consumo de pornografia são um pecado contra o amor?*

Peca gravemente quem faz mau uso do amor, arrancando a sexualidade humana da intimidade de um amor vivido comprometidamente por duas pessoas e convertendo-a em mercadoria comprável. Quem fabrica, consome ou compra produtos pornográficos fere a dignidade humana e alicia os outros ao mal. [2523]

A pornografia é uma variante da prostituição, pois também aí o ser humano é tentado a dar "amor" por dinheiro. Atores, produtores e comerciantes faltam da mesma forma grave contra o amor e a dignidade humana. Quem consome produtos pornográficos, quem se move em mundos virtuais pornográficos ou participa em eventos pornográficos encontra-se no alargado circuito da prostituição e promove o negócio sujo e bilionário do sexo.

413 *Por que motivo a violação é um pecado grave?*

Quem viola outra pessoa rebaixa-a integralmente, porque invade violentamente a intimidade profunda dessa pessoa e fere-a no cerne da sua capacidade de amar. [2356]

O violador comete um crime na essência do amor. Faz parte da essência da união sexual que esta ocorra exclusivamente no âmbito livre do amor. As violações podem até acontecer no matrimônio... Mais reprovável é a violação no seio das relações de dependência social, hierárquica, profissional e familiar, como entre pais e filhos, ou entre professores, educadores, sacerdotes, religiosos e os seus pupilos. → 386

414 O que diz a Igreja sobre o recurso ao preservativo na luta contra a AIDS?

Nem sequer tomando em consideração o fato de o preservativo não oferecer uma proteção absolutamente segura contra as infecções, a Igreja rejeita o recurso a este meio mecânico na luta contra a epidemia da AIDS e defende sobretudo uma nova cultura de relações humanas e a alteração da consciência social.

Só a fidelidade vivida e a renúncia a contatos sexuais levianos oferecem proteção eficaz contra a AIDS e permitem uma vivência integral do amor. Pertencem a isso o respeito pela igual dignidade do homem e da mulher, o cuidado pela saúde da família, a relação responsável com os impulsos da paixão e também a (temporária) renúncia às relações sexuais. Nos países africanos em que, através de largas campanhas sociais, foi apoiado tal comportamento, os índices de infecção baixaram nitidamente. Além do mais, a Igreja Católica faz tudo para ajudar as pessoas infetadas pela AIDS.

415 Como julga a Igreja a homossexualidade?

Deus criou o ser humano homem e mulher, e corporalmente também os determinou um para o outro. A Igreja acolhe sem reservas as pessoas que se sentem homossexuais e rejeita qualquer forma de discriminação. Simultaneamente, afirma que as formas de encontro sexual entre pessoas do mesmo sexo não correspondem à ordem da Criação.
[2358-2359] → 65

> Bem-aventurados os humildes!

Mt 5,5

> A fidelidade no matrimônio e a abstinência fora dele são a melhor forma de evitar a infecção e de impedir a propagação da AIDS. Com efeito, os valores que derivam de uma compreensão autêntica do matrimônio e da família constituem o único fundamento seguro para uma sociedade estável.

Bento XVI, 14.12.2006

> Senhor, Tu Me sondas e Me conheces, Tu conheces o meu sentar e o meu levantar, de longe penetras o meu pensamento. Examinas o meu andar e o meu deitar, todos os meus caminhos Te são familiares.

Sl 139,1-3

❞ Por isso, «o homem deixará pai e mãe para se unir à sua esposa e serão os dois uma só carne». Desse modo, já não são dois, mas uma só carne. Portanto, não separe o homem o que Deus uniu!

Mt 19,5-6

416 O que pertence essencialmente ao matrimônio cristão?

1. A *unidade*: o matrimônio é uma aliança que realiza a união do corpo, do espírito e da alma de um homem e uma mulher. 2. A *indissolubilidade*: o matrimônio vale «até que a morte vos separe». 3. A *abertura à descendência*: cada casal deve estar aberto aos filhos. 4. A *orientação para o bem do cônjuge*. [2360-2361, 2397-2398]

Se, no momento da celebração matrimonial, um dos cônjuges excluir um dos quatro elementos acima referidos, o → Sacramento do Matrimônio não se realiza.
→ 64, 400

417 Que sentido tem o encontro sexual no matrimônio?

Segundo a vontade de Deus, o homem e a mulher precisam se encontrar num prazer erótico e sexual, para se unirem cada vez mais profundamente um ao outro em amor e fazerem nascer filhos do seu amor. [2362-2367]

O corpo, o prazer e a alegria erótica gozam, no Cristianismo, de grande valor: «O Cristianismo [...] acredita que a matéria é boa, que um dia o próprio Deus tomou a forma humana, que no Céu nos será dada uma espécie de corpo que será parte essencial da nossa bem-aventurança, beleza e força. Mais do que qualquer outra → Religião, o Cristianismo enalteceu o matrimônio. Quase toda a alta poesia romântica da literatura mundial foi criada por cristãos, e o Cristianismo discorda de todo aquele que considera a sexualidade má em si mesma.» (C. S. Lewis) O prazer, contudo, não é um fim em si mesmo; quando o desejo de um casal se fecha em si mesmo e não está aberto à vida nova que dele quer surgir, ele não satisfaz a natureza do amor.

> Evitar a confusão com outros tipos de uniões fundadas sobre um amor frágil apresenta-se, nos dias de hoje, com uma urgência especial. Somente a rocha do amor total e irrevocável entre o homem e a mulher é capaz de dar um fundamento para a construção de uma sociedade que se torne casa para todos.
>
> Bento XVI, 11.05.2006

> Deus não nos quer roubar o prazer; Ele quer dar-nos prazer sem fim.
>
> Heinrich Seuse (1295--1366, teólogo e místico alemão)

> Porque tudo o que Deus criou é bom, e nada é rejeitável se for gozado com gratidão.
>
> 1Tm 4,4

> Uma criança tem o «direito de ser respeitada como pessoa desde o momento da sua concepção».
Congregação para a Doutrina da Fé, *Donum vitae*, n.º 2, 8

> As crianças são uma bênção de Deus.
WILLIAM SHAKESPEARE (1564-1616, dramaturgo inglês)

> Cada criança é preciosa. Cada criança é uma criatura de Deus.
SANTA TERESA DE CALCUTÁ

PATERNIDADE E MATERNIDADE RESPONSÁVEIS
A Igreja aceita e defende o direito de um casal a determinar o número de filhos e a distância entre os nascimentos, no âmbito da regulação natural da procriação.

> O planejamento familiar natural não é nada mais do que o mútuo autocontrole do amor.
SANTA TERESA DE CALCUTÁ

418 *Que significado tem um filho no matrimônio?*

Um filho é uma criatura e um dom de Deus que vem ao mundo através do amor dos seus pais. [2378, 2398]

O verdadeiro amor não admite o isolamento de um casal em si mesmo. O amor abre-se no filho. Um filho concebido e nascido não é algo "feito" nem constitui a soma dos genes paternos e maternos. Ele é uma criatura de Deus, totalmente nova e única, dotada de uma alma própria. Portanto, o filho não pertence aos pais nem é sua propriedade. → 368, 372

419 *Quantos filhos deve ter um casal cristão?*

Um casal cristão tem tantos filhos quanto Deus lhe conceder e por quantos se puder responsabilizar. [2373]

Todos os filhos que Deus concede são uma graça e uma → BÊNÇÃO. Isso não significa que um casal cristão não deva considerar por quantos filhos ele consegue ser responsável no âmbito da sua situação socioeconômica e da sua saúde. Quando uma criança é concebida fora do plano familiar, ela deve ser, contudo, saudada com alegria e prontidão, e acolhida com grande amor. Confiados em Deus, muitos casais cristãos têm a coragem de ter uma família invulgarmente grande.

420 *Pode um casal cristão regular a procriação?*

Sim, um casal cristão pode e deve gerir responsavelmente o dom de poder gerar vida. [2368-2369, 2399]

Por vezes, em certas circunstâncias sociais e psíquicas e em determinadas situações de saúde, um novo filho significaria, para o casal, um desafio enorme e quase sobre-humano. Existem, nesse sentido, critérios claros que os casais devem considerar: em primeiro lugar, a regulação da procriação não é sinônimo de exclusão fundamental da gravidez. Em segundo lugar, ela não se confunde com a exclusão egoísta dos filhos. Em terceiro lugar, não pode estar em jogo uma pressão exterior (quando, por exemplo, o Estado decide quantos filhos o casal deve ter). Em quarto lugar, ela não implica a utilização de todo e qualquer método.

421 Porque não são igualmente bons todos os métodos contracetivos?

Quanto à escolha de métodos de regulação consciente da procriação, a Igreja remete para os métodos aperfeiçoados da auto-observação e do planeamento familiar natural. Eles correspondem à dignidade do homem e da mulher, respeitam as leis internas do corpo feminino e exigem afeto e uma intimidade mútua e atenta, sendo, portanto, uma escola de amor. [2370-2372, 2399]

A Igreja considera cuidadosamente a ordem natural e vê nela um sentido profundo. Assim, para ela não é indiferente se um casal manipula a fecundidade da mulher ou se faz uso das mudanças naturais de dias fecundos para dias infecundos. Não é por acaso que o → PLANEAMENTO FAMILIAR NATURAL é natural: ele é ecológico, integral, amigável e saudável. Para mais, quando corretamente seguido, é até mais seguro que a pílula (contrariamente ao que diz o índice de Pearl). Por sua vez, a Igreja rejeita a contraceção que utiliza métodos artificiais; aqui incluem-se os meios químicos (pílula), os mecânicos (preservativo, espiral, etc.) e os cirúrgicos (esterilização), os quais intervêm de forma manipulativa na unidade total da união entre o homem e a mulher. Estes métodos podem mesmo prejudicar a saúde da mulher, provocar um aborto espontâneo e, com o tempo, afetar a vida de amor do casal.

422 O que pode fazer um casal que não tem filhos?

Os casais que sofrem de infecundidade podem recorrer à ajuda médica que não esteja em contradição com a dignidade humana, com os direitos da criança que será concebida e com a → SANTIDADE do → SACRAMENTO do Matrimônio. [2375, 2379]

> **PLANEAMENTO FAMILIAR NATURAL**
> Recorre aos métodos de regulação da procriação que utilizam os sinais da fecundidade cíclica da mulher e o conhecimento da fecundidade do homem e da mulher (método sintotérmico), a fim de se alcançar uma gravidez desejada ou evitar uma indesejada.

„ Acerca da contraceção, oposta à regulação da procriação, diz o Papa João Paulo II: «Assim, à linguagem nativa que exprime a recíproca doação total dos cônjuges, a contraceção impõe uma linguagem objetivamente contraditória, a do não se doar ao outro: deriva daqui não somente a recusa positiva da abertura à vida, mas também uma falsificação da verdade interior do amor conjugal, chamado a doar-se na totalidade pessoal.»

João Paulo II, *Familiaris consortio*, n.º 32

> Não vos esqueçais de que há muitas crianças, muitas mulheres, muitos homens neste mundo que não têm o que vós tendes! Pensai em amá-los, até que doa!

SANTA TERESA DE CALCUTÁ, quando recebeu o Prémio Nobel da Paz

Todo aquele que olha para uma mulher e deseja possuí-la, já cometeu adultério com ela no coração.

MT 5,28

Não existe um direito absoluto a ter um filho, que é sempre um dom de Deus. Os casais a quem esse dom é negado podem adotar filhos e comprometer-se socialmente de outra maneira, cuidando, por exemplo, de crianças abandonadas.

423 Como encara a Igreja a "barriga de aluguel" e a inseminação artificial?

Tudo o que, na investigação e na medicina, ajuda a conceção de uma criança deve terminar quando a comunhão dos pais é diluída e destruída por uma terceira pessoa ou quando a conceção se torna uma ação técnica exterior à união sexual matrimonial. [2374-2377]

Em respeito pela dignidade humana, a Igreja recusa a conceção de uma criança por inseminação ou fecundação artificiais. Cada criança tem de Deus o direito de ter um pai e uma mãe, de conhecer esse pai e essa mãe e de se desenvolver no âmbito amoroso de ambos. A inseminação ou a fecundação artificiais com o sêmen de um homem estranho ou o óvulo de uma mulher estranha (inseminação e fecundação artificiais heterólogas) destroem o espírito do matrimônio, no qual o homem e a mulher têm o direito de se tornarem pai e mãe através do respetivo cônjuge. Mas também a inseminação ou a fecundação artificiais homólogas (quando o sêmen e o óvulo provêm dos respetivos cônjuges) fazem da criança um produto de um procedimento técnico e não permitem que ela surja da unidade amorosa num encontro sexual pessoal. Quando uma criança se torna um produto, coloca-se imediatamente a cínica questão da qualidade e da responsabilidade pelo produto. A Igreja também rejeita o diagnóstico genético pré-implantatório, realizado com o fim de excluir embriões imperfeitos. Finalmente, contradiz também a dignidade humana a "barriga de aluguer", em que o embrião artificialmente gerado é colocado no útero de uma mulher estranha.

→ 280

424 *O que é o adultério? É correto o divórcio?*

O adultério consiste em duas pessoas se tornarem íntimas, sendo pelo menos uma delas casada com uma outra. O adultério é a traição fundamental no amor, a ruptura de uma aliança feita diante de Deus e uma injustiça para com o próximo. O próprio Jesus determinou expressamente a indissolubilidade do matrimônio: «O que Deus uniu, o homem não deve separar.» (Mc 10,9) Invocando a vontade original do Criador, Jesus abolia, assim, o divórcio tolerado no Antigo Testamento. [2353, 2364-2365, 2382-2384]

A promessa encorajadora dessa mensagem de Jesus é: "Vós tendes, como filhos do Pai celeste, a capacidade para um amor para toda a vida!" No entanto, não é coisa simples manter-se uma vida inteira fiel ao seu parceiro. As pessoas não devem ser julgadas pelo matrimônio que fracassou. Porém, têm séria culpa os cristãos que recorreram pusilanimemente ao divórcio; eles pecam contra o amor de Deus, que Se torna visível no matrimônio, contra o cônjuge e contra os filhos abandonados. Um cônjuge fiel pode, contudo, retirar-se de uma relação matrimonial insuportável; em caso de necessidade, o divórcio civil pode também ser indispensável. Em casos justificados, a Igreja pode rever a validade do matrimônio num processo de declaração da nulidade matrimonial → 269

425 *O que tem a Igreja contra a "união livre"?*

Para os católicos não existe matrimônio sem a celebração do sacramento, pelo qual Cristo entra na aliança do homem e da mulher e concede generosamente graças e dons ao casal. [2390-2391]

Às vezes alguns adultos sentem-se no dever de aconselhar os jovens a deixar de lado a ideia de casar "em grande estilo" e "para sempre", visto que, segundo dizem, o matrimônio é apenas uma união precipitada de bens, perspetivas e boas intenções, com promessas oficiais e solenes que não serão cumpridas. O matrimônio cristão não é, todavia, uma burla, mas o maior dom que Deus pode ter pensado para duas pessoas que se amam. É o próprio Deus que os une numa

> A fidelidade ou é sempre absoluta ou não é nada.
> KARL JASPERS (1883-1969, filósofo alemão)

> A raiz da crise do matrimônio e da família encontra-se num falso conceito de liberdade.
> JOÃO PAULO II

> O matrimônio rato e consumado não pode ser dissolvido por nenhum poder humano nem por nenhuma causa além da morte.
> *Código de Direito Canónico*, n.º 1141

> Diz apenas "sim", quando é "sim"; e "não" quando é "não". O que disseres para além disto vem do Maligno.
> MT 5,37

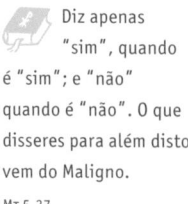

profundidade que nem eles conseguem alcançar. Jesus Cristo, que disse «Sem Mim nada podeis fazer» (Jo 15,5), está sempre presente na vida matrimonial. Ele é "o amor no amor" dos noivos. A Sua força está disponível quando a força dos amados aparentemente se esgota. Por isso, o → SACRAMENTO do Matrimônio é tudo menos a assinatura de um papel. É como um barco para onde podem saltar os que se amam, um barco que o noivo e a noiva sabem conter combustível suficiente para, com a ajuda de Deus, chegarem à meta dos seus sonhos. Se hoje muitos dizem que não faz mal ter sexo sem compromisso antes e fora do matrimônio, a Igreja convida a resistir clara e fortemente a esta pressão social.

> Recebo-te por meu esposo / por minha mulher, _____ e prometo ser-te fiel na alegria e na tristeza, na saúde e na doença, amando-te e respeitando-te todos os dias da minha vida.
>
> Fórmula do sacramento do Matrimônio

SÉTIMO MANDAMENTO: Não roubarás!

426　O que regula o sétimo Mandamento, "Não roubarás!"?

O sétimo Mandamento não proíbe apenas retirar algo a outra pessoa. Ele exige também uma justa administração e divisão dos bens da terra, isto é, a regulação da propriedade privada e da distribuição dos rendimentos do trabalho humano. Também é denunciada, nesse Mandamento, a injusta repartição das matérias-primas. [2401]

> Ter e não dar nada é, em muitos casos, pior que furtar.
>
> MARIE VON EBNER--ESCHENBACH

Antes de mais nada, o sétimo Mandamento proíbe tomar injustamente os bens alheios. Porém, diz igualmente respeito à aspiração humana de organizar o mundo no seu tecido social e na justiça, assim como de providenciar um bom desenvolvimento.
O sétimo Mandamento diz que, na fé, temos o dever de nos empenharmos na proteção da Criação, nomeadamente na obtenção dos seus recursos naturais.

> Ele, que era rico, fez-Se pobre por vossa causa, para vos enriquecer com a Sua pobreza.
>
> 2Cor 8,9

427 Por que não existe um direito absoluto à propriedade privada?

Não existe um direito absoluto, mas apenas um direito relativo à propriedade, porque Deus criou a terra e os seus bens para todas as pessoas. [2402-2406, 2452]

Embora as parcelas da realidade criada tenham ficado a pertencer a indivíduos humanos, porque foram legalmente trabalhadas, herdadas ou doadas, os proprietários devem saber que não existe propriedade sem compromisso social. Simultaneamente, a Igreja contesta os que radicalizam o compromisso social da propriedade, afirmando que não deveria haver propriedade privada e que tudo deveria pertencer a todos, isto é, ao Estado. O proprietário privado, que administra, cuida e incrementa um bem no espírito do Criador, e partilha os produtos de tal forma que cada um obtém o que é seu, age inteiramente na perspectiva da ordem da Criação.

428 O que é um furto?

O furto é uma apropriação ilegal de um bem alheio. [2408-2410]

É também um atentado contra o sétimo Mandamento apropriar-se indevidamente de um bem alheio, mesmo quando o ato não for denunciado pelas leis do Estado. O que for injustiça perante Deus não deixa de ser injustiça. Mas o sétimo Mandamento não é válido apenas para o furto; ele também se refere à injusta retenção do salário justo, à apropriação de objetos que foram encontrados e podem ser devolvidos, e à fraude em geral. O sétimo Mandamento também acusa os seguintes pontos: empregar trabalhadores sem condições humanas dignas, não respeitar os contratos firmados, malbaratar os rendimentos adquiridos sem respeito pelos deveres sociais, elevar ou baixar os preços artificialmente, prejudicar o posto de trabalho dos trabalhadores subordinados, praticar o suborno e a corrupção, induzir os trabalhadores dependentes a atos ilegais, realizar mal o trabalho, exigir honorários desapropriados, esbanjar ou administrar negligentemente o patrimônio público, falsificar dinheiro, faturas e balanços, e fugir aos impostos.

> Para ninguém a propriedade privada é um direito incondicional e ilimitado.
>
> PAULO VI, *Populorum progressio*, n.º 23

> Onde não existem bens, também não há alegria em dar; aí ninguém pode ter o prazer de ajudar, nas suas carências, os amigos, os viandantes e os doentes.
>
> ARISTÓTELES

Na sua encíclica social *Populorum progressio*, o Papa Paulo VI apresentou o princípio central de que «a economia tem de servir exclusivamente o ser humano». Ele rejeita todas as noções segundo as quais «o lucro é o motor essencial do progresso econômico, a concorrência é a lei suprema da economia, e a propriedade privada dos bens de produção é um direito absoluto, sem limite nem obrigações sociais correspondentes» (26).

PLÁGIO OU PLAGIATO
(lat. *plagium* = roubo [de escravos])
Um plágio consiste em apoderar-se ocultamente de um bem intelectual alheio e em apresentá-lo como uma produção intelectual própria.

> Se causei qualquer prejuízo a alguém, restituirei quatro vezes mais.
>
> Lc 19,8

> Eu só gosto do dinheiro porque me dá a possibilidade de ajudar os outros.
>
> BLAISE PASCAL

> Um homem rico é muitas vezes um pobre homem com muito dinheiro.
>
> ARISTÓTELES ONASSIS

429 Que regras são válidas para os bens imateriais?

Também o furto de bens imateriais é um roubo. [2408-2409]

Não é apenas o → PLÁGIO que é furto. A apropriação ilícita de um bem imaterial começa em copiar por alguém na escola, continua com o *download* ilegal de conteúdos da Internet, diz respeito às fotocópias ilegais e aos mais diversos tipos de cópias-pirata, e vai até a venda de rascunhos e ideias furtadas. Qualquer posse de bens imateriais alheios exige tanto o livre consentimento como a remuneração apropriada ou a participação do autor no lucro.

430 O que se entende por justiça comutativa?

A justiça *comutativa* regula o intercâmbio entre as pessoas, tendo os seus direitos em perfeita consideração. Ela cuida que os direitos de propriedade sejam guardados, que as dívidas sejam pagas, que os compromissos livremente assumidos sejam cumpridos, que os danos provocados sejam devidamente reparados e que os bens furtados sejam devolvidos. [2411-2412]

431 Podem usar-se truques para fugir aos impostos?

Não devem ser feitas objeções à perspicácia no trato com o complexo sistema de impostos. Imoral é a fuga aos impostos ou a fraude fiscal, isto é, a falsificação, a omissão e o ocultamento dos fatos, para impedir uma correta apreciação fiscal. [2409]

Pelo pagamento dos impostos, os cidadãos contribuem, cada qual segundo a sua capacidade, para que o Estado realize as suas tarefas. Por isso, a fuga aos impostos não é uma coisa séria. Os impostos devem ser justos e proporcionais, e devem ser cobrados de uma forma legal.

432 Pode um cristão especular na bolsa ou na Internet?

Um cristão pode especular na bolsa ou na Internet, desde que tal permaneça dentro dos normais costumes de uma economia prudente, no que diz respeito ao dinheiro próprio ou confiado, e desde que não se atente contra outros preceitos morais.

A especulação bolsista torna-se imoral quando são empregues meios ilícitos (como os negócios *insider*), quando o negócio prejudica os fundamentos de vida, próprios ou alheios, em vez de os assegurar, e quando a especulação assume, no jogo de sorte, um caráter vicioso.

433 Como devemos lidar com a propriedade que pertence a todos?

O vandalismo e a danificação intencional do equipamento ou do patrimônio público são formas de roubo e devem ser reparadas. [2409]

434 Pode um cristão participar em apostas e jogos de sorte?

As apostas e os jogos de sorte são imorais e perigosos quando o jogador prejudica o seu sustento. Pior ainda é quando ele põe em risco os fundamentos econômicos dos outros, nomeadamente dos que lhes estão confiados. [2413]

Em termos morais, é altamente problemático arriscar grandes somas de dinheiro em jogos de sorte, quando a outros falta o mais básico para viver. As apostas e os jogos de sorte podem, além disso, criar vício e escravizar o ser humano.

435 As pessoas podem ser compradas e vendidas?

Ninguém tem o direito de fazer de uma pessoa ou de um dos seus órgãos uma mercadoria. Nem mesmo essa pessoa pode fazer de si própria um produto vendável. O ser humano pertence a Deus, que lhe

---

Quem ama o dinheiro jamais se fartará dele.

ECL 5,9

O dinheiro possui mais a pessoa, que a pessoa a ele.

SÃO CIPRIANO DE CARTAGO (200-258, doutor da Igreja)

Toma em consideração, quando adquirires e utilizares um objeto, que ele é um produto do trabalho humano, e que tu, consumindo-o, destruindo-o ou prejudicando-o, destróis esse trabalho e, assim, consomes vida humana.

LEO TOLSTOI (1818-1910, poeta russo)

> Perante a crueldade do capitalismo, que reduz o ser humano a uma mercadoria, compreendemos novamente o que Jesus queria dizer com a advertência perante a riqueza, a divindade "mammon" que destrói o ser humano, que agarra pelo pescoço grandes partes do mundo.
>
> BENTO XVI, *Jesus de Nazaré*

> Cerca de 12,3 milhões de pessoas vivem escravizadas em trabalhos forçados. Cerca de 2,4 milhões delas são vítimas do comércio humano. Total dos ganhos: cerca de 10 biliões de dólares.
>
> Estimativas da OIT (Organização Internacional do Trabalho)

> A experiência demonstra que toda atitude de desprezo pelo ambiente provoca danos à convivência humana e vice-versa. Surge, assim, com mais evidência, um nexo incindível entre a paz com a Criação e a paz entre os seres humanos.
>
> BENTO XVI, 01.01.2007

concedeu liberdade e dignidade. Comprar e vender pessoas, como ainda hoje acontece, e não apenas na prostituição, é um ato profundamente rejeitável. [2414]

No comércio de órgãos, no comércio de embriões no mundo da biotecnologia, no comércio de crianças para fins de adoção, no recrutamento de crianças-soldado, na prostituição – por todo o lado emerge novamente a antiquíssima injustiça do comércio de seres humanos e da escravatura. Roubam-se às pessoas a liberdade, a dignidade, a autodeterminação e mesmo a vida. São rebaixadas até se tornarem objetos, com que o seu dono pode fazer um negócio. Distintas do comércio de pessoas em sentido estrito são os negócios do futebol e outras modalidades; aqui fala-se de "vender" e "comprar" jogadores, mas trata-se apenas de procedimentos que pressupõem o livre consentimento.

→ 280

436 *Como devemos lidar com a Criação?*

Nós cumprimos a missão de Deus na Criação quando cuidamos e eficazmente guardamos a terra como um espaço vital, com as suas leis biológicas, a sua diversidade, a sua beleza natural e as suas crescentes riquezas. Desta forma, também as gerações futuras poderão viver bem sobre a terra. [2415]

No livro do → GÉNESIS, Deus diz ao homem e à mulher: «Crescei e multiplicai-vos, enchei e dominai a terra. Dominai sobre os peixes do mar, sobre as aves do céu e sobre todos os animais que se movem na terra.» (GN 1,28) «Dominai a terra» não constitui um direito absoluto de dispor arbitrariamente dos animais e das plantas, da Natureza viva e da não viva. Ser criado à imagem de Deus significa que o ser humano cuida da Criação como um pastor e agricultor. Também se diz: «O Senhor Deus tomou o ser humano e colocou-o no jardim do Éden, para o cultivar e guardar.» (GN 2,15)

→ 42-50, 57

437 Como devemos lidar com os animais?

Os animais, tal como nós, são criaturas que devemos amar e com as quais nos devemos alegrar, tal como Deus Se alegra com a sua existência. [2416-2418, 2456-2457]

Criaturas de Deus, os animais também sentem. É um pecado maltratá-los, fazê-los sofrer e matá-los sem necessidade. Não obstante, o ser humano não pode colocar o amor aos animais acima do amor às pessoas.

438 Por que tem a Igreja Católica uma Doutrina Social própria?

Porque todas as pessoas possuem, como filhas de Deus, uma dignidade única, a Igreja empenha-se com a sua Doutrina Social por que esta dignidade humana também se realize, no âmbito social, em todas as pessoas. Ela não quer tutelar a política ou a economia; mas quando, na política e na economia, a dignidade humana é ferida, a Igreja tem de se intrometer. [2419-2420, 2422-2423]

«As alegrias e as esperanças, as tristezas e as angústias das pessoas de hoje, sobretudo dos pobres e de todos aqueles que sofrem, são também as alegrias e as esperanças, as tristezas e as angústias dos discípulos de Cristo.» (*Gaudium et spes*, n.º 1) Na sua Doutrina Social, a Igreja concretiza esta frase. E ela questiona: Como podemos assumir a responsabilidade pelo bem-estar e pela convivência justa com todos, mesmo os que não são cristãos? Como devem ser formadas as instituições políticas, econômicas e sociais? No seu empenho pela justiça, a Igreja é guiada por um amor que se orienta pelo amor de Cristo à humanidade.

439 Como surgiu a Doutrina Social da Igreja?

Com a sua → DOUTRINA SOCIAL, a Igreja respondia, no século XIX, às questões laborais. Embora a industrialização tivesse levado a um incremento do bem-estar, eram sobretudo os senhores das

> Vós vos empenhais, e bem, pela manutenção da saúde do ambiente, das plantas e dos animais. Empenhai-vos ainda mais decididamente pela vida humana, que na hierarquia da Criação está muito acima de todas as realidades criadas do mundo visível!
>
> JOÃO PAULO II, 08.09.1985

> A caridade é a via mestra da Doutrina Social da Igreja.
>
> BENTO XVI, *Caritas in veritate*, n.º 2

> A Igreja compartilha com os homens do nosso tempo um profundo e ardente desejo de vida justa, sob todos os aspectos. Não deixa de fazer objeto de reflexão os vários aspectos da justiça exigida pela vida dos homens e das sociedades.
>
> JOÃO PAULO II, *Dives in Misericordia*

99 O homem precisa ser novamente educado para se maravilhar, reconhecendo a verdadeira beleza que se manifesta nas coisas criadas.

BENTO XVI, *Verbum Domini*, n.º 108

99 Que o Senhor nos ajude a redescobrir o caminho da beleza como um dos itinerários, talvez o mais atraente e fascinante para conseguir encontrar e amar a Deus.

BENTO XVI, 18.11.2009

Cuidas da terra
e a regas,
e sem medida
a enriqueces. Enches
a transbordar de água
os teus rios
e preparas assim
os trigais.
As pastagens do
deserto gotejam
e as colinas
enfeitam-se
de alegria.
Os campos cobrem-se
de rebanhos e os vales
vestem-se de espigas;
lançam gritos
de alegria e cantam.

Sl 65,10.13-14

> Compete sobretudo aos fiéis leigos formados na escola do Evangelho intervir diretamente na ação social e política.
>
> BENTO XVI, *Verbum Domini*, n.º 101

fábricas que com isso beneficiavam, enquanto caíam na miséria muitas pessoas, como os trabalhadores quase sem direitos. Desta experiência, o comunismo tirava a conclusão de que existe uma irreconciliável oposição entre o trabalho e o capital, que tinha de ser resolvida através de uma luta de classes. A Igreja, pelo contrário, empenhava-se por um equilíbrio justo entre os trabalhadores e os senhores das fábricas. [2421]

A Igreja empenhava-se em que, não apenas alguns, mas todos fossem beneficiados pelo bem-estar, recentemente possibilitado pela industrialização e pela concorrência. Por isso, ela apoiou a criação de sindicatos e lutou por que os trabalhadores, com a ajuda das leis e das garantias do Estado, fossem protegidos da exploração e, juntamente com as suas famílias, tivessem seguros de saúde e de outras necessidades.

> Não pode haver capital sem trabalho, nem trabalho sem capital.
>
> LEÃO XIII, *Rerum novarum*, n.º 9 (1891)

440 Devem os cristãos ocupar-se da política e da sociedade?

É uma missão especial dos cristãos → LEIGOS empenhar-se na política, na sociedade e na economia com espírito do Evangelho, do amor, da verdade e da justiça. Para tal, a → DOUTRINA SOCIAL DA IGREJA oferece-lhes uma clara orientação. [2442]

As atividades político-partidárias não são compatíveis com o serviço dos bispos, dos → PRESBÍTEROS e dos membros de ordens e congregações religiosas. Estes devem estar abertos a todos.

> É conveniente salientar o papel preponderante que incumbe aos leigos, homens e mulheres... A eles compete animar, com espírito cristão, as realidades temporais, e testemunhar, nesse campo, que são colaboradores da paz e da justiça.
>
> JOÃO PAULO II, *Sollicitudo rei socialis*, n.º 47

441 Que diz a Igreja sobre a democracia?

A Igreja apoia a democracia porque é, de entre os sistemas políticos, o que melhores condições oferece para a realização da igualdade perante a lei e dos direitos humanos. Para isso, no entanto, a democracia tem de ser mais que um mero domínio da maioria. Uma verdadeira democracia só é possível num Estado de direito que reconhece os direitos fundamentais de todos e os defende, em caso de necessidade, mesmo contra a vontade da maioria. [1922]

A História ensina que nem a democracia oferece uma absoluta proteção das violações da dignidade e dos direitos humanos. Ela corre sempre o risco de se tornar uma ditadura da maioria sobre uma minoria. A democracia vive de pressupostos que nem ela mesma consegue garantir. Por isso, especialmente os cristãos devem observar se não são soterrados os valores sem os quais uma democracia não subsiste.

> Uma democracia sem valores converte-se facilmente num totalitarismo aberto ou dissimulado, como a história demonstra.
>
> JOÃO PAULO II, *Centesimus annus*, n.º 46

442 Como avalia a Igreja o capitalismo e a economia de mercado?

Um capitalismo que não esteja assente num ordenamento jurídico seguro corre o risco de se desligar do → BEM COMUM e de se tornar um simples instrumento da ganância de alguns indivíduos. A Igreja rejeita isso decididamente. Pelo contrário, ela apoia uma economia de mercado que esteja a serviço do ser humano, impedindo os monopólios e garantindo o sustento de todos com bens essenciais e trabalho. [2426]

> Um capitalismo sem humanidade, solidariedade e justiça não tem moral nem mesmo futuro.
>
> CARDEAL REINHARD MARX

A → DOUTRINA SOCIAL DA IGREJA avalia todas as instituições sociais pela forma como servem o → BEM COMUM, isto é, como proporcionam «o conjunto das condições de vida social que permitem aos indivíduos, famílias e associações alcançar mais plena e facilmente a própria perfeição» (*Gaudium et spes*, n.º 74). Isto também é válido para a economia, que acima de tudo deve estar a serviço do ser humano.

> A angariação dos recursos, os financiamentos, a produção, o consumo e todas as outras fases do ciclo económico têm inevitavelmente implicações morais.
>
> BENTO XVI, *Caritas in veritate*, n.º 37

443 Qual é a missão dos gestores e empresários?

Os gestores e os empresários esforçam-se pelo sucesso financeiro da sua empresa. Ao lado dos seus legítimos interesses (em que se incluem os lucros), eles devem considerar a sua responsabilidade social: respeitar os justos anseios dos trabalhadores, fornecedores e clientes, assim como da sociedade em geral e do ambiente. [2432]

> A economia precisa da ética, a ética da caridade, a caridade da verdade.
>
> CARDEAL JOSÉ SARAIVA MARTINS

> O trabalho é um bem do ser humano – é um bem da sua humanidade – porque, mediante o trabalho, o ser humano não somente transforma a natureza, adaptando-a às suas próprias necessidades, mas também se realiza a si mesmo como ser humano e até, num certo sentido, «se torna mais humano».
> BEATO JOÃO PAULO II, *Laborem exercens*, n.º 9

> Nunca o homem aceitará o trabalho de Sísifo.
> PIERRE TEILHARD DE CHARDIN (1881-1955, jesuíta francês e investigador de ciências naturais)

444 O que diz a Doutrina Social da Igreja sobre o trabalho e o desemprego?

O trabalho é uma tarefa confiada por Deus ao ser humano. Nós devemos, num esforço comum, guardar e continuar a Sua obra criadora: «O Senhor Deus tomou o ser humano e colocou-o no jardim do Éden, para o cultivar e guardar.» (GN 2,15) Para a maioria das pessoas, o trabalho é a base da sua vida. O desemprego é uma grande desgraça e deve ser resolutamente combatido.

Enquanto hoje muitos desejariam trabalhar, mas não encontram emprego, existem pessoas tão viciadas no trabalho que, de tanto fazer, não têm tempo para Deus e para os outros. E enquanto muitas pessoas quase não conseguem obter alimento para si e para as suas famílias, outras há que ganham tanto que podem ter uma vida de luxo inimaginável. O trabalho não é um fim em si mesmo, mas deve servir à realização de uma sociedade humana digna. A → DOUTRINA SOCIAL DA IGREJA empenha-se, portanto, por uma ordem económica em que todas as pessoas interajam ativamente e possam participar da criação do bem-estar. Ela luta por salários justos, que possibilitem a todos uma existência humana digna, e exorta os ricos às virtudes da moderação e da partilha solidária. → 47, 332

445 O que significa o princípio "o trabalho antes do capital"?

A Igreja sempre ensinou «o princípio da prioridade do trabalho em relação ao capital» (João Paulo II, *Laborens exercens*, n.º 12). O ser humano detém como "coisas" o dinheiro e o capital. O trabalho, pelo contrário, não pode ser separado da pessoa que o executa. Por isso, as necessidades elementares dos trabalhadores têm precedência relativamente aos interesses capitalistas.

Também os detentores do capital e os investidores têm legítimos interesses, que devem ser protegidos. Porém, é uma injustiça grave quando os empresários e os investidores procuram aumentar os seus lucros à custa dos direitos elementares dos seus trabalhadores e empregados.

> E tudo aquilo que está contido no conceito de "capital", num sentido estrito do termo, é somente um conjunto de coisas. Ao passo que o ser humano, como sujeito do trabalho, independentemente do trabalho que faz, ele, o ser humano, e só ele, é uma pessoa.
>
> João Paulo II, *Laborens exercens*, n.º 12

446 O que diz a Igreja sobre a globalização?

Em primeiro lugar, a globalização não é boa nem má, mas a descrição de uma realidade que deve ser moldada. «Nascido no âmbito dos países economicamente desenvolvidos, este processo causou, pela sua própria natureza, um envolvimento de todas as economias. Foi o motor principal para a saída de regiões inteiras do subdesenvolvimento e, por si mesmo, constitui uma grande oportunidade. Contudo, sem a orientação da caridade na verdade, este ímpeto mundial pode concorrer para surgirem perigos até agora desconhecidos e novas divisões na família humana.» (Bento XVI, *Caritas in veritate*, n.º 33)

Quando compramos uns jeans baratos, não nos deveria ser indiferente em que condições eles foram produzidos, se os trabalhadores receberam ou não um salário justo. É importante a felicidade de todos. Não devemos ficar alheios às dificuldades dos outros. Ao nível da política, é necessária «uma autoridade internacional política autêntica» (Bento XVI, *Caritas in veritate*, n.º 67), que trabalhe para que se chegue a um equilíbrio entre as pessoas dos países ricos e as dos países subdesenvolvidos. São ainda muitos os excluídos das vantagens da globalização económica; na maioria dos casos, eles só têm de carregar com os fardos.

> É consternador ver uma globalização que dificulta cada vez mais as condições de vida dos pobres, que em nada contribui para resolver a fome, a pobreza e o desequilíbrio social, e que espezinha o ambiente. Esses aspectos da globalização podem levar a contrárias reações extremas, como o nacionalismo, o fanatismo religioso e até o terrorismo.
>
> João Paulo II, 2003

> A sociedade cada vez mais globalizada torna-nos vizinhos, mas não nos faz irmãos. A razão humana, por si só, é capaz de ver a igualdade entre as pessoas e estabelecer uma convivência cívica entre elas, mas não consegue fundar a fraternidade.
> Bento XVI, *Caritas in veritate*, n.º 19

> A economia globalizada parece privilegiar a primeira lógica, ou seja, a da transação contratual, mas direta ou indiretamente dá provas de necessitar também das outras duas: a lógica política e a lógica do dom sem contrapartida.
> Bento XVI, *Caritas in veritate*, n.º 37

> A "economia em comunhão" surgiu para um dia podermos dar este exemplo: num povo em que não há necessitados, também não há pobres.
> Clara Lubich (1920-2008, fundadora dos Focolares)

447 Porventura a globalização é uma tarefa exclusiva da política e da economia?

Antes, havia a ideia de uma partilha de tarefas: a economia devia ocupar-se do aumento da riqueza e a política devia trabalhar na sua justa distribuição. Na era da globalização, porém, os lucros são globalmente obtidos, enquanto a política continua cingida às fronteiras dos Estados. Por isso, é necessário hoje não apenas um fortalecimento das instituições políticas internacionais, mas também a iniciativa dos indivíduos e dos grupos sociais que, devido ao espírito da solidariedade e do amor, e não sobretudo pela expetativa do lucro, são economicamente ativos nas regiões mais pobres do mundo. Ao lado do mercado e do Estado, é necessária uma sociedade fortemente civilizada.

No mercado, são permutados produtos e serviços equivalentes. Em muitas regiões deste mundo, no entanto, as pessoas são tão pobres que não podem oferecer nada para permutar, permanecendo, assim, cada vez mais dependentes. São necessárias, portanto, iniciativas econômicas determinadas não pela «lógica da troca», mas pela «lógica do dom sem contrapartida» (Bento XVI, *Caritas in veritate*, n.º 37). Aqui não se trata simplesmente de dar esmolas aos pobres, mas de lhes abrir caminhos para uma liberdade econômica, no sentido de uma "ajuda para a auto-ajuda". Existem, nesse âmbito, algumas iniciativas cristãs, como o projeto "Economia na Comunhão" do Movimento dos Focolares, com mais de 750 empresas por todo o mundo. Há também "empresas sociais" não cristãs (*social entrepreneurs*), que, embora estejam orientadas para o lucro, trabalham no espírito de uma "cultura do dom" e com o objetivo de mitigar a pobreza e a exclusão.

448 *Serão a pobreza e o subdesenvolvimento um destino inevitável?*

Deus confiou-nos uma terra rica, que oferecesse a todas as pessoas alimento suficiente e espaço para viver. Porém, há regiões, países e continentes inteiros nos quais muitas pessoas nem o mais básico têm para poderem viver. Esta fragmentação do mundo tem origens históricas complexas, mas não é irreversível. Os países ricos têm o dever moral de ajudar os países subdesenvolvidos a sair da pobreza, através de ajudas ao desenvolvimento e da criação de condições justas para a economia e o comércio.

No nosso mundo, vivem 1400 milhões de pessoas que têm de viver diariamente com menos de 1 euro. Sofrem a carência de alimentos e, com frequência, também de água potável; muitas vezes, não têm acesso à educação e aos cuidados de saúde. Estima-se que diariamente morram mais de 25 000 pessoas de subnutrição; muitas delas são crianças.

> Os povos da fome dirigem-se hoje, de modo dramático, aos povos da opulência. A Igreja estremece perante este grito de angústia e convida cada um a responder com amor ao apelo do seu irmão.
>
> PAULO VI, *Populorum progressio*, n.º 3

> Não deixar os pobres participarem dos nossos bens significa roubá-los e tirar-lhes a vida. Não são os nossos bens que possuímos, mas os deles.
>
> São João Crisóstomo

449 *Que significado têm os pobres para os cristãos?*

O amor aos pobres tem de ser, em todos os tempos, o distintivo dos cristãos. Não se trata apenas de lhes dar algumas esmolas; os pobres têm direito à justiça. Além do mais, os cristãos têm o dever de partilhar os seus bens. Cristo é o modelo do amor aos pobres. [2443-2446]

> Pois é dando, que se recebe.
> É perdoando, que se é perdoado
> E é morrendo, que se vive para a vida eterna!
>
> Oração do Movimento Franciscano, França, 1913

psíquica, intelectual e espiritual. Os cristãos devem acolher os necessitados deste mundo com grande atenção, amor e eficácia. Em nenhum ponto, de fato, eles serão tão claramente apreciados como na forma como trataram os pobres: «Quantas vezes o fizestes a um dos meus irmãos mais pequeninos, a Mim o fizestes.» (Mt 25,40) → 427

450 *Quais são as obras de misericórdia corporais?*

As obras de misericórdia corporais são: 1.º – Dar de comer a quem tem fome. 2.º – Dar de beber a quem tem sede. 3.º Vestir os nus. 4.º – Dar pousada aos peregrinos. 5.º – Assistir aos enfermos. 6.º – Visitar os presos. 7.º – Enterrar os mortos.

451 *Quais são as obras de misericórdia espirituais?*

As obras de misericórdia espirituais são: 1.º – Dar bom conselho. 2.º – Ensinar os ignorantes. 3.º – Corrigir os que erram. 4.º – Consolar os tristes. 5.º – Perdoar as injúrias. 6.º – Sofrer com paciência as fraquezas do nosso próximo. 7.º – Rogar a Deus pelos vivos e defuntos.

OITAVO MANDAMENTO
Não darás falso testemunho contra o teu próximo!

452 *O que exige de nós o oitavo Mandamento?*

O oitavo Mandamento ensina-nos a não mentir. Mentir significa falar ou agir consciente e voluntariamente contra a verdade. Quem mente engana-se a si mesmo e ilude os outros, os quais têm o direito a conhecer a verdade integral de um fato. [2464, 2467-2468, 2483, 2485-2486]

A mentira atenta contra a justiça e o amor. A mentira é uma forma de violência; ela coloca, numa comunhão, a semente da divisão e soterra a confiança, sobre a qual assenta a comunhão humana.

453 *Que tem a ver com Deus a nossa relação com a verdade?*

Viver no respeito pela verdade não significa apenas ser fiel a si mesmo. Ser verdadeiro significa, numa consideração mais exata, ser fiel a Deus, pois Ele é a fonte de toda a Verdade. Em Jesus encontramos rapidamente a verdade sobre Deus e sobre toda a realidade, porque Ele é «o Caminho, a Verdade e a Vida» (Jo 14,6). [2465-2470, 2505]

> Dá aos pobres e ficarás rico.
> Provérbio árabe

Quando vinham candidatas à sua congregação religiosa, Santa Teresa de Calcutá tomava-as frequentemente à parte, abria a sua mão direita, para voltar a dobrar os cinco dedos, um após o outro. Para cada dedo, ela dizia uma das palavras: «Tu a Mim o fizeste!» – as cinco palavras de Jesus em Mt 25,40. Essas palavras e esse pequeno hábito eram e são, para as irmãs, a grande ajuda na sua batalha contra a miséria e a repugnância, no serviço aos doentes e aos moribundos.

> Não sei bem como será o Céu, mas sei que, quando morrermos, será tempo de Deus nos julgar. Então, Ele não nos perguntará: «Quantas coisas boas fizeste na tua vida?» Ele perguntar-nos-á antes: «Com quanto amor fizeste aquilo que fizeste?»
> SANTA TERESA DE CALCUTÁ

> Se dissermos que estamos em comunhão com Ele e andarmos nas trevas, mentimos e não praticamos a Verdade.
>
> 1Jo 1,6

> É necessário abandonar a vida de outrora e pôr de parte o homem velho, corrompido por desejos enganadores. [...] Por isso, deixai a mentira e falai cada um a verdade ao seu próximo.
>
> Ef 4,22.25

MÁRTIR (gr. *martyria* = testemunho) Um mártir cristão é uma pessoa disposta a sofrer a violência, ou mesmo a deixar-se matar, por causa de Cristo, que é a Verdade, ou por causa de uma decisão de consciência tomada a partir da fé. Isso é precisamente o oposto dos muçulmanos que cometem atentados suicidas: eles exercem violência em si e nos outros a partir de convicções de fé erroneamente inferidas, sendo por essa razão veneradosos como "mártires" por alguns islamitas.

Quem realmente segue Jesus traz à sua vida uma sinceridade cada vez maior. Ele extingue, das suas realizações, toda a mentira, falsidade, dissimulação e ambiguidade, e torna-se transparente à Verdade. Crer significa tornar-se testemunha da Verdade.

454 Em que medida a verdade da fé compromete?

Cada cristão deve dar testemunho da Verdade, seguindo Cristo, que disse a Pilatos: «Para isso nasci e vim ao mundo, a fim de dar testemunho da Verdade.» (Jo 18,37) [2472-2474]

Isso pode até significar que um cristão dê a sua vida por fidelidade à verdade e por amor a Deus e aos outros. Chama-se "martírio" (→ MÁRTIR) a esta valente forma de compromisso pela verdade.

455 O que significa ser verdadeiro?

Ser verdadeiro significa agir seriamente e falar honestamente. Quem é verdadeiro protege-se da ambiguidade, do fingimento, da ilusão e da dissimulação manhosa. A pior forma de mentira é o → JURAMENTO FALSO. [2468, 2476]

Um grande mal em todas as coletividades consiste em caluniar as outras pessoas e/ou difundir o que foi ouvido: A diz "confidencialmente" a B o nocivo que C disse sobre D.

456 O que se deve fazer quando se mente, se engana ou se burla?

Qualquer falta contra a verdade e a justiça exige uma reparação, mesmo que tenha sido perdoada. [2487]

Quando uma pessoa não pode reparar publicamente uma mentira ou um testemunho falso, deve fazer o que puder, pelo menos discretamente. Não podendo reparar ao afetado os danos provocados, está por consciência obrigada a realizar uma reparação moral, isto é, a dar-lhe o seu melhor, para lhe proporcionar, no mínimo, uma simbólica compensação.

457 *Por que razão a verdade exige discrição?*

A transmissão da verdade deve acontecer prudentemente e assentar no amor. Frequentemente, a verdade é utilizada como arma, agindo destrutivamente, em vez de construir. [2488-2489, 2491]

Quando partilharmos informações, devemos pensar nos "três crivos" do filósofo grego Sócrates: "É verdadeira? É boa? É benéfica?" A → Discrição é também exigida para o segredo profissional; ele deve ser sempre mantido, exceto em casos especiais, rigorosamente justificados. Igualmente se torna culpado quem publicamente revela dados confidenciais, fornecidos sob o selo do sigilo. Tudo o que se diz deve ser verdadeiro; mas nem tudo o que é verdadeiro deve ser dito.

458 *Quão secreto é o segredo de confissão?*

O segredo de confissão é sagrado. Por nenhum motivo, mesmo muito grave, deve ser violado. [2490]

O → Sacerdote não pode denunciar nem o crime mais grave. Ele nem sequer pode revelar o que aparentemente são trivialidades, mesmo sob tortura.
→ 238

? JURAMENTO FALSO

Um juramento falso é a corroboração solene de uma afirmação falsa, em que conscientemente se pode fazer de Deus testemunha de uma mentira. Trata-se de um pecado grave.

> Deve dizer-se sempre a verdade, porque, de repente, perdem-se da memória as muitas mentiras.
>
> Konrad Adenauer (1876--1967, primeiro chanceler federal alemão)

? DISCRIÇÃO
(lat. *discernere* = discernir)
É a capacidade de discernir "quando", "a quem" e "o que" se deve dizer.

? MÍDIA OU MEIOS DE COMUNICAÇÃO SOCIAL

São aqueles meios que se dirigem não apenas a alguns indivíduos, mas a toda a sociedade humana, influenciando-a poderosamente: jornais, revistas, cinema, rádio, televisão, Internet etc.

> A beleza é o reflexo da Verdade.
>
> São Tomás de Aquino

459 *Que responsabilidade ética se exige nos meios de comunicação social?*

No âmbito da *mídia*, os produtores têm uma responsabilidade em relação aos utilizadores. Acima de tudo, devem informar com toda a verdade. Tanto as investigações dos fatos como a sua divulgação devem atender aos direitos e à dignidade do ser humano. [2493-2499]

Os meios de comunicação social devem contribuir para a edificação de um mundo justo, livre e solidário. Não raramente, a *mídia* é efetivamente instituída como arma de discussão ideológica, ou, satisfazendo a vontade das audiências, renuncia a uma orientação ética dos conteúdos, convertendo-se em meios para seduzir as pessoas ou criar dependências nelas.

> Fazei a todos a caridade da verdade.
>
> Beato Tiago Alberione (1884-1971, fundador da Família Paulina)

460 *Que perigos se encontram na* mídia*?*

Muitas pessoas, especialmente as crianças, consideram real o que vêem na *mídia*. Quando, no contexto da diversão, a violência é glorificada, o comportamento antissocial é aprovado e a sexualidade humana é banalizada, pecam tanto os responsáveis pela *mídia* como as instâncias de controle, que deviam rejeitar os produtos sem qualidade ética. [2496, 2512]

As pessoas que trabalham na *mídia* devem estar conscientes de que os seus produtos têm um efeito educativo. Os jovens devem avaliar se estão a utilizar a *mídia* na liberdade e numa distância crítica, ou se já estão viciados nela. Cada pessoa é responsável pela sua alma. Quem consome violência, ódio e pornografia através da *mídia* embrutece espiritualmente e causa prejuízos a si mesmo.

461 *De que modo a arte faz a mediação entre a beleza e a verdade?*

O verdadeiro e o belo fazem parelha, pois Deus é tanto a fonte do belo como a fonte da verdade. A arte, que se dedica ao belo, é, portanto, um caminho apropriado para chegar à totalidade e a Deus. [2500-2503, 2513]

O que não se pode dizer por palavras e não se pode exprimir com o pensamento exterioriza-se na arte. Ela é «uma superabundância gratuita da riqueza interior do ser humano» (CCC 2501). Muito similarmente ao ato criador de Deus, no artista unem-se inspiração e talento humano, para trazer, a uma forma válida, algo de novo, um aspecto da realidade até então nunca contemplado. A arte não tem fim em si mesma; ela deve elevar o ser humano, abalá-lo, melhorá-lo e, finalmente, conduzi-lo à adoração e à gratidão a Deus.

NONO MANDAMENTO
Não cobiçarás a mulher do teu próximo!

462 *Por que se dirige o nono Mandamento contra a avidez sexual?*

O nono Mandamento dirige-se não contra o desejo em si, mas contra uma apetência desordenada. A "avidez" de que a Sagrada Escritura previne é o domínio dos instintos sobre o espírito, a dominação dos impulsos sobre a totalidade da pessoa e a pecaminosidade daí suscitada. [2514-2515, 2528-2529]

> Fazei coisas belas, mas sobretudo tornai as vossas vidas lugares de beleza.
> BENTO XVI, Lisboa, 12.05.2010

A grandeza e a beleza das criaturas conduzem, por analogia, à contemplação do seu Autor.
SB 13,5

> Para mim, a perfeição da arte e da vida nascem da fonte bíblica.
> MARC CHAGALL (1887-1985, pintor bielorrusso)

Os cristãos creem que Deus imaginou e criou o mundo do mesmo modo que um artista faz uma escultura ou compõe uma melodia.
C. S. LEWIS

> A beleza, uma espécie de espelho do divino, inspira e vivifica os corações e as mentes mais jovens, ao passo que a torpeza e a vulgaridade têm um impacto depressivo sobre as atitudes e os comportamentos.
> BENTO XVI, 24.01.2007

> Bem-aventurados os puros de coração, porque verão a Deus!
>
> Mt 5,8

A atração erótica entre um homem e uma mulher foi criada por Deus e é, consequentemente, boa; pertence ao ser sexual e à constituição biológica do ser humano. Ela procura unir o homem e a mulher um com o outro, fazendo nascer a descendência do seu amor. Essa união deve ser protegida pelo nono Mandamento. Jogando com o fogo, isto é, lidando negligentemente com a crepitação erótica entre o homem e a mulher, podem ser colocados em risco o casamento e a família.

→ 400-425

> As obras da carne são bem conhecidas: luxúria, imoralidade, libertinagem, idolatria, feitiçaria. [...] Como já vos disse, os que praticam essas ações não herdarão o Reino de Deus.
>
> Gl 5,19-21

463 Como se chega à "pureza do coração"?

A pureza do coração, necessária para o amor, atinge-se, em primeiro lugar, pela união com Deus, na oração. Quando a graça de Deus nos toca, surge um caminho para o amor humano puro e indiviso. Uma pessoa casta pode amar com um coração sincero e inteiro. [2520, 2532]

Quando nos dedicamos a Deus com intuito puro, Ele transforma o nosso coração. Ele dá-nos a força para corresponder à Sua vontade e para afastar pensamentos, fantasias e desejos impuros. → 404-405

> Portanto, fazei morrer o que em vós é terreno: imoralidade, impureza, paixões, maus desejos e avareza, que é uma idolatria.
>
> Cl 3,5

464 Qual é a utilidade do pudor?

O pudor protege o espaço íntimo da pessoa, isto é, o seu mistério, o que tem de mais próprio e interior, a sua dignidade; acima de tudo, defende a sua capacidade para o amor e a entrega erótica. Ele remete para aquilo que deve ser o amor. [2521-2525, 2533]

> 99 Trabalhai hoje tanto, que não seja pecado deixá-lo para amanhã.
>
> São João Bosco

Muitos jovens cristãos vivem num ambiente em que tudo é mostrado como evidente e o sentimento do pudor é sistematicamente desaprendido. Mas a impudência é inumana. Os animais não conhecem sentimentos de pudor; pelo contrário, no ser humano, é um distintivo essencial. O pudor não esconde uma coisa sem valor, mas protege algo valioso, isto é, a dignidade da pessoa na sua capacidade para amar. O sentimento de pudor encontra-se em todas as culturas, ainda que sob diferentes formas. Não tem nada a ver com beatice ou educação frustrada. O ser humano também tem vergonha dos seus pecados e de outras coisas cuja divulgação

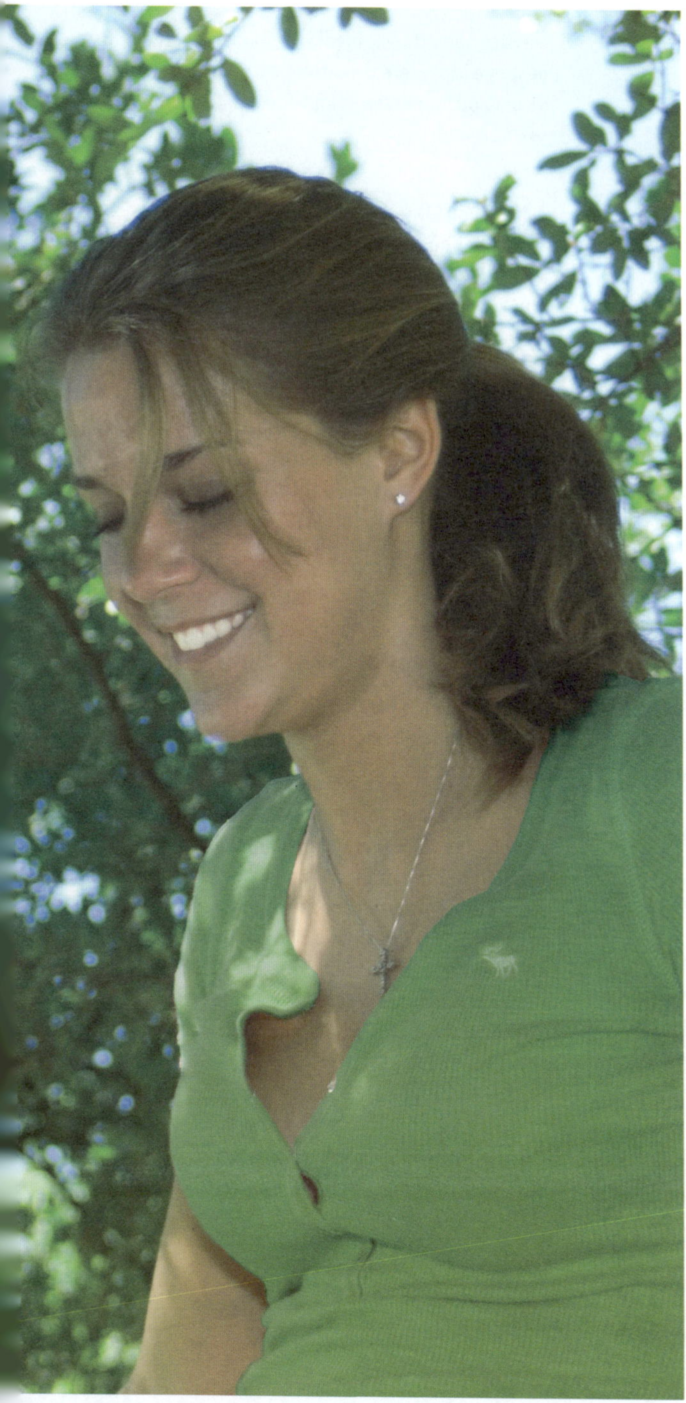

> O pudor existe por toda a parte onde há mistério.
>
> FRIEDRICH NIETZSCHE (1844-1900, filósofo alemão)

o aviltariam. Quem, mediante palavras, olhadelas, gestos e atos, fere o sentimento de pudor natural de uma outra pessoa rouba-lhe a dignidade.

→ 412-413

DÉCIMO MANDAMENTO:
Não cobiçarás os bens do teu próximo!

> Não cobiçarás a casa do teu próximo; não desejarás a mulher do teu próximo, nem o seu servo, nem a sua serva, o seu boi ou o seu jumento, nem coisa alguma que lhe pertença!
>
> Ex 20,17

465 Que atitude deve ter um cristão relativamente à propriedade alheia?

Um cristão deve aprender a distinguir as ambições razoáveis dos desejos insensatos e injustos, adquirindo uma atitude interior de respeito pelos bens alheios. [2534-2537, 2552]

Do desejo voraz resultam a avareza, o roubo, o furto, a fraude, a violência, a injustiça, a inveja e a ânsia desmedida pela posse da riqueza alheia.

> Vede bem, guardai-vos de toda a avareza! A vida de uma pessoa não depende da abundância dos seus bens.
>
> Lc 12,15

466 O que é a inveja e como pode ser combatida?

A inveja é o ciúme e a fúria de quem vê a prosperidade dos outros e deseja apoderar-se injustamente do que eles têm. Quem deseja mal aos outros peca. A inveja diminui à medida que a pessoa procura cada vez mais alegrar-se com as conquistas e os dons dos outros, quando ela crê na benévola providência de Deus também para si e quando ela dirige o seu coração para a verdadeira riqueza, que consiste no fato de já participarmos em Deus pelo Espírito Santo. [2538-2540, 2553-2554]

> Quanto mais as pessoas têm, mais elas desejam ter.
>
> SÃO JUSTINO (ca. 100-165, doutor da Igreja)

> A avidez é sempre o resultado de um vazio interior.
>
> ERICH FROMM (1900-1980, psicólogo social norte-americano)

> Pois, como a ferrugem o ferro, assim o ciúme consome a alma que está apegada a ele.

Regra de São Basílio Magno (329-379, padre e doutor da Igreja)

> Não odieis ninguém! Não sejais invejosos! Não ajais por inveja! Não ameis o conflito! Fugi da arrogância!

Regra de São Bento de Núrsia

467 *Por que motivo Jesus exige de nós a "pobreza de coração"?*

«Ele, que era rico, fez-Se pobre por vossa causa, para vos enriquecer com a Sua pobreza.» (2Cor 8,9) [2544-2547, 2555-2557]

Também os jovens têm a experiência do vazio interior. Mas ser pobre de coração pode até ser bom. De fato, só tenho de procurar, de todo o coração, Aquele que pode encher o meu vazio, transformando a minha pobreza em riqueza. Por isso, Jesus disse: «Bem-aventurados os pobres em espírito, porque deles é o Reino dos Céus!» (Mt 5,3) → 283-284

468 *Que realidade devia o ser humano desejar mais?*

O último e maior desejo do ser humano só pode ser Deus. Vê-l'O, o nosso Criador, Senhor e Redentor, seria uma infinita felicidade. [2548-2550, 2557]
→ 285

> O abismo infinito do ser humano só se pode encher com algo infinito e constante, que é o próprio Deus.

Blaise Pascal

> Nem mesmo Deus poderia fazer algo por alguém que não Lhe dá espaço. Devemos estar completamente vazios, para O deixar entrar, para que Ele faça o que quer.

Santa Teresa de Calcutá

QUARTA PARTE

4 Como devemos orar

PERGUNTAS 469–527

A oração na vida cristã 258
Orar: Como Deus nos doa a Sua presença 258
A fonte da oração 270
O caminho da oração 274
Pai Nosso, a oração do Senhor 280

> Para mim, a oração é uma elevação do coração, um singelo olhar para o Céu, um clamor de gratidão, o amor no meio da provação e da alegria.
>
> SANTA TERESA DE LISIEUX

◇ PRIMEIRA SEÇÃO ◇
A oração na vida cristã

469 O que é a oração?

Estamos em oração quando o nosso coração se dirige a Deus. Quando uma pessoa ora, entra numa relação viva com Deus. [2558-2565]

A oração é a porta para a fé. Quem ora deixa de viver de si, para si e a partir da própria força. Ele sabe que há um Deus com quem pode falar. Uma pessoa que ora entrega-se cada vez mais a Deus. Ela procura desde já a união com Aquele com quem, cara a cara, se encontrará um dia. Por isso, pertence à vida cristã o esforço pela oração diária. Porém, não se aprende a orar como se aprende uma técnica. Embora isso soe estranho, orar é um dom que se obtém na oração.

> O desejo de orar já é oração.
>
> GEORGES BERNANOS (1888-1948, escritor francês)

◇ PRIMEIRO CAPÍTULO ◇
Orar: Como Deus nos doa a Sua presença

470 Que sentido tem a oração para uma pessoa?

> Faz o que podes e reza pelo que não podes, para que Deus permita que o possas.
>
> SANTO AGOSTINHO

Nós oramos porque temos um desejo completamente infinito e porque Deus nos criou para Si: «O nosso coração está irrequieto até encontrar o descanso em Ti.» (Santo Agostinho) Mas também oramos porque temos necessidade; assim disse a Madre Teresa: «Porque não me posso abandonar a mim mesma, abandono-me a Ele 24 horas por dia.» [2566-2567, 2591]

> Eles deviam procurar a Deus e esforçar-se realmente para O atingir e encontrar. Na verdade, Ele não está longe de cada um de nós.
>
> AT 17,27

Esquecemos Deus frequentemente, afastamo-nos e escondemo-nos d'Ele. Mesmo que evitemos pensar em Deus, mesmo que O neguemos, Ele está sempre disponível para nós. Ele procura-nos, antes de O procurarmos; Ele anseia por nós, Ele chama-nos. Ao falarmos com a nossa consciência, notamos repentinamente que falamos com Deus. Ao sentirmo-nos sós, sem ninguém com quem falarmos, notamos que Deus está sempre disposto a conversar. Quando nos vemos em perigo, notamos que Deus respondeu ao nosso pedido de ajuda. Orar é tão humano como respirar, comer, amar. Orar purifica.

> **99** Orar não consiste em ouvir-se a falar; orar consiste em ficar em silêncio, estar e esperar em silêncio, até ouvir Deus.
> SÖREN KIERKEGAARD

> **99** De repente, compreendi o silêncio como uma presença. No coração desse silêncio estava Ele, que é todo silêncio, paz e abandono.
> GEORGES BERNANOS

> **99** Em minha opinião, a oração mental não é mais do que um tratar de amizade, estando muitas vezes a sós com Quem sabemos que nos ama.
> SANTA TERESA DE ÁVILA

Orar possibilita a resistência contra as tentações. Orar fortalece na fraqueza. Orar tira a angústia, duplica as forças, permite uma respiração mais profunda. Orar torna-nos felizes.

471 Por que motivo Abraão é um modelo de pessoa orante?

Abraão escutou Deus. Ele estava disponível para partir para onde Deus queria, a fim de fazer o que Deus queria. Pela escuta e a disponibilidade para partir, ele é, para nós, um modelo de pessoa orante.

Não foram muitas as orações transmitidas por Abraão. Mas, aonde ele chegava, erigia altares, ou seja, lugares de oração, para o seu Deus. No caminho da sua vida,

? CONTEMPLAÇÃO
(lat. *contemplare* = olhar atentamente)
É a submersão na presença de Deus, em oração.
A contemplação (vida espiritual, interior) e a ação (vida ativa, exterior) são as duas faces da entrega a Deus; no Cristianismo, elas estão essencialmente unidas.

> *Contemplata aliis tradere* (Transmite aos outros o que contemplaste!)
> Lema dos Dominicanos

Abraão aproximou-se e perguntou: «Destruirás o justo com o ímpio? Talvez haja cinquenta justos na cidade! Destruirás e não perdoarás à cidade pelos cinquenta justos que estão no meio dela? Longe de Ti fazeres tal coisa: matar o justo com o ímpio, de modo que o justo seja confundido com o ímpio! Longe de Ti! Será que o Juiz de toda a Terra não fará justiça?» O Senhor respondeu: «Se Eu encontrar cinquenta justos na cidade de Sodoma, perdoarei à cidade inteira por causa deles.»
GN 18,23-26

ele fez variadas experiências de Deus, inclusivamente aquelas que o puseram à prova e abalaram os seus alicerces. Quando Abraão percebeu que Deus queria exterminar a cidade pecadora de Sodoma, interveio em seu favor; ele chegou mesmo a assumir, para com Deus, uma atitude de teimosia. Por isso, a sua intervenção em favor de Sodoma tornou-se a maior oração de súplica da história do Povo de Deus.

472 *Como orou Moisés?*

Com Moisés aprendemos que "orar" significa "falar com Deus". Junto à sarça ardente, Deus entrou num verdadeiro diálogo com Moisés e encarregou-o de uma tarefa. Moisés apresentou as suas objeções e colocou perguntas. Por fim, Deus revelou-lhe o Seu santo nome. Tal como Moisés confiou em Deus e se colocou totalmente ao Seu serviço, assim também nós devemos entrar na escola da oração de Deus. [2574-2577]

A → BÍBLIA utiliza 767 vezes o nome de Moisés, tão central ele é como libertador e legislador do Povo de Israel! Ao mesmo tempo, Moisés foi um grande intercessor pelo seu povo. Na oração, acolheu a sua missão; da oração tirou força. Moisés tinha uma relação íntima e pessoal com Deus: «O Senhor falava com Moisés face a face, como quem fala com um amigo.» (Ex 33,11) Antes de agir ou ensinar ao povo, Moisés retirava-se para a montanha para orar. Ele é, portanto, o protótipo de um orante contemplativo.

473 Que significado têm os salmos na nossa oração?

Os salmos pertencem, com o Pai Nosso, ao grande tesouro de orações da Igreja. Neles é eternamente cantado o louvor de Deus.

No → ANTIGO TESTAMENTO encontram-se 150 salmos. São uma coleção de cânticos e orações, compostos há milhares de anos, que ainda hoje são rezados na Igreja, na chamada Liturgia das Horas. Os salmos pertencem aos mais belos textos da literatura mundial e tocam as pessoas ainda hoje com a sua força espiritual. → 188

474 De que modo Jesus aprendeu a orar?

Jesus aprendeu a rezar na Sua família e na sinagoga. Porém, Jesus ultrapassou as fronteiras da oração tradicional. A Sua oração mostra uma união com o Pai do Céu que só pode possuir quem é "Filho de Deus". [2598-2599]

Jesus, que é simultaneamente Deus e homem, cresceu, como as outras crianças israelitas do Seu tempo, com os ritos e as formas de oração do Seu povo. Porém, tal como se manifestou na história de Jesus no Templo, ao atingir os 12 anos (Lc 2,41-50), havia n'Ele algo que não podia ter sido aprendido: uma ligação originária, profunda e única com Deus, o Pai do Céu. Jesus tinha,

> **SALMO DE DAVID**
> O Senhor é meu pastor:
> nada me falta.
> Leva-me a descansar
> em verdes prados,
> conduz-me às águas
> refrescantes
> e reconforta
> a minha alma.
> Ele me guia por sendas
> direitas por amor
> do Seu nome.
> Ainda que tenha
> de andar por vales
> tenebrosos,
> não temerei nenhum
> mal, porque Vós
> estais comigo:
> o Vosso cajado e o Vosso
> báculo me enchem
> de confiança. [...]
>
> Sl 23

> Não sabíeis que Eu devia estar na casa de Meu Pai?
>
> Lc 2,49

> Orar significa pensar em Jesus com amor. A oração é a atenção da alma que se concentra em Jesus. Quanto mais uma pessoa ama Jesus, tanto melhor ela ora.
>
> BEATO CHARLES DE FOUCAULD

> Eu e o Pai somos um.
> Jo 10,30

como todas as pessoas, a esperança de um outro mundo, e orava a Deus a partir disso; ao mesmo tempo, portanto, Ele tornava-Se parte desse outro mundo. Aqui já se notava que um dia se oraria a Jesus, reconhecendo-O como Deus e pedindo-Lhe a Sua graça.

475 Como orava Jesus?

A vida de Jesus era uma oração única. Em momentos decisivos, como a tentação no deserto, a escolha dos Apóstolos e a crucifixão, a Sua oração era especialmente intensa. Com frequência, sobretudo à noite, Ele retirava-Se na solidão, para orar. Ser um com o Pai, no Espírito Santo, era o fio condutor da Sua vida terrena. [2600-2605]

> Jesus reza o Salmo 22, que começa com as palavras: «Meu Deus, meu Deus, porque me abandonaste?» (SL 22,2) Ele assume, em Si, todo o Israel sofredor, toda a humanidade sofredora, a necessidade provocada pela sua incerteza de Deus, e deixa que Deus apareça onde Ele parece ausente e onde finalmente triunfa.
> Via-Sacra de Sexta-Feira Santa com Bento XVI, 2005

476 Como orou Jesus perante a Sua morte?

Perante a morte, Jesus viveu toda a profundidade da angústia humana. Porém, Ele encontrou a força para também nesse momento confiar no Pai celeste: «Abbá, Pai, tudo Te é possível: afasta de Mim este cálice! Contudo, não se faça o que Eu quero, mas o que Tu queres!» (Mc 14,36) [2605-2606, 2620]

"A necessidade ensina a orar." Quase todas as pessoas têm a experiência disso. Como orou Jesus perante a ameaça da morte? O que nessa altura O orientou foi a absoluta disponibilidade para crer no amor e no cuidado do Pai. No entanto, Jesus proferiu a mais abissal de todas as orações, retirada das orações judaicas para a chegada da morte: «Meu Deus, meu Deus, porque Me abandonaste?» (SL 22,1; cf. Mc 15,34) Estão implícitos nessa frase do Crucificado todo o desespero, toda a lamúria, todo o grito das pessoas de todos os tempos, assim como o desejo da mão auxiliadora de Deus. Ao dizer «Pai, nas Tuas mãos entrego o Meu espírito» (Lc 23,46), Jesus entregou o Seu espírito. Aqui ressoa a confiança infinita no Pai, cujo poder conhece o caminho para superar a morte. Assim, a oração de Jesus a morrer antecipa a vitória pascal na Sua ressurreição. → 100

> Por isso, vos digo: tudo o que pedirdes na oração, acreditai que já o recebestes, e assim sucederá.
> Mc 11,24

477 — O que significa aprender a orar com Jesus?

Aprender a orar com Jesus significa entrar na Sua confiança infinita, associar-se à Sua oração e ser levado por Ele, passo a passo, até o Pai. [2607-2614, 2621]

Os discípulos, que viviam em comunhão com Jesus, aprenderam a orar escutando e imitando Jesus, cuja vida era inteiramente uma oração. Como Ele, eles tinham de estar alerta, lutar por um coração puro, dar tudo pela vinda do Reino de Deus, perdoar os seus inimigos, confiar em Deus ousadamente e colocar o amor por Ele acima de tudo. Nesse exemplo de entrega, Jesus convidou os Seus discípulos a chamar a Deus, ao Onipotente, "Papá, Pai querido!" Quando oramos no Espírito de Jesus, especialmente com o Pai Nosso, caminhamos como que nas sandálias de Jesus e podemos estar seguros de que chegamos ao coração do Pai.

→ 495-496, 512

478 — Como podemos ter a certeza de que a nossa oração é ouvida por Deus?

Muitas das pessoas que pediram a cura a Jesus, durante a Sua vida terrena, foram escutadas. Jesus, que ressuscitou da morte, vive e ouve os nossos pedidos, levando-os ao Pai. [2615-2616, 2621]

Jairo, um dos principais da sinagoga, implorou ajuda a Jesus e foi por Ele ouvido. A sua pequena filha estava doente, quase a morrer. Jesus curou a sua filhinha ou ressuscitou-a dos mortos (Mc 5,21-43). De Jesus procedem muitas curas, testemunhadas com segurança. Ele operou sinais e milagres. Não em vão, pediam a cura a Jesus paralíticos, leprosos e cegos. Também todos os santos da Igreja testemunham que a sua oração foi escutada. Muitos cristãos narram que chamaram por Deus e que Deus os ouviu. Não obstante, Deus não é um autômato; temos de deixar a Seu critério o corresponder ou não ao nosso pedido.

→ 40, 51

Tu, porém, quando orares, entra no teu quarto, fecha a porta e ora a teu Pai em segredo! E teu Pai, que vê o que está oculto, te dará a recompensa.

Mt 6,6

Nem todo aquele que Me diz «Senhor! Senhor!» entrará no Reino dos Céus, mas só aquele que faz a vontade de Meu Pai, que está nos Céus.

Mt 7,21

> Pertencem duas coisas às orações de súplica: a certeza de que somos escutados e a renúncia absoluta a sermos escutados segundo o nosso desígnio.
>
> KARL RAHNER

> Se realmente Lhe pedisses a conversão, ela ser-te-ia concedida.
>
> SÃO JOÃO MARIA VIANNEY

> Quando a fé na Mãe de Deus se afunda, afunda-se também a fé no Filho de Deus e no Pai.

LUDWIG ANDREAS FEUERBACH (1804-1872, filósofo ateísta alemão)

> Chama Maria com fervor, e ela não deixará de lado a tua necessidade, pois ela é misericordiosa ou, melhor, a mãe da misericórdia.

SÃO BERNARDO DE CLARAVAL

AVE-MARIA (lat. *ave Maria* = Eu te [ou vos] saúdo, Maria!)
A primeira parte da oração Ave-Maria, a mais importante e estimada depois do Pai Nosso, é retirada da Bíblia (Lc 1,28.42). A segunda parte («Santa Maria, Mãe de Deus, rogai por nós, pecadores, agora e na hora da nossa morte!») é uma adição do século XVI.

479 O que podemos aprender com a forma como Maria orava?

Aprender a orar com Maria significa estar em harmonia com a sua oração: «Faça-se em mim segundo a Tua palavra.» (Lc 1,38) Orar é, no fundo, uma entrega que responde ao amor de Deus. Quando, como Maria, dizemos "sim", Deus tem a possibilidade de viver no seio da nossa vida. [2617-2618, 2622, 2674]
→ 84-85, 117

480 Como é a oração Ave-Maria?

Ave Maria, cheia de graça,
o Senhor é convosco,
bendita sois vós entre as mulheres
e bendito é o fruto do vosso ventre, Jesus.
Santa Maria, Mãe de Deus, rogai por nós, pecadores,
agora e na hora da nossa morte! Amém.

Em língua latina:
Ave Maria, gratia plena.
Dominus tecum.
Benedicta tu in mulieribus,
et benedictus fructus ventris tui, Jesus.
Sancta Maria, Mater Dei,
ora pro nobis peccatoribus,
nunc et in hora mortis nostrae. Amém.

481 Como se reza o Rosário?

(1) **Sinal da Cruz**
(2) **Cinco dezenas: enunciação de um mistério, Pai Nosso, dez Ave-Marias e o Glória.**
(3) **Três vezes a Ave-Maria**
(4) **Salve Rainha**

O terço pode compreender os mistérios gozosos, os luminosos, os dolorosos ou os gloriosos, de acordo com o dia a ser recitado.

Mistérios gozosos
(segunda-feira e sábado)
A anunciação do anjo a Nossa Senhora.
A visitação de Nossa Senhora a Santa Isabel.
O nascimento do Menino Jesus.
A apresentação do Menino Jesus no Templo.
O Menino Jesus perde-se e é encontrado no Templo.

Mistérios luminosos
(quinta-feira)
Jesus é batizado no rio Jordão.
Jesus revela-Se na bodas de Caná.
Jesus anuncia o Reino de Deus com o convite à conversão.
Jesus transfigura-Se no cimo do monte Tabor.
Jesus institui a Eucaristia.

Mistérios dolorosos
(terça-feira e sexta-feira)
A oração de Jesus no horto.
A flagelação de Nosso Senhor Jesus Cristo.
Jesus é coroado de espinhos.
Jesus leva a cruz aos ombros.
A crucifixão e morte de Nosso Senhor Jesus Cristo.

> O Rosário é a minha oração predileta. Oração maravilhosa! Maravilhosa na simplicidade e na profundidade.
> [...] De fato, sobre o fundo das palavras da "Ave, Maria" passam diante dos olhos da alma os principais episódios da vida de Jesus Cristo.
> [...] Ao mesmo tempo, o nosso coração pode incluir nestas dezenas do Rosário todos os fatos que formam a vida do indivíduo, da família, da nação, da Igreja e da humanidade, acontecimentos pessoais e do próximo, e de modo particular daqueles que nos são mais familiares e que mais estimamos. Assim, a simples oração do Rosário marca o ritmo da vida humana.
> JOÃO PAULO II, 29.10.1978

ROSÁRIO
(lat. *rosarium*
= rosal, campo de rosas)
É o nome de uma corrente usada na oração e, ao mesmo tempo, um exercício de oração nascido no século XII entre os cistercienses e cartuxos, cujos irmãos leigos não participavam na Liturgia das Horas, celebrada em língua latina, mas tinham no Rosário uma forma própria de oração (saltério mariano). Mais tarde, o Rosário foi fomentado por várias ordens, sobretudo a dos dominicanos.
Os Papas recomendaram constantemente esta oração, que goza de uma grande estima por parte de muitas pessoas.

> Quero que continueis a rezar o terço todos os dias. Rezai, rezai muito e fazei sacrifícios pelos pecadores!
>
> NOSSA SENHORA DE FÁTIMA aos três pastorinhos, 19.08.1917

Mistérios gloriosos
(quarta-feira e domingo)
A ressurreição de Nosso Senhor Jesus Cristo.
A ascensão de Jesus ao Céu.
A descida do Espírito Santo sobre os Apóstolos.
A assunção de Nossa Senhora.
A coroação de Nossa Senhora no Céu,
como Rainha do Céu e da Terra.

482 *Que papel desempenhava a oração entre os primeiros cristãos?*

Os primeiros cristãos oravam intensamente. A Igreja primitiva era movida pelo Espírito Santo, que desceu sobre os discípulos, ao qual eles deviam a sua difusão: «Os irmãos eram assíduos ao ensino dos Apóstolos, à comunhão fraterna, à fração do pão e às orações.» (AT 2,42)

483 *Quais são os cinco principais tipos de oração?*

Os cinco principais tipos de oração são a → BÊNÇÃO, a adoração, a oração de súplica e de intercessão, a oração de ação de graças e a oração de louvor. [2626-2643]

484 *O que é uma oração de bênção?*

Uma oração de → BÊNÇÃO é uma oração que invoca sobre nós a bênção de Deus. É de Deus que advém toda a bênção. A bênção é a Sua bondade, a Sua proximidade, a Sua misericórdia. «O Senhor te abençoe!» é a mais curta fórmula de bênção. [2626-2627]

Cada cristão deve invocar a bênção de Deus para si e para as outras pessoas. Os pais podem fazer aos filhos, na testa, o sinal da cruz. As pessoas que se amam podem abençoar-se mutuamente. Em virtude do seu serviço, os → SACERDOTES abençoam em nome de Jesus expressamente e por encargo da Igreja; a sua bênção torna-se especialmente efetiva por causa da sua ordenação e pela força da oração da Igreja inteira.

485 Porque adoramos Deus?

Quem compreende que é criatura de Deus reconhece humildemente o Onipotente e adora-O. A adoração cristã, porém, não olha apenas para a grandeza, a onipotência e a →Santidade de Deus Pai. Com toda a gratidão, ela também evoca Jesus, o nosso Salvador, pelo qual Deus teve a iniciativa de nos amar.

Quem realmente adora Deus ajoelha-se diante d'Ele ou lança-se no chão. Assim se exprime a verdade a relação entre o ser humano e Deus: Ele é grande e nós somos pequenos. Simultaneamente, o ser humano nunca é tão grande quando ele, numa livre entrega, se ajoelha diante de Deus. Uma pessoa que não crê, mas procura Deus e começa a rezar, pode encontrar Deus por este caminho.
→ 353

486 Por que motivo devemos pedir a Deus?

Deus, que nos conhece a fundo, sabe de que precisamos. No entanto, Deus quer que "peçamos": que nas necessidades da nossa vida nos viremos para Ele, gritemos por Ele, supliquemos, nos lamentemos, O chamemos e até discutamos com Ele na oração. [2629-2633]

É evidente que Deus, para nos ajudar, não precisa das nossas súplicas. A atitude de pedir deve ser tomada sobretudo por nossa causa, pois quem não pede e não quer pedir fecha-se em si mesmo. Só a pessoa que pede se abre e recorre ao Autor de todo o bem. Quem pede regressa à casa de Deus. Portanto, a oração de súplica leva o ser humano à correta relação com Deus, que respeita a nossa liberdade.

> Tudo está na bênção de Deus.

Provérbio alemão

> Tu serás uma bênção.

Gn 12,2

> O Senhor te abençoe e te proteja! O Senhor faça brilhar sobre ti a Sua face e te seja favorável! O Senhor volte para ti os Seus olhos e te conceda a paz!

Nm 6,24-26

Reze através do seu telemóvel o terço com o Papa Bento XVI

> **Comece sobretudo por se ajoelhar!**
> São João Maria Vianney, respondendo à questão de como se pode chegar à fé em Deus

> **Os joelhos dobrados e as mãos abertas estendidas são os dois gestos originais do ser humano livre.**
> Alfred Delp

> **Creio que só se entende uma igreja quando se ajoelha nela.**
> Reinhold Schneider

> **No alvorecer e no crepúsculo do dia, o crente renova quotidianamente a sua "adoração", ou seja, o seu reconhecimento da presença de Deus, Criador e Senhor do universo. É um reconhecimento repleto de gratidão, que parte do profundo do coração e envolve todo o ser, porque somente adorando e amando a Deus acima de todas as coisas o ser humano pode realizar-se plenamente.**
> Bento XVI, 07.08.2005

O que exprimem os cristãos com as suas posturas orantes?

Os cristãos apresentam a Deus a sua vida através da linguagem corporal: eles estendem-se diante de Deus, juntam as mãos em oração ou abrem-nas, dobram o joelho ou ajoelham-se diante do Santíssimo Sacramento, ouvem o Evangelho de pé e meditam sentados.

De pé diante de Deus exprime-se respeito (levantamo-nos quando chega um superior) e, ao mesmo tempo, também alerta e disponibilidade (estamos prontos para nos fazermos ao caminho). Aqui, o orante assume o gesto original do louvor quando estende as mãos para louvar Deus.

Sentado diante de Deus, o cristão escuta o seu interior e põe no seu coração a Palavra em movimento, contemplando-a (Lc 2,51).

Ajoelhando-se, a pessoa faz-se pequena diante da grandeza de Deus, reconhecendo que depende da graça de Deus.

Prostrando-se, a pessoa adora Deus.

Unindo as mãos, a pessoa abandona a dispersão e concentra-se, unindo-se a Deus. As mãos juntas também são o gesto original da súplica.

487 Por que devemos pedir a Deus por outras pessoas?

Tal como Abraão pediu pelos habitantes de Sodoma, tal como Jesus orou pelos Seus discípulos, tal como a primitiva comunidade não considerava «apenas o próprio bem-estar, mas o bem-estar dos outros» (Fl 2,4), também os cristãos oram sempre por todos os que estão no seu coração, mesmo estando eles longe e mesmo sendo eles seus inimigos.
[2634-2636, 2647]

Quanto mais uma pessoa aprende a orar, tanto mais profundamente sente que está ligada a uma família espiritual através da qual a força da oração se torna eficaz. Com toda a minha preocupação pelas pessoas que amo, estou dentro da família humana; por isso, posso receber a força da oração dos outros e invocar para os outros a ajuda divina. → 477

> Rezar por alguém significa enviar-lhe um anjo.
>
> MARTIN LUTHER

488 *Por que devemos agradecer a Deus?*

Tudo o que somos e temos provém de Deus. São Paulo diz: «Que tens tu que não tenhas recebido?» (1Cor 4,7) Ser grato a Deus, o dador de tudo o que é bom, dá felicidade.
[2637-2638, 2648]

A maior oração de ação de graças é a → EUCARISTIA de Jesus (gr. *eucharistía* = ação de graças), em que Ele toma o pão e o vinho para aí apresentar a Deus toda a Criação transformada. Todo o agradecimento do cristão está em harmonia com a grande ação de graças de Jesus. De fato, também nós somos transformados e redimidos por Jesus; assim, podemos ser gratos do mais profundo do coração, dizendo-o a Deus das mais variadas formas.

Cristo morreu e, mais ainda, ressuscitou, está à direita de Deus e intercede por nós. Quem poderá separar-nos do amor de Cristo?

RM 8,34-35

> Tem mesmo de haver pessoas que orem também por aqueles que nunca oram.
>
> VICTOR HUGO (1802-1885, escritor francês ateísta)

> Dai graças em todas as circunstâncias, pois é esta a vontade de Deus a vosso respeito em Cristo Jesus!
>
> 1Ts 5,18

> Enchei-vos do Espírito Santo, recitando entre vós salmos, hinos e cânticos espirituais, cantando e salmodiando em vossos corações, dando graças, por tudo e em todo o tempo, a Deus Pai, em nome de Nosso Senhor Jesus Cristo!
>
> Ef 5,19 ss.

> Não são as pessoas felizes que são gratas; são as pessoas gratas que são felizes.
>
> FRANCIS BACON (1561-1626, filósofo e estadista inglês)

> Nós impedimos Deus de nos conceder os grandes dons espirituais que Ele preparou para nós, porque não agradecemos os dons diariamente.
>
> DIETRICH BONHOEFFER

> Pelo passado, obrigado! Pelo futuro, assim seja!
>
> DAG HAMMARSKJÖLD

489 *O que significa louvar a Deus?*

Deus não precisa de aplausos. Mas nós precisamos exprimir espontaneamente a nossa alegria por Deus e o júbilo do nosso coração. Louvamos Deus porque Ele existe e é bom. Assim, estamos já em harmonia com o louvor eterno dos anjos e dos santos no Céu.
[2639-2642] → 48

SEGUNDO CAPÍTULO
A fonte da oração

490 *É suficiente orar quando se sente vontade?*

Não. Quem ora apenas quando tem vontade ou está bem disposto e não leva Deus a sério desaprende a orar. A oração vive da fidelidade. [2650]

491 *Pode aprender-se a orar com a Bíblia?*

A → BÍBLIA é como uma fonte para a oração. Orar com a Palavra de Deus significa utilizar as palavras e os acontecimentos bíblicos na própria oração. «Desconhecer a Escritura é desconhecer Cristo.» (São Jerónimo) [2652-2653]

A Sagrada Escritura, especialmente os salmos e o → NOVO TESTAMENTO, são um tesouro valioso. Lá se encontram as orações mais belas e fortes do mundo judaico-cristão. Orar com elas liga-nos a milhões de pessoas orantes de todos os tempos e de todas as culturas, mas sobretudo ao próprio Cristo, que está presente em todas essas orações.

492 *O que tem a ver a minha oração pessoal com a oração da Igreja?*

Na Liturgia da Igreja, sobretudo na Liturgia das Horas e na Santa Missa, são comunitariamente proferidas orações que provêm da Sagrada Escritura ou da Tradição da Igreja. Elas unem o indivíduo à comunhão orante da Igreja.
[2655-2658, 2662]

A oração cristã não é uma coisa privada, embora seja muito pessoal. A oração pessoal purifica-se, alarga-se e fortalece-se quando desagua na oração de toda a Igreja. É um sinal grande e belo quando os crentes, por toda a Terra, estão unidos à mesma hora com as mesmas orações, cantando um único louvor a Deus. → 188

> Esperei no Senhor com toda a esperança; Ele inclinou-Se para mim e ouviu o meu clamor.
>
> Sl 40,2

493 O que identifica uma oração cristã?

Uma oração cristã é uma oração em atitude de fé, esperança e amor. É persistente e acontece por vontade de Deus. [2656-2658, 2662]

Quem ora como cristão sai de si nesse momento e entra numa atitude de confiança crente no Deus único; ao mesmo tempo, coloca toda a sua esperança em Deus, crendo que Ele o escuta, compreende, aceita e realiza. São João Bosco disse uma vez: «Para conhecer a vontade de Deus, são exigidas três coisas: orar, esperar, aconselhar-se.» A oração cristã é sempre, assim, expressão do amor que procede do amor de Cristo e que procura o amor divino.

> Senhor, Tu és grande e digno de ser exaltado [...]. E aqui Te quer louvar o ser humano, essa minúscula parcela da Criação. Tu próprio o incitas a isso, pois Tu criaste-nos para Ti, e o nosso coração está irrequieto até encontrar o descanso em Ti.
>
> Santo Agostinho

494 Como pode o meu dia a dia tornar-se uma escola de oração?

Cada acontecimento, cada encontro pode tornar-se um impulso para a oração, pois quanto mais profundamente vivemos em união com Deus, tanto mais profundamente entendemos o mundo à nossa volta. [2659-2660]

Quem, logo de manhã, procura a união com Jesus pode tornar-se uma bênção para as pessoas que vai encontrar, mesmo os seus adversários e inimigos. Ao longo do dia, ele lança ao Senhor toda a sua preocupação. Tendo mais paz dentro de si, irradia-a. Ele faz os seus juízos e toma as suas decisões perguntando a si mesmo o que faria Jesus naquele momento. Supera a angústia através da proximidade a Deus e não vacila em situações desesperantes. Ele leva em si a paz do Céu e transmite-a ao mundo. É grato e alegre por aquilo que é belo, mas suporta também as dificuldades que enfrenta. Essa atenção a Deus é possível também no âmbito da escola, da universidade e do trabalho.

> Os nossos hinos de bênção, nada aumentando à vossa infinita grandeza, alcançam-nos a graça da salvação, por Jesus Cristo, Nosso Senhor.
>
> Prefácio comum

> O meu enigma é totalmente simples: eu pratico a oração. E por ela me uno ao amor de Cristo e vejo que orar é amá-l'O, orar é viver com Ele, e isso implica realizar as Suas palavras... Para mim, orar é estar ao longo de 24 horas unida à vontade de Jesus, viver para Ele, por Ele e com Ele.
SANTA TERESA DE CALCUTÁ

O Espírito Santo vem em auxílio da nossa fraqueza.
RM 8,26a

495 *Temos a certeza de que a nossa oração chega a Deus?*

A oração que fazemos em nome de Jesus vai diretamente para onde também a oração de Jesus ia: para o coração do Pai do Céu.
[2664-2669, 2680-2681]

Podemos estar tão seguros disso como confiamos em Jesus, pois Ele reabriu-nos o caminho para o Céu, que tinha sido encerrado pelo pecado. Porque Jesus é o caminho para Deus, os cristãos concluem as suas orações com a frase: «Por nosso Senhor Jesus Cristo, Vosso Filho, que é Deus Convosco na unidade do Espírito Santo.» → 477

496 *Para que precisamos do Espírito Santo quando oramos?*

A → BÍBLIA diz: «O Espírito Santo vem em auxílio da nossa fraqueza, porque não sabemos o que pedir nas nossas orações; mas o próprio Espírito intercede por nós com gemidos inefáveis.» (RM 8,26)

Orar a Deus só se consegue fazer com Deus. Não é, primeiramente, um resultado nosso que a nossa oração atinja realmente Deus. Nós, cristaos, recebemos o Espírito de Jesus, que anseia totalmente ser um com o Pai: totalmente amor, totalmente escuta recíproca, total compreensão mútua, totalmente desejo do que o outro quer. Quando oramos, este Espírito Santo de Jesus está em nós e fala a partir de nós. No fundo, orar significa que, do profundo do nosso coração, Deus fala com Deus. O Espírito Santo ajuda o nosso espírito a orar. Por isso, devemos dizer continuamente: «Vem, Espírito Santo! Vem e ajuda-me a orar!»
→ 120

497 *Por que motivo nos ajuda durante a oração orientarmo-nos pelos santos?*

Os santos são pessoas inflamadas do Espírito Santo; eles mantêm o fogo de Deus aceso na Igreja. Os santos já eram, durante a sua vida terrena, incandescentes

> Se procuras Deus e não sabes por onde começar, aprende a orar e esforça-te por orar diariamente.

SANTA TERESA DE CALCUTÁ

> Quanto mais generoso fores para com Deus, tanto mais generoso O experimentarás.

SANTO INÁCIO DE LOYOLA

> Vinde, ó santo Espírito, vinde, Amor ardente, acendei na Terra Vossa Luz fulgente!

SEQUÊNCIA DE PENTECOSTES

> O Espírito Santo é o Espírito de Jesus Cristo, o Espírito que une o Pai com o Filho no amor.

BENTO XVI, 03.06.2006

e contagiantes pessoas de oração. É fácil orar perto deles. Nunca adoramos os santos do Céu, mas podemos invocá-los para que eles intercedam por nós junto do trono de Deus. [2683-2684]

À volta dos grandes santos surgiram escolas especiais de religiosidade (→ FORMAS DE ESPIRITUALIDADE), que, como as cores do espectro, apontam todas para a Luz pura de Deus. Cada uma salienta um aspecto originário da fé, para reabrir uma porta para o íntimo da fé e da entrega a Deus. Por exemplo, a espiritualidade franciscana realça a pobreza em espírito, a beneditina frisa o louvor de Deus e a inaciana sublinha a decisão e a vocação. Se, com o nosso estilo pessoal, nos sentirmos atraídos por uma forma de espiritualidade, ela torna-se para nós uma escola de oração.

498 *Pode orar-se em qualquer lugar?*

Sim, pode orar-se em qualquer lugar. No entanto, um católico também procura os locais onde Deus

? FORMAS DE ESPIRITUALIDADE
(lat. *spiritus* = espírito) São escolas de religiosidade da Igreja, impregnadas pelo Espírito Santo e forjadas a partir das múltiplas atitudes existenciais dos santos. Existem, a título de exemplo, a espiritualidade beneditina, a franciscana, a paulina, a dominicana etc.

> [Através da oração] atingimos, de uma forma espiritual, toda a Criação de Deus, desde os planetas mais longínquos até as profundezas do oceano, uma solitária capela de mosteiro e uma igreja abandonada, uma clínica abortiva numa cidade e a cela de prisão numa outra [...], e até o Céu e o portão do inferno. Estamos unidos a cada pedaço da Criação. Oramos com cada criatura e por cada criatura, para que todas, pelas quais foi derramado o sangue do Filho de Deus, sejam salvas e santificadas.
>
> SANTA TERESA DE CALCUTÁ

> Devíamos mais frequentemente lembrar-nos de Deus do que respirar.
>
> SÃO GREGÓRIO DE NAZIANZO

> Por isso, convido-vos a procurar o Senhor todos os dias. Ele deseja apenas que sejais realmente felizes. Tende com Ele uma relação intensa e constante na oração e, na medida do possível, buscai momentos propícios na vossa jornada para permanecer →

"habita de um modo especial", em particular as igrejas católicas, onde nosso Senhor, no →SACRÁRIO, está presente sob a espécie do pão. [2691, 2696]

É muito importante que oremos em qualquer parte: na escola, no metrô, durante uma festa, no meio dos amigos. Todo o mundo deve ser impregnado de →BÊNÇÃO. Também é importante, porém, visitar os lugares sagrados nos quais Deus, em certa medida, espera por nós, para descansarmos junto d'Ele e sermos, por Ele, fortalecidos, preenchidos e enviados. Um verdadeiro cristão nunca faz uma visita turística quando entra numa igreja; ele permanece um momento em silêncio, adora Deus e renova a sua amizade e o seu amor com Ele. → 218

❧ TERCEIRO CAPÍTULO ❧
O caminho da oração

499 *Quando se deve orar?*

Desde os tempos mais remotos, os cristãos oram de manhã, às refeições e à noite. Quem não ora regularmente deixará de orar em pouco tempo. [2697-2698, 2720]

Quem ama uma pessoa e não lhe dá, durante todo o dia, um único sinal do seu amor não a ama a sério. O mesmo acontece com Deus. Quem realmente O busca dá-Lhe sinais constantes do seu desejo de proximidade e amizade. De manhã, levanta-se e oferece o seu dia a Deus, pede a Sua → BÊNÇÃO e solicita a Sua presença para todos os encontros e necessidades do dia. Dá-Lhe graças, sobretudo por ocasião das refeições. E, no fim do dia, coloca-Lhe tudo nas mãos, pede-Lhe perdão e paz para si e para os outros. Um dia belo, cheio de sinais de vida que chegaram a Deus! → 188

500 *Há diversas formas de orar?*

Sim, há a oração vocal, a *lectio divina* e a contemplação. As três formas de oração pressupõem a concentração do coração. [2699, 2721]

501 *O que é a oração vocal?*

Orar é, antes de tudo, elevar o coração a Deus. Não obstante, o próprio Jesus ensinou a orar com palavras. No Pai Nosso, Ele deixou-nos, como Seu testamento e modelo, a oração vocal perfeita. [2700-2704, 2722]

Na oração, não devemos ter simplesmente pensamentos piedosos. Devemos também "exprimir" o que vai no nosso coração, apresentando-o a Deus como lamentação, pedido, louvor ou agradecimento. Com frequência, são as grandes orações vocais – os salmos e os cânticos da Sagrada Escritura, o Pai Nosso, a Ave-Maria – que nos levam aos verdadeiros conteúdos da oração livre e íntima. → 511-527

502 *Qual é a essência da meditação?*

A essência da meditação (como a *lectio divina*) é uma busca orante que emana de um texto ou de uma imagem sagrada e implica uma pesquisa sobre a vontade, os sinais e a presença de Deus. [2705-2708]

Não podemos "ler" imagens e textos sagrados como lemos um jornal que não nos diz diretamente respeito. Devemos contemplá-los, isto é, elevar o nosso coração a Deus e dizer-Lhe que, nesse momento, estamos totalmente abertos ao que Ele nos quer transmitir através do texto lido ou da imagem observada.

→ exclusivamente na Sua companhia. Se não souberdes como rezar, pedi que seja Ele mesmo quem vos ensine e solicitai à Sua mãe celeste que reze convosco e por vós.
BENTO XVI aos jovens holandeses, 21.11.2005

99 Há muitos caminhos de oração. Uns vão por um, outros vão por todos. Há momentos de viva certeza: Cristo está presente, Ele fala no nosso íntimo. Noutros momentos, Ele cala-Se, torna-Se um desconhecido que está longe... Para todos, a oração, nas suas infinitas variações, permanece o trânsito para uma vida que provém não de nós mesmos, mas de Outrem.
IRMÃO ROGER SCHUTZ

99 A fé não se perde. Ela simplesmente deixa de dar forma à vida.
GEORGES BERNANOS

> A reflexão, de fato, nada mais é que Deus a transparecer na alma, misterioso, sereno e amoroso. E quando não encontra impedimento, esse transparecer abraça a alma com o Espírito de amor.
>
> São João da Cruz

MEDITAÇÃO (lat. *meditare* = refletir) A meditação é um exercício espiritual praticado em várias religiões e culturas, no qual o ser humano se encontra a si mesmo (e a Deus). O Cristianismo conhece e aprecia uma multiplicidade de exercícios meditativos, embora rejeite práticas, nomeadamente técnicas de meditação, que prometem infalivelmente uma união com Deus ou com o divino.

Além da Sagrada Escritura, há muitos textos apropriados para esse tipo de oração reflexiva, pois levam-nos a Deus. → 16

503 O que é a contemplação?

A contemplação é amor, silêncio, escuta, presença diante de Deus. [2709-2719, 2724]

Para a contemplação são necessários tempo, determinação e, sobretudo, um coração puro. É a entrega humilde e pobre de uma criatura que, deixando cair todas as máscaras, crê no amor e procura o seu Deus com o coração. A → Contemplação é também frequentemente designada por "oração íntima" ou "oração do coração". → 463

504 O que procura um cristão atingir com a meditação?

Na → Meditação, o cristão procura a tranquilidade, para fazer a experiência da proximidade de Deus e encontrar paz na Sua presença. Ele espera sentir a Sua presença como um imerecido *dom da graça*; portanto, ele não a acolhe como um produto garantido de uma determinada técnica meditativa.

A → Meditação pode ser uma importante ajuda tanto para a fé como para o fortalecimento e amadurecimento da pessoa humana. As técnicas que prometem uma experiência de Deus, ou até uma união espiritual com Ele, são um engano. Por causa dessas falsas promessas, muitas pessoas acham que Deus as abandonou, pois não O conseguem sentir. Porém, não se pode forçar Deus com determinados métodos. Ele comunica-Se a nós quando e como quer.

505 Por que motivo a oração é por vezes uma luta?

Os mestres espirituais de todos os tempos descreveram o crescimento na fé e no amor a Deus como uma luta na qual se decidem a vida e a morte. O local da batalha é o interior do ser humano. A arma

do cristão é a oração. Podemos ser vencidos pelo nosso egoísmo, podemos perder-nos com ninharias – ou ganhar Deus. [2725-2752]

Quem quer orar tem muitas vezes de vencer o velhaco que tem no seu interior. Aquilo que hoje em dia designamos por "estar aborrecido" já conheciam os Padres do deserto como "inércia" (ou *acídia*). O desinteresse por Deus é um grande problema na vida espiritual. O espírito desta época também não encontra sentido na oração, pelo que não lhe deixa lugar na agenda. É necessário também lutar contra o Tentador, que tudo empreende para desviar o ser humano da entrega a Deus. Se Deus não quisesse que O encontrássemos na oração, não ganharíamos a batalha.

506 É a oração uma forma de monólogo?

Distintivo da oração é precisamente o fato de que transitamos de um "eu" para um "Tu", da referência a si mesmo para uma abertura radical. Quem realmente ora faz a experiência de que Deus fala – e que frequentemente diz algo diferente do que desejávamos e esperávamos.

As pessoas experientes em oração narram-nos que muitas vezes saem de um momento de oração diferentes do que eram quando nele entraram. Às vezes, as expetativas são satisfeitas: estamos tristes e somos consolados; estamos desanimados e obtemos novas forças. Mas também pode acontecer desejarmos esquecer aflições, mas passarmos a uma inquietação ainda mais profunda, querermos sossego, mas recebermos uma missão. Um verdadeiro encontro com Deus, como acontece sempre na oração, abre-nos caminhos às vezes inesperados.

507 O que significa termos a experiência de que a oração não resulta?

A oração não procura sucessos evidentes, mas a vontade e a proximidade de Deus. Precisamente no silêncio de Deus encontra-se um convite a dar um passo em frente – uma entrega absoluta, uma fé ilimitada, uma expetativa infinita. Quem ora deve

> Combate o bom combate da fé!

1Tm 6,12

> Enquanto vivemos, lutamos; se continuamos a lutar é sinal de que não nos rendemos e de que o Espírito bom habita em nós. E se a morte não te encontrar como vencedor, deve encontrar-te como lutador.

Santo Agostinho

> Devemos ter uma santa audácia, pois Deus ajuda quem é corajoso e não faz acepção de pessoas.

Santa Teresa de Ávila

> Aqui pelejam Deus e o diabo, e o campo de batalha é o coração humano.

Fiodor M. Dostoiévski, em *Os irmãos Karamazov*

> Reza-se como se vive, porque se vive como se reza.

CCC, 2725

> Orar significa mais escutar que falar. Contemplar significa mais ser olhado que olhar.

Carlo Caretto (1910--1988, escritor italiano, místico e "pequeno irmão de Jesus")

> Nada tendes, porque nada pedis. Pedis e não recebeis, porque pedis mal, pois o que pedis é para satisfazer as vossas paixões.
> TG 4,2-3

> O melhor remédio contra a aridez espiritual consiste em colocarmo-nos como pedintes na presença de Deus e dos santos, e andar, como um pedinte, de um canto para o outro, rogando uma esmola espiritual com a mesma impertinência com que um pobre pede esmolas.
> São Filipe Néri (1515--1595, apóstolo de Roma e fundador da Congregação do Oratório)

deixar Deus totalmente livre para falar quando Ele quer, para realizar o que Ele quer, e para Se dar como Ele quer.
[2735-2737]

Frequentemente dizemos: orei, mas não ajudou em nada. Provavelmente não orámos com suficiente intensidade. Uma vez, São João Maria Vianney, o santo Cura d'Ars, perguntou a um colega que se queixava do seu insucesso: «Oraste, suspiraste... Mas jejuaste também? Fizeste vigília?» Pode igualmente acontecer que tenhamos pedido a Deus as coisas erradas. Certa vez, disse Santa Teresa de Ávila: «Não peças fardos leves, mas umas costas fortes!» → 40, 49

508 *O que significa não sentir nada na oração ou até sentir uma aversão à oração?*

Qualquer pessoa que ora tem experiências como a distração na oração, o sentimento de vazio interior, a aridez e mesmo a aversão à oração. Perseverar na fidelidade é já oração.
[2729-2733]

Até Santa Teresa de Lisieux passou muito tempo sem sentir o amor de Deus. Pouco antes da sua morte, foi visitada à noite pela sua irmã Céline. Ela viu que Teresa tinha entrelaçado as mãos. «Que fazes? Devias tentar dormir!», julgava Céline. «Não consigo. Estou a sofrer muito. Mas estou a orar», respondeu Teresa. «E que dizes a Jesus?» – «Não Lhe digo nada. Amo-O.»

509 Será a oração uma fuga da realidade?

Quem ora não foge da realidade, mas abre os olhos para toda a realidade. Do próprio Deus, todo-poderoso, recebe a força de perseverar na realidade.

Orar é como ir a uma estação de serviço onde o combustível é gratuito para toda a longa estrada e onde até se encontram desafios radicais para a viagem. A oração não leva para fora da realidade, mas introduz profundamente nela. Orar não rouba tempo, mas duplica o tempo restante, enchendo-o de sentido a partir do seu interior. → 356

> A espiritualidade do cristão não pode ser fuga do mundo nem ativismo que anda atrás de todas as modas. Impregnada do Espírito Santo, ela deseja transformar o mundo.
>
> João Paulo II, 02.12.1998

510 É possível orar sem cessar?

Orar é sempre possível. É indispensável para viver. Orar e viver são inseparáveis. [2742-2745, 2757]

Não se trata de contentar Deus com algumas palavras de manhã e à noite. A nossa vida tem de se tornar oração, e a nossa oração tem de se tornar vida. Cada

> Cada pessoa tem uma oração que só a ela pertence, tal como tem uma alma que só a ela pertence. Portanto, assim como a qualquer pessoa custa encontrar a sua alma, também lhe custa encontrar a sua oração.
>
> Elie Wiesel (* 1928, escritor norte-americano, sobrevivente do Holocausto)

> Considera que Deus está presente entre as panelas e as frigideiras e que Ele está ao teu lado nas tarefas interiores e exteriores.
> SANTA TERESA DE ÁVILA

história de vida cristã é também uma história de oração, uma tentativa una e longa de união cada vez mais profunda com Deus. Porque no coração de muitos cristãos vive o desejo de estar continuamente com Deus, eles recorrem à chamada "oração de Jesus", utilizada desde há muito tempo sobretudo nas Igrejas do Oriente: «Jesus Cristo, Filho de Deus, Senhor, tem misericórdia de nós, pecadores!» Quem ora procura de tal forma integrar essa simples fórmula de oração, que ela se torna uma constante oração.

◇ SEGUNDA SEÇÃO ◇
Pai Nosso, a oração do Senhor

511 *Como é o Pai Nosso?*

**Pai nosso, que estais nos Céus,
santificado seja o Vosso nome,
venha a nós o Vosso Reino,
seja feita a Vossa vontade
assim na Terra como no Céu!
O pão nosso de cada dia nos dai hoje,
perdoai-nos as nossas ofensas
assim como nós perdoamos
a quem nos tem ofendido,
e não nos deixeis cair em tentação,
mas livrai-nos do mal!
Amém.**

Em língua latina:
*Pater noster, qui es in caelis;
sanctificetur nomen tuum;
adveniat regnum tuum,
fiat voluntas tua,
sicut in caelo et in terra.
Panem nostrum quotidianum da nobis hodie;
et dimitte nobis debita nostra,
sicut et nos dimittimus debitoribus nostris;
et ne nos inducas in tentationem;
sed libera nos a malo.
Amém.*

O Pai Nosso é a única oração que Jesus deixou aos Seus discípulos (Mt 6,9-13; Lc 11,2-4), daí que também o Pai Nosso se chame a "oração do Senhor". Os cristãos de todas as confissões cristãs rezam-na diariamente, tanto comunitária como privadamente. A adição «Porque Vosso é o Reino e o poder e a glória para sempre!» está já mencionada na Doutrina dos Doze Apóstolos (*Didaché*, ca. 150 d. C.) e pode ser acrescentada ao Pai Nosso.

> Jesus estava em oração em certo lugar. Ao terminar, disse-Lhe um dos discípulos: «Senhor, ensina-nos a orar, como João Batista ensinou também os seus discípulos!»
>
> Lc 11,1

512 Como surgiu o Pai Nosso?

O Pai Nosso surgiu do pedido de um discípulo de Jesus, que viu o seu Mestre a orar e queria aprender, com o próprio Jesus, a orar corretamente.
→ 477

513 Que estrutura tem o Pai Nosso?

O Pai Nosso compõe-se de sete pedidos ao misericordioso Pai do Céu. Os três primeiros pedidos referem-se a Deus e à forma correta como O servimos. Os últimos quatro pedidos levam ao nosso Pai do Céu as nossas necessidades humanas básicas.
[2803-2806, 2857]

514 Que lugar ocupa o Pai Nosso entre as orações?

O Pai Nosso é «a mais perfeita oração» (São Tomás de Aquino) e a «síntese de todo o Evangelho» (Tertuliano).
[2761-2772, 2774, 2776]

O Pai Nosso é mais que uma oração – é um caminho que leva diretamente ao coração do nosso Pai. Os primeiros cristãos proferiam três vezes ao dia esta primitiva oração da Igreja, que era entregue a cada cristão quando do seu Batismo. Entre nós também não deve haver dia em que não procuremos expressar verbalmente a "oração do Senhor", acolhendo-a no coração e realizando-a na nossa vida.

> Oremos, portanto, caríssimos irmãos, como Deus, o nosso Mestre, nos ensinou!
> É uma oração familiar e íntima quando oramos a Deus com aquilo que é Seu, quando fazemos elevar aos Seus ouvidos a oração de Cristo. Possa o Pai reconhecer as palavras do Seu Filho quando dissermos a oração!...
> Reconheçamos que estamos diante do Seu olhar!
>
> São Cipriano de Cartago (200-258)

> Vós não recebestes um espírito de escravos para recair no medo, mas recebestes um Espírito de filhos adotivos: «Abbá, Pai!»
>
> Rm 8,15

> Deus nunca deixa de ser o Pai dos Seus filhos.
>
> Santo António de Lisboa (1195-1231, franciscano português)

> Na oração do Senhor, dizemos todos em conjunto: «Pai nosso». Dizem o mesmo o imperador, o pedinte, o escravo, o senhor. São todos irmãos, pois têm o mesmo Pai.
>
> Santo Agostinho

> Todas as criaturas são filhas do único Pai, pelo que são irmãs.
>
> São Francisco de Assis

> O cristão não diz "meu Pai", mas "Pai nosso", até no segredo do quarto fechado, porque sabe que, em cada lugar, em cada circunstância, ele é membro de um mesmo Corpo.
>
> Bento XVI, 06.06.2007

515 *De onde nos vem a confiança de chamar "Pai" a Deus?*

Temos a ousadia de chamar "Pai" a Deus porque Jesus nos chamou à Sua intimidade e fez de nós filhos de Deus. Em comunhão com Ele, que «está no seio do Pai» (Jo 1,18), podemos gritar «Abbá, Pai!» [2777-2778, 2797-2800] → 37

516 *Como pode uma pessoa chamar "Pai" a Deus, se ela foi maltratada ou abandonada pelo(s) seu(s) pai(s) biológico(s)?*

A atitude dos pais biológicos ou adotivos prejudica frequentemente a conceção de um Deus bom. Porém, aquilo que o nosso Pai do Céu é não corresponde exatamente às experiências que temos com os nossos pais. Temos de purificar a nossa imagem de Deus de todas as diminutas conceções para que O possamos encontrar com incondicional confiança. [2779]

Mesmo quem foi violentado pelo próprio pai pode aprender a rezar o Pai Nosso. Com frequência, a sua missão vital é deixar-se cair nos braços de um amor que lhe foi negado cruelmente por algumas pessoas, mas que está disponível de um modo maravilhoso e acima de toda a compreensão humana.

517 *Como nos muda o Pai Nosso?*

O Pai Nosso faz-nos descobrir a grande alegria de sermos filhos de um Pai. A nossa vocação comum é louvar o nosso Pai e vivermos juntos como «um só coração e uma só alma» (At 4,32). [2787-2791, 2801]

Porque Deus Pai ama cada um dos Seus filhos com o mesmo e exclusivo amor, como se o Seu afeto fosse todo para ele, devemos também tratar-nos uns aos outros de uma forma totalmente nova, isto é, cheios de paz, atenção e amor, para que cada um possa ser a maravilha entusiasmante que realmente é para Deus.

→ 61, 280

518 *Diz-se que o Pai está "no Céu". Onde é esse Céu?*

O Céu está onde Deus está. O Céu não corresponde a um lugar, mas designa a presença de Deus, que não está preso ao espaço ou ao tempo. [2794-2796, 2803]

Não devemos procurar o Céu por cima das nuvens. Quando nos dedicamos a Deus na Sua glória e ao próximo em necessidade, quando fazemos a experiência da alegria do amor, quando nos convertemos e nos reconciliamos com Deus... surge, então, o Céu. «Não é Deus que está no Céu; o Céu é que está em Deus.» (Gerhard Ebeling) → 52

519 *O que significa dizer «Santificado seja o Vosso nome»?*

Santificar o nome de Deus significa colocá-l'O acima de tudo. [2807-2815, 2858]

Na Sagrada Escritura, o "nome" refere-se à verdadeira essência da pessoa. Santificar o nome de Deus significa fazer a Sua vontade: reconhecê-l'O, louvá-l'O, proporcionar-Lhe estima e glória, e viver segundo os Seus mandamentos. → 31

> Afeiçoai-vos às coisas do alto e não às da Terra!
> Cl 3,2

> Na Terra, o Céu está por toda a parte onde as pessoas estão cheias de amor a Deus, ao seu próximo e a si mesmas.
> SANTA HILDEGARDA DE BINGEN

> O nome do Deus único deve tornar-se cada vez mais aquilo que é: um nome de paz e um mandamento de paz.
> JOÃO PAULO II

O Reino de Deus [...] é justiça, paz e alegria no Espírito Santo.

Rm 14,17

99 O Reino de Deus é o centro do Seu [de Jesus] anúncio, ou seja, Deus, fonte e centro da nossa vida. É como se nos dissesse: Deus é a redenção do ser humano! E podemos ver na história do século passado como nos Estados onde Deus tinha sido abolido que não só a economia foi destruída, mas sobretudo as almas.

Bento XVI, 05.02.2006

Deus quer que todos se salvem e cheguem ao conhecimento da verdade.

1Tm 2,4

520 O que significa dizer «Venha a nós o Vosso Reino»?

Quando rezamos «Venha a nós o Vosso Reino», pedimos que Cristo retorne, tal como prometeu, e que o império de Deus, que já irrompeu entre nós, se imponha definitivamente. [2816-2821, 2859]

Diz François Fénelon: «O Reino de Deus, que é totalmente interior, é querer tudo o que Deus quer, é querê-lo em todas as circunstâncias e sem limitações.»
→ 89,91

521 O que significa dizer «Seja feita a Vossa vontade, assim na Terra como no Céu»?

Quando oramos para que a vontade de Deus se imponha universalmente, pedimos que aconteça na Terra e no nosso próprio coração o que já acontece no Céu. [2822-2827, 2860]

Enquanto insistirmos nos nossos próprios planos, na nossa vontade e nas nossas ideias, a Terra nunca se tornará o Céu. Um quer isto; outro, aquilo. Mas só encontraremos a nossa felicidade quando quisermos juntos o que Deus quer. Orar significa dar espaço na Terra, centímetro a centímetro, à vontade de Deus. → 49-50, 52

522 *O que significa dizer «O pão nosso de cada dia nos dai hoje»?*

Pedir o pão para o nosso dia-a-dia torna-nos pessoas que esperam da bondade do seu Pai do Céu tudo o que é necessário, tanto os bens materiais como os espirituais. Nenhum cristão deve fazer esse pedido sem pensar na sua responsabilidade real por aqueles a quem faltam os bens mais básicos deste mundo.

523 *Porque não vive o ser humano apenas de pão?*

«Nem só de pão vive o homem, mas de toda a palavra que sai da boca de Deus.» (Mt 4,4; cf. Dt 8,3) [2835]

> Pai do Céu, não peço saúde nem doença, nem vida nem morte, mas que disponhas da minha saúde e da minha doença, da minha vida e da minha morte, para a Tua glória e para a minha salvação. Só Tu sabes o que me é útil. Amém.
>
> BLAISE PASCAL

> A total renúncia a si mesmo significa aceitar com um sorriso o que Ele dá e o que Ele tira... Dar sempre o que é pedido, quando serve o teu bom nome ou a tua saúde, significa total renúncia a si mesmo; então, serás livre.
>
> SANTA TERESA DE CALCUTÁ

YOUCAT – Book Trailer

Se alguém disser: «Amo a Deus» e odiar o seu irmão, é mentiroso. Quem não ama o seu irmão, que vê, não pode amar a Deus, que não vê.

1Jo 4,20

99 Há a fome do pão ordinário, mas há também a fome de amor, de bondade e de atenção mútua – e essa é a grande pobreza que as pessoas hoje sofrem muito.

SANTA TERESA DE CALCUTÁ

Sede sóbrios e vigiai! O vosso inimigo, o diabo, anda à vossa volta, como leão que ruge, procurando a quem devorar. Resisti--lhe, firmes na fé!

1Pd 5,8

99 A maior falcatrua do Diabo é convencer--nos de que ele não existe.

CHARLES BAUDELAIRE (1821--1867, poeta lírico francês)

Essa frase lembra-nos que o ser humano também tem uma fome espiritual, que não pode ser mitigada com recursos materiais. Pode morrer-se de falta de pão, mas também se pode morrer de comer apenas pão. O nosso ser profundo é alimentado por quem tem «palavras de vida eterna» (Jo 6,68), por um alimento que não apodrece (Jo 6,27), a Sagrada → EUCARISTIA.

524 O que significa dizer «Perdoai-nos as nossas ofensas, assim como nós perdoamos a quem nos tem ofendido»?

O perdão misericordioso que damos aos outros é inseparável daquele que nós próprios procuramos. Se não formos misericordiosos e não nos perdoarmos reciprocamente, a misericórdia de Deus não chegará ao nosso coração. [2838-2845, 2862]

Muitas pessoas lutam uma vida inteira com o fato de não conseguirem perdoar. O profundo bloqueio da intransigência só se resolve na perspectiva de Deus, que nos acolheu «sendo nós ainda pecadores» (RM 5,8). Perdão e vida reconciliada são possíveis porque temos um Pai bom. → 227, 314

525 O que significa dizer «Não nos deixeis cair em tenlução»?

Porque corremos a cada dia e a cada momento o risco de negarmos Deus e de pecarmos, pedimos a Deus que não nos deixe indefesos na violência da tentação. [2846-2849]

O próprio Jesus, que foi tentado, sabe que somos pessoas fracas, que não conseguem resistir ao mal pelas próprias forças. Ele apresenta-nos, então, o pedido do Pai Nosso que nos ensina a confiar no auxílio de Deus na hora da provação.

526 A quem se refere o pedido «Livrai-nos do mal»?

O "mal" no Pai Nosso não se refere a uma força ou uma energia espiritual negativa, mas ao mal em pessoa, que a Sagrada Escritura conhece pelos nomes de Tentador, Maligno, Pai da mentira, Satanás e Diabo. [2850-2854, 2864]

Ninguém pode negar que, neste mundo, o mal é de uma violência devastadora, que somos rodeados de sugestões diabólicas, que na História decorrem por vezes processos demoníacos. Só a Sagrada Escritura chama as coisas pelos nomes: «Porque não temos de lutar contra a carne e o sangue, mas contra os principados, contra as potestades, contra os príncipes das trevas deste mundo.» (Ef 6,12) O pedido do Pai Nosso de nos livrar do mal apresenta a Deus toda a miséria deste mundo e implora que Ele, o Onipotente, nos liberte de todo o infortúnio.

527 *Por que terminamos o Pai Nosso com a palavra «Amém»?*

Desde os tempos mais remotos, os judeus e os cristãos concluem as suas orações com «Amém», que significa «Sim, assim seja!» [2855-2856, 2865]

Quando uma pessoa diz "Amém" às suas palavras, "Amém" à sua vida e à sua sorte, "Amém" à alegria que o espera, o Céu e a Terra unem-se e encontramo-nos na meta, isto é, junto do amor que nos criou ao princípio. → 165

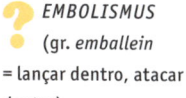

EMBOLISMUS (gr. *emballein* = lançar dentro, atacar dentro)
É uma adição ao Pai Nosso, utilizada na Santa Missa: «Livrai-nos de todo o mal, Senhor, e dai ao mundo a paz em nossos dias, para que, ajudados pela Vossa misericórdia, sejamos sempre livres do pecado e de toda a perturbação, enquanto esperamos a vinda gloriosa de Jesus Cristo, nosso Salvador!»

❞ O «Amen» da nossa fé não é morte, mas vida.

CARDEAL MICHAEL VON FAULHABER

AMÉM!

POSFÁCIO
D. EDUARDO PINHEIRO DA SILVA

"QUEM AMA É CRIATIVO!"
YOUCAT: O PRESENTE DA IGREJA PARA OS JOVENS

A Igreja, perita em humanidade, tem olhado com muito cari-nho e atenção para a vida de seus jovens filhos. Sabe que, nas mãos deles, está não só o compromisso da construção dos novos tempos, mas, acima de tudo, a beleza e a profecia que eles carregam para deixar a vida sempre com cara de primavera. Reconhece, também, que esta linda juventude se sente impulsionada e cativada pelos novos tempos; tempos de novas linguagens e com uma cultura fascinante e envolvente que enche os olhos de sonhos e o coração de prazer; tempos, também, infelizmente, de muitas misérias e violência contra os jovens. Onde se apoiar para viver nesta realidade? Onde encontrar coragem para abraçar os desafios do cotidiano? Onde fixar a construção do projeto pessoal de vida?

O Papa, como bom pastor atento às suas ovelhas, percebeu que neste mundo de tantos brilhos e privações, o grupo que mais se sente atingido é justamente a juventude. Ele aprecia os mesmos valores que os jovens: o amor, a verdade e a liberdade, e sabe que tudo isto pode ser destruído e perdido se não se tem jovens conscientes de seu valor e da sua vocação batismal.

O coração de quem ama não sossega, é criativo, ousa propor e repropor princípios, apontar caminhos, fortalecer, animar, corrigir, servir! Quem ama é criativo e, sendo assim, o Papa que ama os jovens apresenta a eles a redação do Catecismo com linguagem mais comunicativa, visual mais atraente, permeado de fotos e figuras da realidade do povo e do mundo juvenil. É preciso garantir que a Palavra de Deus comunicada para a felicidade do ser humano não só seja proclamada e compreendida, mas acolhida e traduzida para o cotidiano. "Apaixonar-se por Jesus Cristo e pela Igreja": eis um grande desafio da evangelização!

A nova versão do Catecismo da Igreja Católica é direcionada especialmente aos jovens. A verdade revelada por Jesus Cristo vale para todos os tempos e a Igreja, fundada por Ele como missionária por excelência da sua Verdade, se compromete em anunciar a fé e proporcionar situações para seu amadurecimento. A fé é capaz de elevar, dignificar, realizar, salvar a criatura humana num mundo nem sempre favorável a escutá-la e a aderir a tudo aquilo que realmente vale a pena saber e abraçar.

Deste modo, no ano dedicado à Fé, os jovens do Brasil recebem este bonito presente da Igreja: o YOUCAT. É o mesmo conteúdo de verdade do Catecismo de 1983, com uma roupagem moderna, mostrando, assim, que a proposta de vida de Jesus Cristo é o próprio projeto do Pai que, por meio de seu Espírito rejuvenescedor, tem a capacidade de entusiasmar os jovens com as verdades de sempre em meio aos desafios dos tempos.

A Igreja do Brasil que sempre apostou na juventude tem professado, nesses últimos anos, sua opção afetiva e efetiva por ela. Entre tantas coisas podemos salientar: a publicação em 2007 do documento Evangelização da Juventude – desafios e perspectivas pastorais dirigido a todas as expressões de trabalho juvenil; o incentivo para que se garanta espaço de unidade na instância diocesana criando o Setor Juventude; a criação do site www.jovensconectados.org.br organizado pelos próprios jovens voluntários ligados às áreas da comunicação e vindos de vários cantos do país e expressões de trabalho juvenil; o pedido feito ao Papa e o processo de organização para a JMJ Rio 2013; a criação da Comissão Episcopal Pastoral para a Juventude na organização da Conferência Nacional dos Bispos do Brasil (CNBB); a criação da Coordenação Nacional de jovens provenientes de várias expressões de evangelização; a aprovação da Campanha da Fraternidade de 2013 com o tema "Juventude". O YOUCAT vem em boa hora!

Ainda entusiasmados pela Jornada Mundial da Juventude (JMJ) de Madri e em ritmo de preparação para a JMJ no Rio em 2013, os jovens são contemplados com este presente. Apossar-se dos fundamentos da fé é garantia de vida. A sede dos jovens com relação à felicidade é, seguramente, saciada com este YOUCAT que, entre tantas coisas, beneficiará o sentido de vida dos jovens, seu envolvimento com a vida de comunidade, seu compromisso pelo bem comum. Abramos nosso coração para os tesouros deste documento!

Maria, auxílio dos jovens cristãos, os ensine a abraçar com ternura e compromisso a verdade de Seu Filho que liberta e salva.

Campo Grande, 01 de novembro de 2011

† Eduardo Pinheiro da Silva, sdb
Bispo Auxiliar de Campo Grande, MS
Presidente da Comissão Episcopal Pastoral para a Juventude, CNBB
Secretário Geral da Comissão Especial da CNBB para a JMJ 2013

Índice de conceitos

Os números referidos são os das questões. Os números a negrito indicam a questão principal; os outros apontam para aspectos complementares.

Abbá, pai querido 38, 290, **477**
Aborto 237, 292, 379, **383**, 421, 498
Absolvição 233
Absolvição geral 233
Abuso sexual 386, 410
Acaso 20, **43**
Ato de confissão 214
Acusação 111, 164, 476, 486, 501
Adão e Eva 66, 68
Adoção 422, 435
Adoração 149, 218, 461, 483, **485**
Adoração de ídolos 355
Adoração eucarística 218, 270
Adultério 424
Agnus Dei 214
Água benta 272
Alegria 1-2, 21, 38, 71, 108, 120, 170, 179, 187, 200, 239, **285**, 311, 314, 365, 438, 489, 517, 520, 527
Aleluia 214
Aliança de Deus 8, 116, 194, 210, 334-336
Alma 62-63, 79, 120, 153-154, 160, 205, 241, 330, 418, 460
Altar 191, 213-217, 255
Ambiente, responsabilidade pelo 288
Amém 165-166, 527
Amor 402
Amor, virtude do 305, **309**
Amor ao inimigo 34, 329, 396, 477, 487, 494
Amor aos animais 57, 437
Amor às crianças 372
Amor de Deus 2, 61, 91, 115, 127, 156, 169, 200, 229, 270-271, **309**, 314-315, 339--340, 402, 424, 479
Amor dos pais 367-368, 372, 418, 516
Amor e castidade 404
Amor e sexualidade 403
Amor próprio 315, **387**

Ano Litúrgico 185-186
Angústia 245, 438, 470, 476, 494
Anjo da guarda 55
Anjos 52, **54**-55, 179, 183, 489
Apostolicidade da Igreja 137, 141
Apóstolo 12-13, 26, **92**, 99, 106, 118, 129, 137, 140-141, 143, 175, 209, 229, 252, 259, 482
Arrependimento 159, **229**, 232
Arte 461
Ascensão de Jesus 106, 109
Assassínio 237, 316, **379**
Ateísmo 5, **357**
Autodestruição corporal 387
Autodisciplina 300
Automutilação 379
Autoridade 325-326, 329, 367, 375, 392, 399, 446
Autoridade do Papa 141
Ave-Maria 480

Batismo 130, 151, 193, **194-202**
Batismo, celebração do 195
Batismo, condições para o 196
Batismo, fórmula do 195
Batismo, ministro do 198
Batismo, nome 201, 361
Batismo, único meio de salvação 199
Barriga de aluguer 423
Beatice 404
Beleza 461
Bem-aventuranças 282-**283**, 284
Bem comum 296
Bem e mal, critérios de discernimento 234, **291-292**, 295-296
Bênção 170, 213, 259, 272, 483-**484**, 498--499
Bíblia 12-19

Bíblia, índice dos livros 22
Bíblia, ler corretamente a 16
Bíblia, os seus erros 15
Bíblia e o Espírito Santo 119
Bíblia e oração 491
Biotecnologia 435
Bispos 92, 134, 137, **142-144**, 213, 253, 258
Bispos, a sua missão 144, 246, 440
Bispos e Papa 142
Blasfêmia 316, 359, 455

Cânone da Sagrada Escritura 14
Capital / capitalismo 331, 435, 439, **442**
Carisma 113, 119, 120, 129, 257, **393**
Casa da Igreja 271, 368
Caso de necessidade 378, 380
Castidade não matrimonial 145
Castidade, viver em 311, **404-406**, 463
Catecumenato 196
Católico 130, **133-134**, 220, 222, 267-268
Ceia do Senhor 212
Ceia eucarística 166
Celebrante 215
Celibato 255, **258**, 261
Células estaminais embrionárias 385
Céu 52, 123, **158**, 242
Céus, novos 111, **164**
Chamamento dos Apóstolos 92
Ciência natural e fé 15, **23**, 41-42, 62, 106
Círio pascal 272
Cinzas 272
Clérigo 138
Coação 261, 288, 296, 420
Compensação 232, 430
Completas 188
Comunhão 12, 24, 64, 86, 99, 122, 211, 248, 321, 368, 397
Comunhão, recepção por não-católicos 222
Comunhão, Sagrada 208, 212-213, 221
Comunhão dos santos 146
Comunicação social, meios de 459
Comunismo 439
Concílio 140
Consagração 213

Confessor 236
Confiança 20, **21-22**, 155, 307-308, 476-477, 515
Confirmação 193, **203-207**
Confirmação, condições para a receber 206
Confissão 151, 173, 175, 193, 206, 220, **225--239**, 317, 458
Confissão, dever da 234
Confissão, segredo de **238**, 458
Confissão da fé 24, **26-29**, 136, 165, 307
Concílio Ecumênico 143
Consciência 1, 4, 20, 120, 136, 232, 289, 291, **295-298**, 312, 354, 397, 470
Consciência, formação da 297
Consciência, pressão sobre 296
Consciência, investigação sobre a **232**-233
Conselhos evangélicos 145
Conversão 131, 235, 328
Coração 3, **7**, 20, 38, 113, 205, 281, 283, 290, 307, 314, 463, 470
Coração, oração do 503
Coração, pureza de 89, 282-283, **463**, 469, 477, 503
Coragem 300
Corrupção 428
Credo 24, 26, **76**, 214, 307
Criação 7, 25, **42-50**, 52, 56-57, 163, 165, 263, 308, 364, 366, 368-370, 401, 416, 426, 436, 488
Criação, encargo da 370, 427, **436**
Criação, plano da 368, 444
Crianças, Batismo de 197
Crianças, comércio de 435
Crianças-soldado 435
Crisma, unção com o óleo do 203
Cristãos não católicos 130
Cristo, imitação de 477
Cristo, o Juiz do mundo 112
Cristo, o sacramento original 193
Cristo, o Senhor **110**, 363, 489
Cruz 96, 98, **101-103**, 360
Cruz, sacrifício da 155, **191**, 208, 216-217, 250
Cruz, seguimento da 102

Cruz, sinal da 360
Culpa, sentimento de 229
Culpas 430
Culto à violência 460

Defeitos 294
Deficiência, portadores de 51, 302, 379, 384
Desejo 264, 406, 462
Desemprego 444
Desespero 98, 476
Deus, agradecer a 461, **490**, 494, 501
Deus, casa de 189-**190**, 214, 498
Deus, fidelidade de 8, 49, 64, 176, 263
Deus, imagens de 355, 358
Deus, louvar 48, 183, **489**, 519
Deus, negar a existência de 5
Deus, nome de 31, 359
Deus, obedecer a 20, **34**
Deus, onipotência de 40, 49, 66, 485
Deus, onisciência de 51
Deus, procurar 3-4, 89, 136, 199, 467, 470
Deus, providência de 49-50, 466
Deus, temor de 310, 353
Deus, veneração de 302, **352**, 365
Deus, verdade de 13, **32**, 307, 359, 453, 461
Deus Criador 41, **44**, 330
Deus é amor 2, 33, 145, 156, 309
Deus é misericordioso 314
Deus Espírito Santo 38, 113-120
Deus Filho 39
Deus Pai 37
Devoção 274
Diácono 140, **255**
Diácono, tarefas do 255
Diagnóstico pré-natal 423
Dignidade humana 58, **280**, 289, 353, 382, 392, 411-412, 438, 441, 444
Direitos e deveres 136, 302, **326-330**, 333, 370, 376, 380-381, 383, 387, 392, 398, 401, 420, 422-423, 427, 430, 436, 441--442, 445, 459
Direitos humanos 136, 262, 441
Discernimento, dom do 291
Discrição 457
Discriminação 398, 415
Distinção dos seres humanos 331, 446
Divorciados recasados 270
Divórcio 270, 424
Doação de órgãos 391
Doença 89, 224, 240-245, 273, 280, 310, 314, 379, 450
Doentes, condições para a 243
Doentes, efeito da Unção dos 245
Doentes, ministro da Unção dos 246
Doentes, rito da Unção dos 244
Doentes, solicitude pelos 242
Doentes, Unção dos 193, **243-246**
Dogma 83, **143**
Domingo 47, 187, **364-366**
Dominical, dever 219, 345
Dons, preparação dos 214
Dons do Espírito Santo 310
Doutrina Social da Igreja 323, **438**
Doxologia 214
Drogas 389
Dupla moral 347, 405

Economia de mercado 442
Ecumenismo 130-**131**, 134, 222
Embriões, comércio de 435
Empresários 443
Encarnação 9, 76, **152**
Entrega 263, 402, 479
Entrega a Deus 145, 258, 485, 497, 507
Envio 11, 91, 137-138, 144, 193, **248-250**, 259
Erótica 65, 417, 462
Esmola 345, 447, 449
Esotérica 55, 355-**356**
Especulação 428, **432**
Especulação bolsista 432
Esperança 105, 108, 146, 152, 305-306, **308**, 337, 352, 493
Espiritismo 355
Espírito Santo 113-120
Espírito Santo, a força do 138, 177, 203, 205, 227, 241-242, 249, 254, 290
Espírito Santo, seus sinais e nomes 115
Espírito Santo e Batismo 176, **195**

Espírito Santo e Confirmação 167, 203-207
Espírito Santo e Igreja 119
Espírito Santo e Profetas 116
Espírito Santo em nós 120, 203
Espírito Santo enquanto dom 205
Espiritualidade 497
Espiritualidade beneditina 497
Espiritualidade franciscana 497
Espiritualidade inaciana 497
Estado 289, **322**, **326**, 333, 366-367, 370, 376-377, 381, 383, 388, 392, 420, 427-428, 431, 439, 441
Estado, direitos fundamentais do 388
Estado de direito 326
Estruturas de pecado 320
Ética financeira 428
Eucaristia 19, 99, 126, 160, 167, 193, **208-223**, 365, 488, 523
Eucaristia, condições para participar na 220
Eucaristia, efeitos da 221
Eucaristia, instituição da 99, **209**
Eutanásia 379, **382**
Evangelho **10**, 18-19, 71, 199, 213, 282, 491
Evolução **42**-43, 280
Ex Cátedra 143
Ex opere operato **178**
Excomunhão 237
Exorcismo 273
Experiência 148, **504**, 507-508

Família 86, 138-139, 271, 322, 327, **368-370**, 373-374, 419, 474
Fé 20, **21-22**
Fé, coação sobre a 354
Fé e ciências naturais 15, **23**, 41-42, 62, 106
Fé e Igreja 24
Felicidade eterna 1, 52, 61, 164, **285**, 468
Felicidade, desejo de 3, 57, 281-282, **285**
Felicidade, jogo da 434
Fidelidade no matrimônio 262
Filhos 86, 262, 265, 271, 354, 368, **371-372**, 374, 383-384, 416, 418-419, 422, 460
Filhos de Deus 113, 125, 138, 173, **200**, 226, 279, 283, 340, 401

Fim do mundo **111**, 164
Fome 91, 446, 522-523
Forasteiros, acolher os 271, 450
Funeral 394
Fração do Pão 212, 223, 482
Fraude 428, 465
Freira 188
Frutos do Espírito Santo 311

Ganância 287, **389**
Genuflexão 75, 218, **485**
Gestor 443
Globalização 327, **446-447**
Glória 214
Graça 197, 206, 274, 279, 285, 337-341
Graça assistente 339
Graça como autocomunicação de Deus 338
Graça de estado 339
Graça habitual 339
Graça sacramental 339
Graça santificante 339
Gratidão 59, 371
Gravidez, prevenção da 421
Gravidez, regulação da 420
Guerra 379, 398
Guerra justa 399

Hipocrisia 455
Homem, ser **64**, 401
Homem e mulher, criados como 260, 401
Homilia 214
Homossexualidade 65, 415
Humildade 235, 485

Ícones 358
Igreja **121-128**
Igreja, apostolicidade da **137**, 140
Igreja, catolicidade da **133**-134
Igreja, cisão da **130-131**, 267
Igreja, colegialidade da 140
Igreja, conceito de **121**
Igreja, corpo de Cristo 121, **126**, 129, 131, 146, 175, 196, 208, 211, 217, 221, 343
Igreja, edificação da 138

Igreja, esposa de Cristo 127
Igreja, essência da 125
Igreja, estrutura hierárquica da 140, 413
Igreja, infalibilidade da 13, 143
Igreja, mandamentos da
Igreja, missão da 123, 150
Igreja, Povo de Deus 121, 125, 128, 138, 191, 204
Igreja, santidade da 124, **132**
Igreja, templo do Espírito Santo 119, **128**, 189
Igreja, unidade e unicidade da **129**, 141
Igreja e democracia 140
Igreja e Espírito Santo 119
Igreja e religiões não cristãs **136**, 198, 438
Igreja e Reino de Deus 89, 91, 110, **123**, 125, 138-139, 284, 520
Igreja e Sagrada Escritura 19
Igreja enquanto instituição 121, **124**
Igreja local 141, **253**
Igreja Oriental 258
Igreja primitiva 482
Igualdade de todos os seres humanos 61, 330-331, 401, 441
IHWH 8, 31, 214
Imagem de Deus 39, **58**, 64, 122, 262-263, 271, 279, 402
Imagens, proibição das 358
Impostos, retenção de 428
Impostos, truques acerca dos 431
Impudicícia 410
Inculturação 274
Inferno 51, 53, 157, **161-162**
Individualidade 62, 173, **201**
Individualismo 321
Indissolubilidade matrimonial 262-**263**
Infalibilidade do Papa 143
Infecundidade
Infertilidade 422
Inseminação artificial 423
Inseminação heteróloga 423
Inseminação homóloga 423
Inspiração 14-15
Intercessão 85, 214, 361, 497
Intercessão, oração de 146, 213, 483, **487**

Intercomunhão 222
Instinto 462
Inveja 466
Investigação 459
Investigação em seres humanos vivos 390
Ira 120, 293, 318, **396**
Irmãos e irmãs de Jesus 81

Jejum e abstinência 151, 345
Jesus, a revelação de Deus 9-10
Jesus, Batismo de 87
Jesus, condenação à morte 96
Jesus, mais que um homem **74**, 77-78
Jesus, medo da morte em 100
Jesus, milagres de 90-91
Jesus, modelo **60**, 449
Jesus, morte de 96-103
Jesus, nome de 72
Jesus, o Judeu 336
Jesus, o Cristo 73
Jesus, o Salvador 70, **72**, 101, 136, 330, 468
Jesus, o Senhor 75
Jesus, orante 474-477
Jesus, relação com 348, 454, 491
Jesus, só aparentemente morto? 103
Jesus, verdadeiro homem **79**, 88
Jesus, vida oculta de 86
Jesus e o Espírito Santo 114
Jesus e os doentes 241
Jogo 434
Judeus, ódio aos 135
Judeus, responsabilidade na morte de Jesus **97**, 135
Judeus e cristãos 30, 97, 135, 349, 358
Juízo final 163
Julgamento pessoal 112, **157**
Juramento 359, 455
Juramento falso 455
Justificação 337
Justiça 89, 111, 123, 164, 283, 300, **302**, 323-329
Justiça, equitativa 430
Justiça social **329**, 449

Kyrie 214

Laudes 188
Lava-pés 99, 375
Lectio divina 500, **502**
Lei da Antiga Aliança 8, 135, 334-**335**, 336, 363
Lei natural 45, 333
Leigos 138-**139**, 214, 440
Leis 326, 377
Leitura 192, 213-214
Liberdade 49, 51, 59, 68, 125, 136, 161, 178, 285-**286**, 290
Liberdade, direito à 289
Liberdade da vontade 289
Liberdade de decisão 68-**69**, 161, 287, 296
Liberdade e vício 287
Liturgia 167, 192, 212
Liturgia celeste 179
Liturgia das Horas 188
Liturgia santa e divina 212
Locais litúrgicos 191
Lucro ilícito 428
Luta de classes 439
Luz eterna 191

Magia 91, 177, 355-356
Magistério da Igreja 141, 252, 344
Mal 51, 111, 161, 163-164, 234, 273, **285--296**, 314, 318, 320, 333, 386, 396-397, 525-526
Maldição 359
Mandamentos 17, 67, 307, 337, **348**, 352
Mandamentos, os Dez 349
Mandato missionário 11, 123
Mãos, imposição das 115, 137, **174**, 203, 254
Maria, auxílio de 148
Maria, imaculada conceição de 83
Maria, Mãe de Deus 82, 84, 147
Maria, Mãe de todos os cristãos 85, 147-148
Maria, modelo 147
Maria, orar como 479
Maria, veneração de 149

Maria e o Espírito Santo 117
Maria e os Santos 147
Maria Virgem 80
Mártires 289
Martírio 454
Masturbação 409
Matrimonial, consentimento 262
Matrimônio, caráter do 263
Matrimônio, celebração do 266
Matrimônio, consenso do 261
Matrimônio, consumação do 261
Matrimônio, efeitos do sacramento do 261
Matrimônio, elementos fundamentais 416
Matrimônio, impedimento do 261, 268
Matrimônio, ministro do sacramento do 261
Matrimônio, nulidade do 269
Matrimônio, problemas no 264
Matrimônio, promessas do 262
Matrimônio, sacramento do 193, **260-267**
Matrimônio, união do 261
Matrimônio com não-católicos 267
Matrimônio com não cristãos 268
Matrimônio e filhos 418-419
Matrimônio e liberdade 261
Matrimônio interconfessional 267
Matrimônio sem certidão 425
Medida 300-301,**304**
Meditação 504
Medo 245, 438, 470, 476, 494
Meios de comunicação social 404, 412, 459--460
Memorial da Paixão 212
Mentira 359, **452**-453, 456
Milagre 90-91
Ministério da direção da Igreja 252
Ministério petrino 129, 140-**141**
Misericórdia 302, 450-451, 524
Misericórdia, obras corporais da 450
Misericórdia, obras espirituais da 451
Misericórdia de Deus 89, 226, **314**, **337,** 524
Missa Sacrificial 212
Monopólio 442
Monoteísmo 30
Morrer 154-155, 393

Morte 154-156
Morte, pena de 381
Mortos 146
Mulheres e sacerdócio 257
Mulher, ser 64, 401
Música na Liturgia 183

Nome de Batismo 146, **202**, 361
Novo Testamento 18

Obediência 145, 326
Obras, boas 120, 151, 274, **341**, 450-451
Ocultismo 355
Ofício de Leitura 188
Onipotência de Deus 40, 66, 485
Onisciência de Deus 51
Oração 469-470
Misericórdia, obras corporais da 450
Misericórdia, obras espirituais da 451
Oração como diálogo 472
Oração contemplativa 472, 500, **502**
Oração cristã 493
Oração da Igreja 492
Oração da Igreja primitiva 482
Oração de ação de graças 371, 469, 483, 485, **488**
Oração de louvor 483, **489**
Oração de súplica 471, **483**
Oração do Espírito Santo 496
Oração dos salmos 473
Oração dos santos 497
Oração e luta 505
Oração eucarística 214
Oração interior 500, **503**
Oração meditativa 506
Oração na necessidade 476
Oração perene 510
Oração pessoal 492
Oração quotidiana 494
Oração regular 499
Oração sem efeito? 507
Oração vocal 500, **501**
Ordem, Sacramento da 193, **249-251**
Ordenação diaconal 255

Ordenação episcopal 252
Ordenação presbiteral 173, 249, **254**, 257
Ordenação presbiteral, condições para a 256
Ordenação presbiteral, efeitos da 254
Ouvidos 188

Pacificidade 397
Pacifismo 398
Pai, imagem do 516
Pai Misericordioso, parábola 227
Pai Nosso 511-527
Paixão de Cristo 94-103, 277
Paixões 293-294
Palavra, celebração da 213
Palavras litúrgicas 182
Pão, pedido de 522-523
Pão e Vinho 99, 181, **208**, 213, 216, 218, 488
Papa 92, 140, **141-143**
Papa e bispos 142
Papa e infalibilidade 143
Páscoa 171, 188, 365
Páscoa, acontecimentos da 105, 227
Pastoral, ministério 138, 252-253, 257
Paz 66, 115, 164, 282, 284, 327, 370, **395-396**, 398, 436
Paz interior 38, 159, 233, 245, 311, 393, 494, 503-504, 517
Pecado 1, 8, 66-67, 70-71, 76, 87, 98, 221, 224-239, 315, 337
Pecado original **68-70**, 83, 197
Pecado mortal 206, 316
Pecado venial 316
Pecado, escravidão do 95, 288
Pecados, perdão dos **150-151**, 228, 236
Penitência 195, **230**, 232, 276
Penitência, condições do sacramento da 231
Penitência, instituição do sacramento da 227
Penitência, sacramento da (ver também: Confissão) 151, 172, **224-239**, 345
Pentecostes 118, 204
Perdão, alcançar o 226
Perdão, pedido do 524
Peregrinos 276

Peregrinações 274, **276**
Personalidade humana **56**, 323, 404, 421, 423
Piedade 497
Piedade popular 274
Planejamento familiar natural **421**
Plenipotência de Cristo **92**, 139-144, 242, 249
Pobreza 27, 354, **446-449**, 497, 523
Pobreza, Conselho Evangélico da **138**, 145
Pobreza de coração **467**
Pobreza de Cristo 284, 449, 467
Poder 140, 328
Politeísmo 355
Política 139, 438, 440, 446-447
Pornografia **412**, 460
Prazer **400**, 404, 409, 411, 417
Presença real de Cristo 19, 168, 191, 212, **216-218**
Preservativo 414
Prisioneiros, visitar os 450
Procissões 274
Profetas 8, 30, 113, 116, 135, 240, 308, 310, 336
Profissão 138, 328
Proibição de matar **378**
Propósito, bom 232
Propriedade 396, **426-428**, 433, 465
Propriedade intelectual **429**
Propriedade privada **426-427**
Prostituição 411, 435
Providência **48-50**, 466
Próximo, amor ao 220, 321, 329, 373
Prudência **300-301**
Pudor 159, **464**
Purgatório **159**-160
Questão laboral 439
Questão pelo sentido 2, 48, 59

Racismo 61, **330**, 377, 398
Rapto 392
Razão **4-5**, 7, 23, 32, 291, 297, 300, 333-334
Razão, conhecer Deus com a **4**, 6
Reconciliação com Deus 226, 239

Regresso de Cristo 111, 157
Reino de Deus 89, 139, 520
Relato da instituição 210
Religião 3, 30, 37, 136, 268, 289, 504
Religião, liberdade de 354
Religiões não cristãs 136
Religiosos 138, **145**, 258, 339, 374, 440
Relíquias, veneração de 274-275
Representação 146
Responsabilidade 288-290
Ressurreição 104, **108**
Ressurreição, corpo de Cristo 107
Ressurreição, provas da 106
Ressurreição da carne 153
Ressurreição dos mortos 152
Revelação 7-8, 10, 36, 333, 351, 356
Revelação privada 10
Rosário 149, **481**
Roubo **426**

Sábado, descanso sabático 39, 47, 90, 96, 349, **362**-364
Sacerdócio 99, **249-250**
Sacerdócio comum dos fiéis 259
Sacerdócio de Cristo 250
Sacerdócio ministerial 257, **259**
Sacerdote e perdão dos pecados **150**, 193, 227-228, 233, 236
Sacramentais 272
Sacramento, celebração ilícita **178**
Sacramento da Reconciliação 226
Sacramento e Espírito Santo 119, 128
Sacramentos da Igreja 129, **172-178**, 193
Sacramentos e fé 177
Sacrilégio 355
Sagrada Comunhão 208, 212-213, 217, **221**, 247
Sagrada Escritura, inspirada por Deus 14-15
Sagrada Escritura e Igreja 128
Sagrada Escritura e Tradição **11-12**, 143, 492
Sagrados Mistérios 212
Sagrados Óleos 115, 170, 174, 203, 244
Salário justo 332, 426, 428
Salmos 17, 214, **473**, 491, 501

Salvação 10, 21, 136, 174, **199**, 335
Santa Missa 168, 212, **213-214**, 365
Santidade, chamamento à 342
Santificação 224
Santificação, carisma da 242
Santíssima Trindade **35**-36, 122, 164
Santíssimo Sacramento 212, 218
Santo 214
Santo Sacrifício 212
Santos 132, **146**, 275, 342, 497
Santos, modelos 202, 235, 342-343, 497
Saúde 388, 389
Sedução 386
Segurança social **327**, 367, 369
Seis dias de trabalho 42, **46**
Senhorio de Cristo 110
Sentido da vida 1, 5, 41-43, 406, 427, 465
Separação de mesa e cama 269
Separação do cônjuge 268
Sepultamento 278
Ser humano, especial situação do **56**, 59
Ser humano, imagem de Deus 330
Ser humano, meio e fim 322
Ser humano, semelhança de Deus 56, **58**, 64, 262-263, 402
Ser humano enquanto mercadoria 435
Ser humano enquanto pessoa 56, **58**, 63, 322, 327, 383, 401, 430, 464, 519
Seres humanos, comércio de 435
Serviço do altar 214
Sexismo 61, 330, 377
Sexo antes do casamento **407**
Sexo fora do casamento 410
Sexo no casamento 417
Sexta, hora 188
Sexualidade **400**
Sida 414
Símbolo da fé 24-25, **26**-27, 307
Símbolo da fé niceno-constantinopolitano 29
Símbolo dos Apóstolos 28
Simonia 355
Sinais Sagrados 115, 123, 128, 167, 174, 181, **189**

Sínodo 140
Sobriedade 220, 304
Social, compromisso **427**
Sociais, princípios 324
Sociedade 139, 271, **322-325**, 329, 369, 440, 444
Sociedade civil 447
Sofrimento, experiência do 66
Solidariedade 61, 323, **332**, 376, 395, 447
Solteiro 265
Subdesenvolvimento 448
Subsidiariedade, princípio da 323
Sucessão apostólica 92, 137, 141
Suicídio **379**
Superstição 355-356

Tempo 184-185, 187, 364, 492
Tentação 88, 525
Teodiceia 51
Tércia, Hora 188
Terrorismo 392
Torá **335**
Tortura 392
Trabalho 47, 50, 66, 332, 362, 366, 426, 428, 439, 442, **444-445**, 494
Trabalho e capital 439
Tradição **12**, 141, 143
Transcendência de Deus 358
Transfiguração de Cristo 93
Transmissão da fé **11-12**, 143, 175
Transubstanciação 217
Transubstanciação, palavras da 210
Trindade 35-36, 122, 164

Última Ceia de Jesus 92, **99**, 166, 171, 192, 208-223, 259
Unção 115, 174, **181**, 195, 203, 244
Unidade da Igreja 25, 92, **129**, 131, 134, 137, 141, 143, 222

Vandalismo 433
Vazio interior 467, 508
Veracidade **452-455**, 485
Vésperas 188

Via-Sacra 277
Viático 247
Vida eterna 61, 98, 108, 136, 155-**156**, 161, 247, 280, 285, 317, 348, 364
VIH, doença do 414
Vingança 396
Violação 386
Violência 270, 284, 296, 386, **392**, 397, 399, 413, 452, 460

Violência militar 389, **399**
Virtude 299, 300, 304, 306
Virtudes cardeais 300
Virtudes divinas 305
Vocação 73, 138-139, 144-145, 205, 250, 255, 265, 340
Vontade Deus 1, 50, 52, 100, **309**, 335, 337, 463, 493, 502, 507, 521

Definições

A definição dos conceitos mais importantes encontra-se nas páginas indicadas:

Absolvição 137
Agnosticismo 198
Agnus Dei 130
Aleluia 128
Amém 99
Antigo Testamento 22
Apóstolo 20
Ateísmo 197
Ave-Maria 264
Bem Comum 182
Bênção 104
Bíblia 21
Bispo 87
Cânone 21
Carismas 73
Castidade 220
Catecumenato 117
Celibato 147
Clero 86
Comunhão 127
Concílio Ecumênico 90
Confirmação 120
Consagração 126
Conselhos Evangélicos 91
Contemplação 260
Credo 27
Criacionismo 37
Crisma 120
Custódia 131
Decálogo 194
Diácono 88, 144
Discrição 249
Dispensa 153
Dogma 90
Doutrina Social da Igreja 181
Doxologia 131
Doze Apóstolos 85
Dupla Moral 192

Ecumenismo 82
Embolismus 287
Encarnação 17
Esoterismo 196
Eucaristia 123
Evolução 37
Ex Cátedra 90
Excomunhão 139
Exorcismo 156
Formas de Espiritualidade 273
Frutos do Espírito 76
Gênesis 39
Glória 128
Hierarquia 87
Homilia 128
Ícone 198
Igreja 77
Igrejas e Comunidades Eclesiais 81
Ihwh/Iahweh 31
Iniciação 115
Inspiração 21
Juízo 96
Juramento Falso 249
Justificação 188
Kyrie Eleison 127
Lei Natural 186
Leigos 84
Liberdade de Religião 84
Liturgia 102
Magistério 20
Mártir 248
Masturbação 223
Meditação 276
Meios de Comunicação Social 250
Missão 18
Mistério 55

Monogamia 150
Monoteísmo 31
Novo Testamento 22
Obras da Carne 76
Ocultismo 197
Paixão 67
Panteísmo 197
Papa 87
Parusia 72
Paternidade e Maternidade Responsáveis 228
Pentecostes 75
Plágio 234
Planejamento Familiar Natural 229
Poligamia 150
Presbítero 88
Princípio da Solidariedade 186
Proselitismo 195
Religião 15
Relíquia 157
Revelação 17
Roma 89
Rosário 266
Sábado 200
Sacramento 105
Sacrário 131
Sacrilégio 196
Salmo de David 261
Santidade 83
Santo 129
Sucessão Apostólica 86
Superstição 196
Transcendência 199
Transubstanciação 129
Trindade 34

Abreviaturas dos textos bíblicos

AB	Abdias	Jó	Jó
AT	Atos	JL	Joel
AG	Ageu	JN	Jonas
AM	Amós	JS	Josué
AP	Apocalipse	JZ	Juízes
BR	Baruc	LM	Lamentações
CT	Cântico dos Cânticos	LV	Levítico
ECL	Coélet (Eclesiastes)	LC	Lucas
ECLO	Sirácides (Eclesiástico)	ML	Malaquias
CL	Colossenses	MC	Marcos
1COR e 2COR	Coríntios	MT	Mateus
1CR e 2CR	Crônicas	1MC e 2MC	Macabeus
DN	Daniel	MQ	Miqueias
DT	Deuteronómio	NA	Naum
EF	Efésios	NE	Neemias
ESD	Esdras	NM	Números
EST	Ester	OS	Oseias
EX	Êxodo	1PD e 2PD	Pedro
EZ	Ezequiel	PR	Provérbios
FM	Filêmon	1RS e 2RS	Reis
FL	Filipenses	RM	Romanos
GL	Gálatas	RT	Rute
GN	Gênesis	SB	Sabedoria
HAB	Habacuc	SL	Salmos
HB	Hebreus	1SM e 2SM	Samuel
IS	Isaías	SF	Sofonias
JR	Jeremias	1TS e 2TS	Tessalonicenses
JD	Judas	TG	Tiago
JT	Judite	1TM e 2TM	Timóteo
JO	João	TT	Tito
1JO, 2JO e 3JO	João	TB	Tobias
		ZC	Zacarias

Créditos fotográficos

Alexsander Lengerke 32, 52, 55, 57, 113, 250;
Darlei Zanon 43, 48, 114, 125, 144, 149, 160, 164, 192, 203, 205, 216, 259, 280;
Fabiano Fachini 284;
Felix Löwenstein 68, 77, 78, 278;
Jerko Malinar (www.cross-press.net) 260;
José Carlos Nunes 108, 145, 152, 206, 274;
Luc Serafim 84, 85, 157, 230, 279;
Marie Löwenstein 245;
Marie-Sophie Lobkowicz 28, 30;
Nightfever (www.nigthfever-online.de) 269, 272, 273;
Nikolas Behr 285;
Paulo Lopes 23, 88, 160;
Ricardo Perna 15, 24, 38, 91, 100, 104, 118, 121, 163, 170, 180, 184, 189, 255;
Sxc.hu 12, 21, 40, 44, 87, 98, 138, 150, 151, 168, 175, 203, 210, 213, 219, 226, 238, 239, 242, 246, 253, 283, 287;
Wieslaw Smetek 62, 63;

Agradecimentos

Queremos agradecer às seguintes pessoas que aceitaram participar na elaboração desta obra: o Dr. Johannes de Eltz (Frakfurt), Michaela de Heereman (Meerbusch), Bernhard Meuser (München) e o Dr. Christian Schmitt (Münster).

Também recebemos conselhos importantes e ajuster preciosas do Dr. Arnd Küppers (Mönchengladbach), do Prof. Dr. Michael Langer (Oberaudorf), do Dr. Manfred Lütz (Bonn), do Prof. Dr. Edgar Korherr (Graz), de Otto Neubauer (Viena), de Bernhard Rindt (Viena), de Regens Martin Straub (Regensburg) e do Dr. Hubert-Philipp Weber (Viena).

Os nossos agradecimentos estendem-se ainda aos jovens que participaram: Agnes, Alexander, Amelie, Anne-Sophie, Angelika, Antonia, Assunta, Brit, Carl, Claudius, Clemens, Coco, Constantin, Damian, Daniela, Dario, Dominik, Donata, Esther, Felicitas, Felix, Gina, Giuliano, Huberta, Isa, Isabel, Ivo, Johanna, Johannes, Josef-Erwein, Karl, Katharina, Katrin, Kristina, Lioba, Lukas, Marie-Sophie, Marie, Marie, Mariella, Matern, Monika, Nico, Nicolo, Niki, Niko, Philippa, Pia, Rebekka, Regina, Robert, Rudolph, Sabine, Sophie, Stephanie, Tassilo, Theresa, Theresa, Theresa, Theresa, Teresa, Uta, Valerie, Victoria.

Indicações de consulta

O Catecismo Jovem aborda, em linguagem juvenil, toda a fé católica tal como é apresentada no *Catecismo da Igreja Católica* (CCC de 1997), sem contudo ambicionar a totalidade oferecida por este. O livro é concebido em forma de **perguntas** e **respostas**, remetendo através de **números** no final de cada resposta para as exposições do CCC, que levam ao seu aprofundamento. O **comentário** seguinte pretende dar aos jovens um auxílio suplementar na compreensão e no significado existencial das questões tratadas. Para além disso, o Catecismo Jovem oferece, nas colunas marginais das páginas, elementos complementares como **imagens**, **definições** sintéticas, citações da **Sagrada Escritura**, citações dos **santos** e de **fidedignos mestres** da fé. No final da obra encontra-se um **índice de temas e de nomes**, que ajuda a localizar dados concretos com facilidade.

Os sinais e o seu significado:

citação da Sagrada Escritura

citação de vários autores, incluindo santos e escritores cristãos

definição

referência aos artigos conexos no Catecismo Jovem

Concurso fotográfico!

Eu acredito!

YOUCAT - Vídeo

Grupos de Estudo YOUCAT

Estudai o Catecismo!
Este é o desejo do meu coração.
Formai grupos de estudo e redes sociais,
partilhai-o entre vós na Internet!

PAPA BENTO XVI

Prefácio do *YOUCAT – Catecismo Jovem da Igreja Católica*

www.youcat.org

KNOW. SHARE. MEET. EXPRESS.

- Informações e atualização do YOUCAT
- Testemunhos constantes de fé de jovens
- Grupos de estudo e de formação para todas as questões da fé
- Portal criativo para filmes, música, pintura, etc.
- E muito mais!

❓ FIQUE POR DENTRO

→ **O YOUCAT CENTER BRASIL** é a inspiração de um Instituto de Formação e Evangelização Juvenil que tem como serviço e missão ser na Igreja, para o mundo, um *CAMPUS FIDEI* e um *CAMPUS MISERICORDIAE*: um Campo da Fé e um Campo da Misericórdia. A partir desses dois elementos fundantes, o YOUCAT Center é, portanto, um campo como **lugar onde se semeia**, um campo como **lugar de treinamento** e um campo como **lugar de construção**, que à luz dos quatro princípios do YOUCAT (Conhecer, Encontrar, Partilhar e Expressar) procura, em suas atividades, ser e formar uma geração de jovens mais enraizada na fé e fecunda em boas obras.

A sede de missão do YOUCAT Center fica na cidade de Brasília, por ser também um centro de coordenação nacional dos projetos oficiais de evangelização e formação do YOUCAT em todo o país, tais como: YOUCAT *Adventure* (um encontro querigmático para jovens); YOUCAT *Training* (cursos de Formação e Aprofundamento); YOUCAT *Dating* (Grupo de Estudo para Jovens Casais à luz da Teologia do Corpo); Grupos de Estudo YOUCAT (formação com o Catecismo, DOCAT e Bíblia); YOUCAT *Meeting* (encontro de formação para coord. de grupos de estudo); YOUCAT *Training School* (Escola de Treinamento YOUCAT); YOUCAT *Summer Meeting* (Encontro de Verão YOUCAT); WORKSHOPS DOCAT (cursos de formação sobre a Doutrina Social da Igreja); Clube de Leitura YOUCAT; Desafio YOUCAT (um desafio anual para jovens de todo o Brasil, de conhecimento da fé e expressão da prática da caridade) e muito mais....

→ A **ASSOCIAÇÃO YOUCAT BRASIL** é uma instituição de direito privado, sem fins lucrativos, de caráter organizacional, assistencial, religioso e educacional, e é a entidade mantenedora da missão do YOUCAT Center Brasil. A Associação, em parceria com a YOUCAT Foundation, de acordo com a ata de fundação, tem como objetivo fundamental, dentro do espírito da oração e do amor atuante, promover a evangelização, notadamente junto aos públicos jovens, através da propagação da Palavra de Deus, da divulgação das Sagradas Escrituras, da colaboração espiritual, da atuação pastoral e da formação consoante com a Doutrina Social da Igreja Católica.

→ A **YOUCAT FOUNDATION**, criada na Alemanha, sem fins lucrativos, tem como objetivo publicar e distribuir livros e outros materiais, promovendo assim a Nova Evangelização no mundo juvenil. A YOUCAT Foundation, como subsidiária da Fundação Pontifícia Ajuda à Igreja que Sofre – ACN, incentiva e apoia também a formação de centros para a evangelização de jovens em diversos países nominados "YOUCAT Center". **A Fundação Pontifícia Ajuda à Igreja que Sofre, a YOUCAT Foundation e os YOUCAT Centers são animados por uma fiel obediência e devoção ao Santo Padre, por uma ativa cooperação com o seu ministério apostólico universal e por uma pronta disponibilidade para seguir e colocar em prática as suas indicações.**

→ Visite o *site* www.youcat.org.br
e também o perfil do YOUCAT Brasil
nas principais redes sociais:

[f] /youcatbrasilofficial   [◉] @youcatbrasil

Entre em contato com os
MISSIONÁRIOS YOUCAT:
brasil@youcat.org.br